MAL ERNST, MAL HEITER

MAL ERNST, MAL HEITER

Edited by George Winkler
Margrit Meinel Diehl

Harcourt Brace Jovanovich, Publishers
Orlando New York Chicago San Diego Atlanta Dallas

ACKNOWLEDGMENTS: For permission to reprint copyrighted material, grateful acknowledgment is made to the following sources:

Arena-Verlag: "Die Liebesgeschichte" by Hans Peter Richter in *Wir sprechen noch darüber* edited by Hans-Georg Noack/Dieter Lattmann. ©1972 by Arena-Verlag. "Der vierte Apparat" in *Das Gespenstergespenst* by Thomas Burger. ©1955 by Arena-Verlag. Bertelsmann Publishing Group: "Das innere Auge" by Rudolf Binding. Heinrich Böll: "An der Brücke" in *Gesammelte Erzählungen I* by Heinrich Böll. Originally published 1949. Copyright by Heinrich Böll, Werke, Band 1. Verlag Kiepenheuer & Witsch, Köln. 1977. Dr. Ulrich Constantin: "Das Eisenbahngleichnis" in *Lyrische Hausapotheke* and "Die Entwicklung der Menschheit" in *Bei Durchsicht meiner Bücher* by Erich Kästner. Copyright ©by Erich Kästner Erben, München. Gesammelte Schriften, Atrium Verlag Zürich 1959. Diogenes Verlag AG: "Paul" in *Wirf eine Münze auf* by Rainer Brambach. All rights reserved. ©1977 by Diogenes Verlag AG, Zürich. First published in Tagwerk, 1959 Zürich. Fischer Taschenbuch Verlag: Excerpt ('Angst') by Anne Frank in *Spur eines Kindes* by Ernst Schnabel. ©Fischer Bücherei KG, Frankfurt am Main 1958. Gütersloher Verlagshaus: "Der Witz vom Pomuchelskopf" by Herrmann Mostar in *Nur keinen Streit vermeiden* edited by Weert Flemmig, Hans May, Hans-Heinrich Strube, 1974. Henssel Verlag: "Segelschiffe" in *Und auf einmal steht es neben dir* by Joachim Ringelnatz. Copyright©1960 by Henssel Verlag, Berlin. Otto Maier Verlag: "Die Königin der Taschendiebe" by Wolfgang Ecke from *Solo für Melodica,* ©1972 by Otto Maier Verlag Ravensburg. "Die Unbequeme" by Gudrun Pausewang from *Die beste aller möglichen Welten,* ©1975 by Otto Maier Verlag Ravensburg. R. Piper & Co. Verlag: "Alle Tage" in *Die gestundete Zeit* by Ingeborg Bachmann. ©R. Piper & Co. Verlag, München 1957. "Der Stift" and "Päng" in *Man kann darüber sprechen* by Heinrich Spoerl. ©R. Piper & Co. Verlag, München 1949. Rowohlt Verlag GmbH, Reinbek bei Hamburg: "Lohengrin" excerpt from *Meine sämtlichen Werke* by Leo Slezak. Stieglitz Verlag: "Der Mann mit den hundert Tricks" and "Das Porträt" by Jo Hanns Rösler. Copyright by Jo Hanns Rösler—Stieglitz-Verlag. Suhrkamp Verlag: Eine grössere Anschaffung" in *Lieblose Legenden* by Wolfgang Hildesheimer. ©Suhrkamp Verlag, Frankfurt am Main 1962. "Du sollst dir kein Bildnis machen" in *Tagebuch 1946–1949* by Max Frisch. ©Suhrkamp Verlag, Frankfurt am Main 1950. "Der Radwechsel," "Lob des Lernens," and "Der Rauch" in *Gesammelte Werke, Vol. 4* by Bertold Brecht. ©Suhrkamp Verlag, Frankfurt am Main 1967. "Im Nebel" in *Die Gedichte* by Hermann Hesse. ©Suhrkamp Verlag, Frankfurt am Main 1953, 1961. Verlags AG Die Arche, Zürich: "Die Prinzessin" from *Rapport der verschonten Geschichten* by Wolfdietrich Schnurre. Copyright ©1968 by Verlags AG Die Arche, Zürich. Klaus Müller-Gräffshagen: "Hier Walfangschiff Hedda!" from *Bis um neun wird viel geschehen* by Stephen Gräffshagen. Verlag J. Pfeiffer, München, 1966. Günter Wallraff: "Am Band" in *Wir brauchen dich. Als Arbeiter in deutschen Industriebetrieben* by Günter Wallraff, 1966. Walter-Verlag AG Olten: "Die Tochter" in *Eigentlich möchte Frau Blum den Milchmann kennenlernen* by Peter Bichsel. ©Walter-Verlag AG, Olten 1964.

PHOTO CREDITS: Abbreviations: c = center; ll = lower left; lr = lower right; r = right; tl = top left; tr = top right.

Page 2 German Information Center; 3 tl, ll George Winkler/HBJ Photo, r German Information Center; 4 German Information Center; 7 UPI; 22 Culver Pictures; 25, 26, 28, 30, 36, 37 German Information Center; 39 Philadelphia Museum of Art: Given by Lessing J. Rosenwald; 42 From *The Diary of a Young Girl* by Anne Frank. ©1952 by Otto Frank. Reprinted by permission of Doubleday & Company, Inc.; 45 tl, ll, George Winkler, tr, lr From *The Diary of a Young Girl* by Anne Frank. ©1952 by Otto Frank. Reprinted by permission of Doubleday and Company, Inc.; 47 Monkmeyer Press Photo; 50, 51 54, 59, 60, 61, 63, 66, 68, 69, 71 German Information Center; 75 Collection, The Museum of Modern Art, N.Y. Purchase Fund; 85 Collection, The Museum of Modern Art, N.Y. Gift of Curt Valentin; 87 Collection, The Museum of Modern Art, N.Y. Purchase; 99 German Information Center; 100 The Bettmann Archive; 102 The New York Public Library Picture Collection; 104, 110, 112, 114, 119 The Bettmann Archive; 120, 121, 128, 129, 132, 133 German Information Center; 134 The Museum of Modern Art, N.Y. Gift of Mr. & Mrs. Walter Bareiss; 136 The Museum of Modern Art, N.Y. Abby Aldrich Rockefeller Fund; 137, 138 German Information Center; 139 ©Zoological Society of San Diego 1983; 140 The Solomon R. Guggenheim Museum, N.Y.; 141 The Museum of Modern Art, N.Y. James Thrall Soby Fund; 144, 145 The Bettmann Archive; 148 J. Benbassat, De Wys; 149 Fritz Henle, Photo Researchers; 151 George Winkler/HBJ Photo; 155 The Solomon R. Guggenheim Museum, N.Y. Gift, Frederick M. Stern.

COVER: Paul Klee: *Der Bote des Herbsts,* ©SPADEM, Paris / VAGA, New York 1984, Yale University Art Gallery, Gift of Collection Société Anonyme.

ART CREDITS Pages 10, 11 Rolf Rettich; 14, 16, 17, 20, 32, 55, 56 John Huehnergarth; 106, 123, 124, 126, 127, 130, 131 Ludwig Richter; 125 Franz Graf von Pocci; 135, 142, 143, 146, 147 Adolph von Menzel.

Printed in the United States of America

ISBN 0-15-383757-8

Introduction

Mal ernst, mal heiter is an advanced level German Reader consisting of short stories, essays, fairy tales, poems, songs, ballads, aphorisms, sayings, and proverbs.

The selections were chosen mainly on the basis of their appeal to young people. Included are stories and essays by some of the best and most well-known contemporary writers in the German language, as well as stories by authors who write expressly for young people. Some stories are light and purely entertaining; others are more serious and thought-provoking, giving the reader much to think about and discuss.

The selections vary in degree of difficulty. The essays provide the most challenging reading.

The poems, songs, and ballads selected are familiar to native German students. The fairy tales, sayings, and proverbs are part of every German's cultural heritage.

Inhalt

Geschichten zur Unterhaltung

Der vierte Apparat

,,So, das hätten wir wieder einmal'', meinte aufatmend der Mann vom Störungsdienst° und legte den Arbeitsnachweis zur Unterschrift vor. Er brauchte der Hausfrau nicht mehr zu erklären, wo und warum sie ihren Namen auf die Bescheinigung° setzen müsse—er war heute ja immerhin das zehntemal in diesem Monat wegen des Telefons bei ihr! Ein merkwürdiges Jubiläum°, dachte der Mann bei sich. Laut sagte er: ,,Hoffen wir, dass es diesmal hält!'' Die Frau sah ihn unsicher an. ,,Ich weiss nicht'', meinte sie ein wenig beklommen°, ,,mit diesem Wunsch haben wir uns schon öfter verabschiedet. . .''

,,An uns liegt es aber gewiss nicht, gnädige Frau'', verteidigte° der Mann seine Arbeit und Dienststelle. ,,Es waren doch unsere fähigsten° Leute da und haben alles untersucht. Wir haben neue Leitungen° gelegt. Wir haben die Anschlüsse° überprüft. Wir haben alles getan, was man machen kann. Dass dennoch Ihre Gespräche plötzlich unterbrochen werden, weil der Apparat ausfällt, ist uns unerklärlich. Übrigens: Apparat—dieser ist auch schon der dritte, nein vierte, den wir Ihnen in die Wohnung gestellt haben. Am Telefonapparat kann es also auch nicht liegen.''

,,Dann werden es wohl Gespenster° sein!'' Die Frau hatte das nur so vor sich hingesagt. Eine kaum überlegte Redensart°! Um den heimlichen Ärger zu verbergen°!

der Mann vom Störungsdienst *telephone repairman*
die Bescheinigung *receipt*
das Jubiläum *anniversary*
beklommen *ill at ease*
verteidigen *to defend*
fähig *capable*
die Leitung *cable* **der Anschluss** *connection*
das Gespenst *ghost*
eine. . . Redensart *a casual figure of speech*
verbergen *to hide*

Aber der Mann vom Störungsdienst griff den Gedanken auf: „Ja", sagte er und nickte bedächtig°, „da werden es wohl die Gespenster sein!" Und man konnte schlecht unterscheiden, ob das im Ernst oder im Spott° gesagt war.

Die Frau aber sass an diesem Abend allein in der Wohnung — ihr Mann war zu einem Vortrag° gegangen — und dachte, während die Stricknadeln in ihren Händen immer langsamer gingen, an das Telefongespenst. Ob es so etwas gab? Ach was, dummes Zeug°!

Oder vielleicht doch?

Es war doch immerhin höchst sonderbar°, dass ausgerechnet ihr Telefon dauernd ausfiel! Vielleicht war es bereits in diesem Augenblick schon wieder unbrauchbar?

Die Frau legte das Strickzeug nunmehr ganz weg und sah dabei zu dem kleinen schwarzen Apparat auf der gegenüberliegenden Zimmerseite.

Mit seinem Zahlengesicht schien er sie anzulachen.

Übermütig°.

Oder höhnisch°?

Die Frau wurde langsam nervös. „So geht das nicht weiter!" murmelte sie halblaut und stand auf. Die Telefonnummer ihrer besten Freundin wusste sie auswendig°. Sie wählte.

Das Rufzeichen ertönte — der Apparat war also noch in Ordnung.

Die Freundin meldete sich. „Was Besonderes?" fragte sie.

„Ach, eigentlich nicht. Ich wollte nur mal. . ."

bedächtig *deliberately*
im Spott *in jest*
der Vortrag *lecture*
dummes Zeug! *nonsense!*
sonderbar *strange*
übermütig *insolent*
höhnisch *scornful*
auswendig *by heart*

„Ach so!" lachte die Freundin. „Du wolltest nur dein Telefon ausprobieren, ja? Hast wohl wieder einen neuen Apparat bekommen? Du, ich weiss, woran es liegen könnte, dass er so oft ausfällt. Nimm doch mal bitte dein Bandmass° und miss die Zuleitungsschnur°!"

„Was soll ich messen?"

„Die Leitung von der Anschlussdose° an der Zimmerwand bis zum Apparat! Wie lang sie ist!"

„Oh, du! Mich kannst du nicht hereinlegen°! Den alten Witz kenne ich schon! Damit haben wir letzten Silvester° den Professor über uns hereingelegt. Das war ein Spass, kann ich dir sagen, hahaha! Was haben wir damals alle gelacht, ha—"

Knack, machte es in diesem Augenblick in der Leitung.

„Hallo!" rief die Frau. „Bist du noch da, Elvira?"

Aber Elvira war nicht mehr da. Der Apparat schwieg. Mit einem lauten Stöhnen° sank die Frau in den Lehnstuhl zurück.

„Der vierte Apparat—und schon wieder kaputt!" seufzte sie.

Und zum drittenmal an diesem Tag ging sie der Frage nach, ob es nicht doch so etwas wie Telefongespenster gab. Mit dem alten Witz („Jetzt messen Sie doch mal bitte die Leitung vom Hörer zur Steckdose? Wie lang bitte? Mensch, haben Sie aber eine lange Leitung!"[1]), mit diesem alten Witz also hatte sie das Telefongespenst offenbar gereizt°. Erfolg°?

Sie musste morgen früh erneut die Störungsstelle anrufen.

das Bandmass *tape measure*
die Zuleitungsschnur *telephone cord*
die Anschlussdose *phone jack*
hereinlegen *to fool, take in*
Silvester *New Year's Eve*
das Stöhnen *sigh*
reizen *to provoke* **der Erfolg** *result*

[1] A person having **"eine lange Leitung"** is someone who is slow to catch on.

Die Störungsstelle schickte Fachleute° von weither. Und einem von ihnen gelang es schliesslich auch, das Gespenst zu entlarven°. Er war stutzig geworden°, als er bei den verschiedenen Berichten, die er von der Frau erhielt, feststellte, dass die Telefongespräche immer dann unterbrochen worden waren, wenn die Frau etwas Lustiges erzählt hatte. Der findige° Ingenieur holte komplizierte Apparate und fing zu messen an—und dabei machte er einige Spässe°. Und da erweis sich seine Vermutung° als richtig: Das Lachen der Frau hatte die gleiche Frequenz wie das mechanische Störsignal°!

Als man die reparierte Telefonanlage erneut übergab, geschah es unter der Bedingung°, dass die Frau am Telefon nicht mehr lachen dürfe!

THOMAS BURGER

die Fachleute *experts*
entlarven *to expose*
stutzig werden *to get suspicious*
findig *clever*
der Spass *joke* **die Vermutung** *hunch*
das Störsignal *tone indicating phone trouble*
die Bedingung *condition*

Fragen zum Inhalt

1. Was sagte und was tat der Mann vom Störungsdienst?
2. Warum weiss die Frau schon, wo sie unterschreiben muss?
3. Ist die Frau sicher, dass das Telefon jetzt in Ordnung ist?
4. Wie verteidigt der Mann seine Arbeit und seine Dienststelle? Was sagt er alles?
5. Was meint die Frau daraufhin?
6. Was tat die Frau am Abend, und wo war ihr Mann?
7. Was tat die Frau schliesslich, um sich zu überzeugen?
8. Was sagte die Freundin der Frau, und welchen Rat gab sie ihr?
9. Warum glaubt die Frau, dass ihre Freundin sie hereinlegen will?
10. Was passierte dann?
11. Was glaubte die Frau nun?
12. Was tat sie am nächsten Morgen?
13. Was gelang einem Fachmann schliesslich?
14. Wann war er stutzig geworden?
15. Was machte der Ingenieur, und was erwies sich dabei?
16. Unter welcher Bedingung bekam die Frau nun eine neue Telefonanlage?

Fragen zum Überlegen und Diskutieren

1. Glauben Sie, dass diese Geschichte wahr sein könnte?—Diskutieren Sie darüber!
2. Können Sie eine ähnliche Geschichte erzählen?

Vorschlag zu einem Klassenprojekt

Schreiben Sie diese Geschichte in Dialogform, und spielen Sie sie dann der Klasse als Theaterstück vor!

Der Mann mit den hundert Tricks

Das grosse Varieté° löschte seine tausend Lichter. Die letzten Bühnenarbeiter verliessen das Theater, der Portier schloss hinter ihnen ab und schritt langsam auf die letzte offene Tür zu, die zu den Garderoben° der Artisten führte. Im Schatten des Torbogens stand ein Mann. Er trug einen grauen Mantel und einen grauen Schirm überm Arm.

das Varieté *music hall*
die Garderobe *dressing room*

„Ist Mister Zarini noch da?" fragte er.

„Der Mann mit den hundert Tricks?"

„Ja."

„Ich werde nachsehen."

Zarini, der Mann mit den hundert Tricks, schloss sorgsam° seinen grossen Koffer° ab. Es klopfte.

sorgsam *carefully*
der Koffer *suitcase*

„Mister Zarini, unten wartet ein Herr."

„Hat er seinen Namen genannt?"

„Nein. Er fragte nur, ob Sie noch im Haus wären."

„Führen Sie ihn bitte herauf."

Der Herr im grauen Mantel verbeugte sich°, als er eintrat. „Ich heisse Burger", sagte er.

s. verbeugen *to bow*

„Der Juwelier°?"

der Juwelier *jeweler*

„Sie kennen mich?"

„Ich wäre sogar gern Ihr Kunde, wenn ich es mir leisten könnte!"

„Sie werden es sich bald leisten können!"

„Nanu?" sagte Zarini belustigt und überrascht.

„Ich biete Ihnen eine Gage° von fünftausend."

die Gage *fee*

„Donnerwetter! Wofür?"

„Für einen Ihrer hundert Tricks."

„Kein schlechtes Honorar°!"

das Honorar *fee*

„Ich will es hoffen!"

„Und wo soll ich den Trick ausführen?"

„Morgen. Bei mir. Wollen Sie?"

Zarini nickte°: „Wir werden morgen darüber reden. Erwarten Sie meinen Besuch."

nicken *to nod*

Die Verhandlung° am nächsten Morgen dauerte schon eine Stunde.

die Verhandlung *negotiation*

Der Juwelier sagte ärgerlich: „Ich verstehe Ihr Zögern° nicht!"

„Es ist ein glatter Betrug°!"

das Zögern *hesitation*
ein glatter Betrug *plain fraud*

„Bedenken Sie Ihr Honorar! Fünftausend!"

„Und der Wert des Kolliers°?"

das Kollier *necklace*

„Vierzigtausend!"

„Kein schlechtes Geschäft für Sie!"

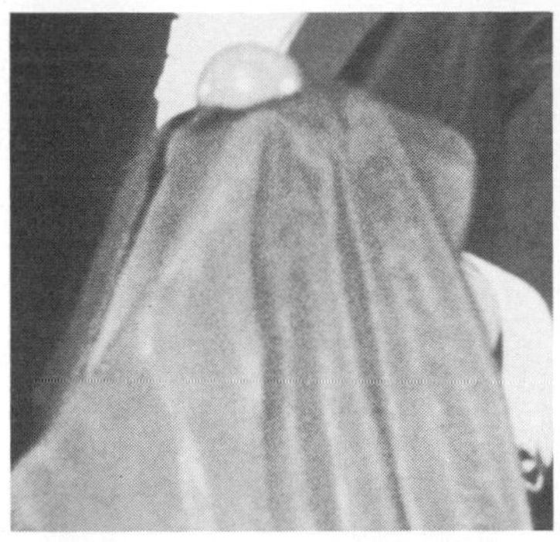
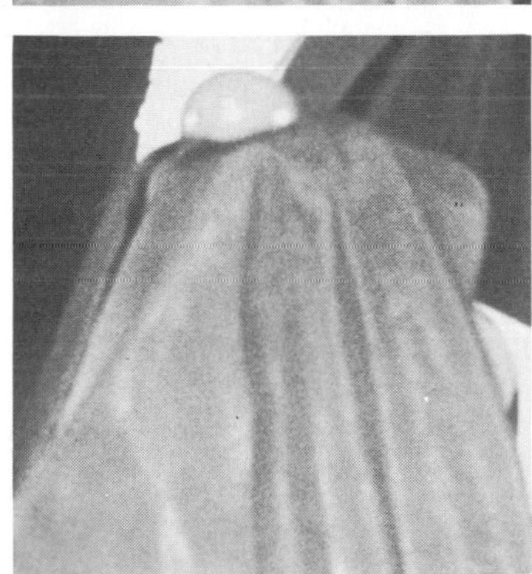

„Auch für Sie nicht, Herr Zarini!" erwiderte der Juwelier. „Wie oft haben Sie diesen Trick schon auf der Bühne ausgeführt! Sie haben weiter nichts zu tun, als das Kollier vor den Augen der Contessa in die Schatulle° zu legen und es dabei verschwinden zu lassen."

„Und wenn sie daheim das Fehlen des Schmuckes° bemerkt?"

Der Juwelier lächelte: „Wenn der Schmuck unterwegs verlorengeht, haftet° mein Geschäft nicht."

die Schatulle *case*

der Schmuck *jewelry*

haften *to be responsible (for)*

Eine Stunde später betrat die Contessa den Laden des Juweliers. In ihrer Begleitung befand sich ein junger Herr. Sie stellte ihn als ihren Sekretär vor.

Der Juwelier öffnete den schweren Stahlschrank°. ,,Sie werden Ihre Freude° haben, Contessa!''

,,Kann ich das Kollier sehen?''

,,Hier ist es.''

Die grossen Steine, so dicht beieinander°, dass die kostbare Platineinfassung° fast verschwand, waren von einer unbeschreiblichen Schönheit.

Der Juwelier wies auf Zarini, der neben ihm stand. ,,Mein Geschäftsfreund aus London. Er brachte mir gestern die letzten Steine.''

,,Der Preis bleibt wie vereinbart°?''

,,Vierzigtausend.''

,,In bar°. Ich kenne Ihre Bedingungen°.'' Sie gab ihrem Sekretär ein Zeichen.

Der Sekretär öffnete die Mappe und zählte den Betrag auf den Tisch.

Zarini nahm das Kollier in die Hand und legte es in die vorbereitete, mit Samt ausgeschlagene° Kassette. ,,Überzeugen Sie sich bitte selbst, dass der Schmuck darin liegt, Contessa'', sagte er, ,,man kann bei so wertvollen Steinen nicht gewissenhaft° genug sein, es geschehen oft die seltsamsten° Dinge.'' Damit schloss er die Kassette und überreichte sie der Kundin.

,,Das haben Sie unheimlich geschickt° gemacht, Zarini!''

,,Ich führe den Trick jeden Abend auf der Bühne aus!''

,,Ich habe Sie genau beobachtet und nichts bemerkt! Wenn das Kollier jetzt nicht in meiner Hand wäre — ''

,,Gestatten Sie°?''

,,Was fällt Ihnen ein°? Warum nehmen Sie das Kollier an sich?''

,,Erst gegen° mein Honorar!''

,,Misstrauen?''

,,Nennen Sie es Aberglauben°.''

Der Juwelier legte zehn grosse Scheine auf den Tisch.

Zarini schob das Geld in die Tasche. ,,Ich lege jetzt das Kollier in Ihren Stahlschrank. Überzeugen Sie sich selbst, dass der Schmuck darin liegt.''

Das Kollier lag auf der grauen Stahlplatte im zweiten Fach. Zarini schloss die Stahltür und überreichte dem Juwelier den Schlüssel. Der Artist rief ein vorüberfahrendes Taxi an. Noch einmal winkte er vergnügt° zurück, der Juwelier applaudierte ihm hinter der hohen Glasscheibe seiner Tür. Dann schritt er zum Tresor° und öffnete ihn. Erschrocken fuhr er zurück. Das Kollier war verschwunden. An seiner Stelle lag ein Brief:

,,Ich hoffe, mein Herr, Sie waren mit meiner Sondervorstellung in Ihren Räumen zufrieden°. Ich gebe gern zu°, dass das Honorar

der Stahlschrank *safe*
Freude haben *to take pleasure*
dicht beieinander *close together*
die Platineinfassung *platinum setting*
wie vereinbart *as agreed upon*
in bar *in cash* **die Bedingung** *condition*
mit Samt ausgeschlagen *velvet-lined*
gewissenhaft *conscientious*
seltsam *strange*
unheimlich geschickt *very skillfully*
gestatten Sie *allow me*
was fällt Ihnen ein *what do you think you are doing?*
gegen *in return for*
der Aberglaube *superstition*
vergnügt *happily*
der Tresor *vault*
zufrieden *satisfied* **zugeben** *to admit*

aussergewöhnlich hoch war. Wenn Sie aber bitte bedenken wollen, dass ich einen meinen berühmten Tricks zweimal hintereinander ausführte—zuerst vor Ihrer Kundschaft und dann vor Ihrem Tresor—, so wollen Sie bitte zugeben, dass mein Illusionsakt das Geld wert war. Das Kollier bringe ich in dieser Minute seiner Eigentümerin° zurück und werde eine glaubhafte Erklärung dafür finden. Denn ich möchte nicht, dass Sie eine so kaufkräftige° Kundin einbüssen°, die Ihnen sicher oft ermöglichen wird, das Vergnügen zu haben, im Theater zu bewundern

den Mann der hundert Tricks."

die Eigentümerin *owner*
kaufkräftig *wealthy*
einbüssen *to iose*

JO HANNS RÖSLER

Fragen zum Inhalt

1. Beschreiben Sie die Szene im Varieté!
2. Wer ist Zarini?
3. Was tat Zarini gerade, als es klopfte?
4. Wer ist der Mann im grauen Mantel?
5. Kennt Zarini diesen Mann?
6. Was bietet der Juwelier dem Mann mit den 100 Tricks?
7. Warum dauerte die Verhandlung am nächsten Morgen so lange?
8. Was hat Zarini eigentlich nur zu tun?
9. Wofür haftet das Geschäft des Juweliers nicht?
10. Wer erschien beim Juwelier eine Stunde später?
11. Wie sieht das Kollier aus?
12. Als was wird Zarini der Contessa vorgestellt?
13. Was tat der Sekretär der Contessa?
14. Was machte Zarini dann?
15. Worüber ist der Juwelier böse, als die Contessa das Geschäft verlassen hatte?
16. Was wollte Zarini zuerst haben?
17. Was tat Zarini, nachdem er das Geld erhalten hatte?
18. Was stellte der Juwelier fest, als Zarini gegangen war?
19. Was steht in dem Brief, den der Juwelier im Tresor fand?

Fragen zum Überlegen und Diskutieren

1. Was halten Sie von Zarini? Diskutieren Sie seinen Charakter!
2. Was für ein Gespräch könnte sich zwischen dem Juwelier und der Contessa entwickeln, wenn sie sich wiedertreffen?

Vorschlag zu einem Klassenprojekt

Schreiben Sie diese Geschichte in Dialogform, und spielen Sie sie dann in der Klasse als Theaterstück vor!

Die Königin der Taschendiebe°

der Taschendieb *pickpocket*

Man kannte sie unter den Spitznamen „Die fromme° Helene[1]" ebensogut wie unter „St. Helena" und „Helenchen".

Ihr eigener Name dagegen war schlicht° und einfach: Lena Zörrgiebel. Sie galt als° Königin unter den Taschendieben. Nur einmal bisher wurde sie auf frischer Tat ertappt°, und das war, als sie gerade einem Spezialisten aus dem Polizeipräsidium die Brieftasche zog.

Besonders einer Fähigkeit° verdankte° Lena Zörrgiebel ihren Erfolg: Sie war eine Meisterin auf dem Gebiet der Verkleidung°.

Ob als einfacher Mann mit Drehorgel°, ob als „reiche Lady", als Priester oder Briefträger; immer war ihre Maske so gut, dass niemand hinter ihr Lena, die Meisterdiebin vermutete°.

So kam der 27. September heran. Ein Tag, den die Königin der Taschendiebe nicht so schnell vergessen wird. Seit einer Woche hatte Lena ihr Jagdrevier° auf den Hauptbahnhof verlegt°. Da die letzten vier Tage sehr erfolg- und ertragreich° waren, beschloss° sie, nur noch den 27. auf dem Bahnhof zu verbringen.

Sie ahnte nicht, dass wegen ihrer Diebereien Polizei und Bundesbahn für den 27. „Grossalarm"gegeben hatten. Das hiess, dass zehn Bahnpolizisten sowie vierzehn Beamte und Beamtinnen in Zivil auf dem Sprung° waren, den geheimnisvollen° Taschendieb zu finden.

fromm *pious*

schlicht *plain*
gelten als *to be considered*
auf frischer Tat ertappen *to catch red-handed*

die Fähigkeit *ability* **verdanken** *to owe* **die Verkleidung** *disguise*
die Drehorgel *barrel organ*
vermuten *to suspect*

das Jagdrevier *hunting ground* **verlegen auf** *to transfer to*
ertragreich *productive*
beschliessen *to decide*

auf dem Sprung sein *to be on the lookout* **geheimnisvoll** *mysterious*

[1] **"Die fromme Helene"** is a well-known character created by the 19th century humorist Wilhelm Busch.

BANK
SPEISEN SIE GERN?
...dann im Bahnhof!
ALLES MIT BAHN
MÄNNER
FRAUEN
AUF WIEDER-SEHEN.

Lena Zörrgiebel hatte für den Vormittag die Maske eines bayerischen Landmannes gewählt. Von der ledernen Kniehose bis zum Gamsbart[2] auf dem Hut, vom Knotenstock bis zum Vollbart im Gesicht und einer gebogenen Tabakspfeife war alles vorhanden°.

Und dann geschah es:

Sie hatte gerade bei einem „aus Versehen" verschuldeten Zusammenstoss° mit einem gut gekleideten Reisenden eine dicke Brieftasche erbeutet°, als sie plötzlich spürte, wie sich ein Augenpaar förmlich in ihrem Rücken festzubohren schien. Sie wandte sich um und stand einem unauffällig° gekleideten Mann im grauen Anzug gegenüber. So, als sei nichts geschehen, ging sie an ihm vorbei. Aber sie wusste, dass ihr der Mann folgte.

Und dann beging Lena Zörrgiebel ihren grössten Fehler.

Um den vermeintlichen Augenzeugen° abzuschütteln, schlug sie einen Weg ein, der bei ihrem Verfolger die letzten Zweifel° ausräumte°.

Sechs Minuten später schlossen sich die unmelodisch klappernden Handschellen° um ihre Handgelenke.

WOLFGANG ECKE

vorhanden sein *to be present*

aus . . . Zusammenstoss *collision "by mistake"* **erbeuten** *to take as booty*

unauffällig *inconspicuous(ly)*

vermeintlicher Augenzeuge *supposed eye-witness* **der Zweifel** *doubt* **ausräumen** *to clear away*

die Handschellen *handcuffs*

Fragen zum Inhalt

1. Welche Spitznamen hatte die Königin der Taschendiebe auch?
2. Wie war ihr eigener Name?
3. Warum galt sie als Königin der Taschendiebe?
4. Welcher Fähigkeit verdankte sie ihren Erfolg?
5. Als was verkleidete sie sich?
6. Warum ist der 27. September ein so besonderer Tag für Lena?
7. Was konnte sie nicht ahnen?
8. Wie hatte sie sich an diesem Morgen verkleidet?
9. Wobei wurde Lena nun ertappt?
10. Was tat Lena, um ihren vermeintlichen Zeugen abzuschütteln?
11. Was passierte sechs Minuten später?

Fragen zum Überlegen und Diskutieren

1. Welchen Fehler macht die Königin der Taschendiebe?
2. Kennen Sie eine Geschichte von einem Taschendieb? —Erzählen Sie sie der Klasse!
3. Hat Ihnen schon einmal ein Taschendieb etwas weggenommen? Wie war das?

---

[2] A **Gamsbart** is a tuft of bristly hair from the chamois, a small goatlike antelope found in alpine regions of Europe. It is often used as decoration on Alpine hats.

Der Stift°

der Stift *pin, peg*

Eine Türklinke°[1] besteht aus zwei Teilen, einem positiven und einem negativen. Sie stecken ineinander, der kleine wichtige Stift hält sie zusammen. Ohne ihn zerfällt die Herrlichkeit°.

Auch die Türklinke an der Obertertia[2] ist nach diesem bewährten Grundsatz konstruiert.

Als der englische Lehrer um zwölf in die Klasse kam und mit der ihm gewohnten° konzentrierten Energie die Tür hinter sich schloss, behielt er den negativen Teil der Klinke in der Hand. Der positive flog draussen klirrend auf den Gang°.

Mit dem negativen Teil kann man keine Tür öffnen. Die Tür hat nur ein viereckiges Loch. Der negative Teil desgleichen°.

Die Klasse hatte den Atem angehalten und bricht jetzt in unbändiger Freude° los. Sie weiss, was kommt. Nämlich römisch eins: Eine ausführliche Untersuchung°, welcher schuldbeladene Schüler den Stift herausgezogen hat. Und römisch zwei: Technische Versuche, wie man ohne Klinke die Tür öffnen kann. Damit wird die Stunde herumgehen.

Aber es kam nichts. Weder römisch eins noch° römisch zwei. Professor Heimbach[3] war ein viel zu erfahrener Pädagoge°, um sich ausgerechnet mit seiner Obertertia auf kriminaltechnische Untersuchungen und technische Probleme einzulassen. Er wusste, was man erwartete, und tat das Gegenteil°:

„Wir werden schon mal wieder herauskommen", meinte er gleichgültig. „Mathiesen, fang mal an. Kapitel siebzehn, zweiter Absatz."

Mathiesen fing an, bekam eine drei minus[4]. Dann ging es weiter; die Stunde lief wie jede andere. Die Sache mit dem Stift war verpufft.—Aber die Jungen waren doch noch schlauer°. Wenigstens einer von ihnen. Auf einmal steht der lange° Klostermann auf und sagt, er muss raus.

„Wir gehen nachher alle."

Er muss aber trotzdem°.

„Setz dich hin!"

die Türklinke *door handle*

Ohne . . . Herrlichkeit. *Without it this marvelous thing falls apart.*

mit der ihm gewohnten *with his usual*

der Gang *corridor*

desgleichen *the same*

die Freude *joy*

die Untersuchung *investigation*

weder . . . noch *neither . . . nor*

ein viel zu erfahrener Pädagoge *a much too experienced teacher*

das Gegenteil *opposite*

schlau *clever*

lang *tall*

trotzdem *anyway*

---

[1] Doors inside German houses and buildings usually have a handle rather than a knob.

[2] In the **Gymnasium,** *academic secondary school,* classes and students are sometimes referred to by Latin names. The **Obertertia** is **die neunte Klasse;** students are usually 14 or 15 years old. **Obertertia** here refers to both the class and their classroom.

[3] In some areas of Germany and in Austria, teachers are called **"Professor."**

[4] In German schools, the grading system goes from 1 to 6: 1, **ausgezeichnet,** *excellent;* 2, **sehr gut,** *very good;* 3, **gut,** *good;* 4, **ausreichend,** *satisfactory;* 5, **mangelhaft,** *unsatisfactory;* 6, **ungenügend,** *failing.*

Der lange Klostermann steht immer noch; er behauptet, er habe Pflaumenkuchen gegessen und so weiter°.

Professor Heimbach steht vor einem Problem. Pflaumenkuchen kann man nicht widerlegen°. Wer will die Folgen auf sich nehmen? Der Professor gibt nach°. Er stochert mit seinen Hausschlüsseln in dem viereckigen Loch an der Tür herum. Aber keiner lässt sich hineinklemmen.

„Gebt mal eure Schlüssel her!" Merkwürdig, niemand hat einen Schlüssel. Sie krabbeln geschäftig in ihren Hosentaschen und feixen°.

Unvorsichtigerweise feixt auch der Pflaumenkuchenmann. Professor Heimbach ist Menschenkenner°. Wer Pflaumenkuchen gegessen hat und so weiter, der feixt nicht.

„Klostermann, ich kann dir nicht helfen. Setz dich ruhig hin. Die Rechnung kannst du dem schicken, der den Stift auf dem Gewissen° hat. — Klebben, lass das Grinsen und fahr fort."

Also wieder nichts. Langsam, viel zu langsam wird es ein Uhr[5]. Es schellt°. Die Anstalt schüttelt ihre Insassen° auf die Strasse. Die Obertertia wird nicht erlöst°: Sie liegt im dritten Stock am toten Ende eines langen Ganges.

und so weiter *and so forth*

widerlegen *to deny, ignore*
nachgeben *to give in*

feixen *to grin*

der Menschenkenner *a good judge of human nature*

auf dem Gewissen *on his conscience*

Es schellt. *The bell rings.* **der Insasse** *occupant*
erlösen *to set free*

[5] School hours in Germany are usually from 8 to 1.

Professor Heimbach schliesst den Unterricht und bleibt auf dem Katheder°. Die Jungen[6] packen ihre Bücher: „Wann können wir gehen?"

„Ich weiss es nicht, wir müssen eben warten."

Warten ist nichts für Jungen. Ausserdem haben sie Hunger. Der dicke Schrader hat noch ein Butterbrot und kaut° mit vollen Backen; die anderen kauen betreten° an ihren Bleistiften.

„Können wir nicht vielleicht unsere Hausarbeit machen?"

„Nein! Erstens werden Hausarbeiten, wie der Name sagt, zu Hause gemacht. Und zweitens habt ihr fünf Stunden hinter euch und müsst eure zarte Gesundheit schonen°. Ruht euch aus; meinethalben° könnt ihr schlafen."

Schlafen in den Bänken° hat man genügend geübt. Es ist wundervoll. Aber es geht nur, wenn es verboten ist. Jetzt, wo es empfohlen wird, macht es keinen Spass und funktioniert nicht.

Eine öde° Langeweile kriecht durch das Zimmer. Die Jungen dösen°. Der Professor hat es besser; er korrigiert Hefte.

Kurz nach zwei kamen die Putzfrauen, die Obertertia konnte nach Hause, und der lange Klostermann, der das mit dem Stift gemacht hatte und sehr stolz darauf war, bekam Klassenhiebe°.

der Katheder *teacher's desk*
kauen *to chew*
betreten *embarrassed*
müsst . . . schonen *you have to think about your delicate health*
meinethalben *for all I care*
die Bank *school desk*
öde *dreary*
dösen *to doze*
Klassenhiebe bekommen *to get beaten up*

HEINRICH SPOERL
(1887-1955)

Fragen zum Inhalt

1. Woraus besteht die Türklinke an der Obertertia?
2. Was passiert mit der Türklinke, als der Englischlehrer in die Klasse kommt?
3. Warum bricht die Klasse in unbändige Freude aus?
4. Wie enttäuscht der Lehrer seine Schüler?
5. Warum versucht der Lehrer dann doch, die Tür mit seinem Schlüssel aufzumachen?
6. Warum fährt der Lehrer wieder mit dem Unterricht fort?
7. Was passiert um ein Uhr?
8. Warum dürfen die Schüler jetzt nicht ihre Hausaufgaben machen?
9. Was schlägt der Lehrer vor? Warum?
10. Warum wollen sich die Schüler nicht ausruhen?
11. Wie wird die Obertertia befreit?
12. Was passiert mit dem Klostermann? Warum?

Vorschlag zu einem Klassenprojekt

Schreiben Sie diese Geschichte in Dialogform, und spielen Sie sie dann in der Klasse als Theaterstück vor!

---

[6] This is a boys' school.

Päng

Er hiess mit Spitznamen Spatz° und war ein Original. Jeden Morgen, wenn er in die Klasse kam, stellten wir mit Begeisterung fest, dass er immer noch dieselbe Hose anhatte, mit demselben Loch, das durch eine starke Sicherheitsnadel° zusammengehalten wurde. Er trug sie auch bei festlichen Gelegenheiten, zu Kaisers Geburtstag, sogar im Theater zu Don Carlos[1], wo wir andern mit frischgebügelten und drausgewachsenen Konfirmationsanzügen erschienen°. Aber während wir unsere faulen Witze machten und Programmseiten ins Parkett° hinabschickten, sass er mit roten Backen° und bekam nasse Augen, als Marquis Posa vom König Gedankenfreiheit° verlangte. Und ging still nach Hause. Mit der Sicherheitsnadel im Hosenboden, die zur Feier des Tages gegen eine neue, blanke vertauscht° war.

Man wird es schon gemerkt haben: Dieses Original war kein Lehrer, sondern ein Schüler. Darin bestand seine besondere Originalität. Und die Sicherheitsnadel am Hosenboden war keine Schlamperei, sondern Trotz°. Eine innere Rebellion gegen die bürgerliche Ordnung.

Wir waren furchtbar stolz auf ihn. Die anderen Klassen waren

der Spatz *sparrow*

die Sicherheitsnadel *safety pin*

erscheinen *to appear*

das Parkett *main floor of a theater* **die Backen** *cheeks*

die Gedankenfreiheit *freedom of thought*

vertauscht gegen *exchanged for*

der Trotz *defiance*

[1] **"Don Carlos"** by Friedrich Schiller (1759-1805) is usually required reading in most secondary schools. The highpoint of this idealistic drama is Marquis Posa's moving plea for **Gedankenfreiheit.**

neidisch°. Und als er eines Tages aus unerklärbarem Grund mit einer anderen Hose ohne Loch und Sicherheitsnadel kam, waren wir empört und haben ihn verprügelt°. Das war dumm von uns. Denn beinahe hätte er daraufhin dieses Wahrzeichen° aufgegeben, aus Trotz gegen die Klasse. Aber der Trotz gegen die Schule war stärker.

Er hatte noch andere Ticks°. Er redete unsere Erzieher niemals mit „Herr Professor" oder „Herr Oberlehrer" an. Sondern sagte mit kindlicher Stimme: Herr Lehrer. Dieses aber bescheiden in der dritten Person. Es war für uns ein erhebender Augenblick°, wenn er manchmal in der Mathematikstunde aufstand und mit sanfter Stimme erklärte: „Entschuldigung, der Herr Lehrer hat einen Fehler gemacht."

Er konnte sich das erlauben°. Dieses und anderes. Er war ein ausgesprochener Talentflegel°. Flegel waren wir alle, aber er verband damit eine geradezu pathologische Intelligenz, mit der er alles erschlug°. Er war einer von denen, die es später im Leben schwer haben, weil ihnen in der Jugend alles zu leicht fiel.

Nur an sein Päng konnte die Schule sich nicht gewöhnen.

Er hatte in einer mathematischen Klassenarbeit eine besonders elegante Lösung° gefunden und in der Freude seines Herzens hinter das Resultat das Wort „Päng" geschrieben: „z=y(a-b). Päng."

neidisch *jealous*

verprügeln *to beat up*

das Wahrzeichen *trademark*

der Tick *eccentricity*

ein erhebender Augenblick *an impressive moment*

s. erlauben *to take the liberty*

der Talentflegel *rascal with talent*

erschlagen *to conquer*

die Lösung *solution*

Es war ihm ganz in Gedanken herausgerutscht°. Aber als es dastand, machte es ihm Spass, und er liess es stehen.

Päng war bei uns ein vielgebrauchtes Wort. Es hiess soviel wie basta oder hurra oder was-sagst-du-nun. Im mündlichen Unterricht konnte man es durchgehen lassen, wenn es auch keine mathematische Ausdrucksweise° war. In einer Klassenarbeit war es fehl am Platze°. Unser Mathematiklehrer nahm es nicht tragisch und machte nur durch das Päng einen roten Strich.

Das hätte er lieber nicht tun sollen. In der nächsten Arbeit stand es wieder:

„Der Schnellzug braucht sieben Stunden sechsundvierzig Minuten—Päng." Diesmal gab es einen roten Kreis um das Wort. Einen Kreis, wie man ihn sonst um einen Schmutzfleck° bekommt.

Die nächste Arbeit endete wieder mit Päng. Da wurde der Mathematiker böse und schrieb dick und rot an den Rand: „Was heisst Päng?"

Unser Spatz gab keine Antwort. Er schrieb sein „Päng" beharrlich° hinter alle richtigen Lösungen. Und richtig waren seine Lösungen immer. Und der Mathematiklehrer schrieb an den Rand „U.d.V."

„U.d.V." war fürchterlicher° als Arrest°. U.d.V. hiess: Unterschrift des Vaters und bedeutete häusliche Katastrophen.

Nicht bei Spatz. Einen Vater hatte er nicht, und seine Mutter hatte vor ihm, dem höheren Schüler°, einen grenzenlosen° Respekt. Glücklich schrieb sie ihren Namen dahin, wo ihr Sohn mit dem Finger zeigte, und hielt es für eine besondere Auszeichnung°.

Dann begann die Stufenleiter der Strafen°:

Eintrag ins Klassenbuch.[2]
Eine Stunde Arrest.
Zwei Stunden Arrest.
Schliesslich Konferenz.

Die Konferenz fragte, warum er das tue. Er zuckte die Achseln°.

Ob er das nicht unterlassen° könne?

Doch.

Er tat es weiter. Nur ein einziges Mal schrieb er kein Päng hinter die Lösung; das war, als er die Höhe eines Turmes mit 0,0000073 Meter ausgerechnet° hatte und zu faul war, den Fehler zu suchen. Aber das war nur eine Ausnahme°.

Das beharrliche „Päng" kann sich keine Schule auf die Dauer bieten lassen. Man versuchte es mit Güte°. Man war Pädagoge, Biologe, Psychologe. Man bot ihm an: Wenn er seine Freude über

herausrutschen *to slip out*

die Ausdrucksweise *expression*

fehl am Platze *out of place*

der Schmutzfleck *smudge*

beharrlich *persistently*

fürchterlich *terrible* **der Arrest** *detention*

der höhere Schüler *Gymnasium student* **grenzenlos** *boundless*

die Auszeichnung *honor, distinction*

die Stufenleiter der Strafen *hierarchy of punishments*

die Achseln zucken *to shrug one's shoulders*

unterlassen *to stop*

ausrechnen *to figure out*

die Ausnahme *exception*

mit Güte *with kindness*

[2] Each class has a **Klassenbuch,** *class ledger,* in which each teacher writes the absences, the homework assignment, and the work covered in his or her class. Misbehavior is also noted in the **Klassenbuch.**

eine richtige Lösung durchaus nicht unterdrücken könne, dann dürfe er ein Ausrufungszeichen° machen.

Unter der nächsten Arbeit stand wieder Päng! Aber Päng mit einem Ausrufungszeichen.

Da erkannte man, dass der Schüler einem unwiderstehlichen Drang gehorchte°. Und liess ihn machen. Lieber richtige Lösungen mit Päng als den pänglosen Unsinn°, den die andern schrieben.

Im Grunde genommen°: Es war gar kein Tick von ihm, kein unwiderstehlicher Drang. Sondern Trotz. Ein Stück Revolution.

Im Grunde genommen: Die Schule glaubte auch gar nicht an einen Tick. Sie tat nur so. Sie war die Klügere[3]. Päng.

das Ausrufungszeichen *exclamation mark*

einem . . . gehorchte *was giving in to an irresistible urge* **der Unsinn** *nonsense*
im Grunde genommen *actually*

HEINRICH SPOERL
(1887-1955)

Fragen zum Inhalt

1. Warum rief Spatz jeden Morgen in der Klasse grosse Begeisterung unter den Schülern hervor?
2. Wie verhielt sich Spatz im Theater im Vergleich zu seinen Klassenkameraden?
3. Warum trug Spatz diese Sicherheitsnadel am Hosenboden?
4. Wieso verprügelten die Schüler einmal den Spatz, und warum war das so dumm von ihnen?
5. Was für einen anderen Tick hatte der Spatz noch?
6. Wann hatte Spatz das Wort ,,Päng'' zum ersten Mal benutzt?
7. Was bedeutet ,,Päng'' für die Schüler?
8. Wann konnte der Lehrer dieses Wort durchgehen lassen, und wann war es fehl am Platze?
9. Wann wurde der Mathematiklehrer böse?
10. Was schrieb er an den Rand der Arbeit?
11. Warum hat der Spatz vor dem U.d.V. überhaupt keine Angst?
12. Was passierte dann alles mit dem Spatz?
13. Hatte die Lehrerkonferenz einen Erfolg?
14. Wann schrieb Spatz einmal kein ,,Päng'' hinter seine Lösung? Warum nicht?
15. Was bot ihm die Schule schliesslich an?
16. Was erkannte die Schule, als Spatz sein ,,Päng'' weiterhin benutzte?

Fragen zum Überlegen und Diskutieren

1. Können Sie sich einen Schüler wie den Spatz vorstellen? Kennen Sie so einen? Beschreiben Sie ihn oder sie!
2. Was würden Sie als Lehrer tun, wenn Sie einen ,,Spatz'' in der Klasse hätten?
3. Vergleichen Sie die Stufenleiter der Strafen in Spatz'es Schule mit der in Ihrer Schule!

---

[3] **"Der Klügere gibt nach,"** *the smarter one gives in,* is a well-known German proverb.

Die Prinzessin

Ein Käfig; auf, ab, trottet es drin, auf, ab; zerfranst°, gestreift: die Hyäne. Mein Gott, wie sie stinkt! Und Triefaugen° hat sie, die Ärmste; wie kann man nur mit derart grindligen° Blicken überhaupt noch was sehen?

Jetzt kommt sie zum Gitter, ihr Pestatem° trifft mich am Ohr.

„Glauben Sie mir?"

„Aufs Wort°", sage ich fest.

Sie legt die Pfote ans Maul: „Ich bin nämlich verzaubert°."

„Was Sie nicht sagen; richtig verzaubert?"

Sie nickt. „In Wirklichkeit nämlich—"

„In Wirklichkeit nämlich—?"

„—bin ich eine Prinzessin", haucht sie bekümmert°.

„Ja, aber um Himmels willen!" rufe ich, „kann Ihnen denn da gar keiner helfen?"

„Doch", flüsterte sie; „die Sache ist so: Jemand müsste mich einladen."

zerfranst *frayed*
Triefaugen *bleary eyes*
grindlig *mangy*
der Pestatem *foul breath*
aufs Wort *anything you say*
verzaubert *under a spell*
bekümmert *distressed*

Ich überschlage im Geist meine Vorräte°; es liesse sich machen. „Und Sie würden sich tatsächlich verwandeln°?"

„Auf Ehre."

„Also gut", sage ich, „dann seien Sie heute zum Kaffee mein Gast."

Ich gehe nach Hause und ziehe mich um. Ich koche Kaffee und decke den Tisch. Rosen noch aus dem Garten, die Cornedbeef-Büchse spendiert°, nun kann sie kommen.

Pünktlich um vier geht die Glocke. Ich öffne, es ist die Hyäne.

„Guten Tag", sagt sie scheu; „Sie sehen, da bin ich." Ich biete ihr den Arm, und wir gehen zum Tisch. Tränen° laufen ihr über die zottigen° Wangen, „Blumen—", schluchzt sie, „oh je!"

„Bitte", sage ich, „nehmen Sie Platz. Greifen Sie zu."

Sie setzt sich geziert° und streicht sich geifernd ein Brötchen°.

„Wohl bekomm's", nicke ich.

„Danke", stösst sie kauend hervor.

Man kann Angst bekommen, was sie verschlingt°. Brötchen auf Brötchen verschwindet; auch die Cornedbeef-Büchse ist leer. Dazwischen schlürft sie schmatzend den Kaffee und lässt erst zu, dass ich ihr neuen eingiesse, wenn sie den Rest herausgeleckt hat.

„Na—?" frage ich, „schmeckt es?"

„Sehr", keucht sie rülpsend°. Doch dann wird sie unruhig°.

„Was ist denn", erkundige ich mich.

Sie stösst abermals auf° und blickt vor sich nieder; Aasgeruch° hängt ihr im Fell°, rötliche Zecken° kriechen ihr über die kahlen Stellen hinter den Ohren.

„Nun—?" ermutige ich sie.

Sie schluchzt. „Ich habe Sie belogen°", röchelt sie heiser und dreht hilflos einen Rosenstiel zwischen den Krallen; „ich—ich bin gar keine Prinzessin."

„Schon gut°", sage ich; „ich wusste es längst°."

WOLFDIETRICH SCHNURRE
(1920)

Ich . . . Vorräte *In my mind I check over my supplies*
s. verwandeln *to change*
spendieren *to donate*
Tränen *tears*
zottig *shaggy*
geziert *primly* **und . . . Brötchen** *and driveling, she fixes herself a roll*
verschlingen *to devour*
rülpsend *belching* **unruhig** *uneasy*
aufstossen *to burp* **der Aasgeruch** *animal smell*
das Fell *coat* **die Zecke** *tick*
belügen *to deceive, lie to*
schon gut *it's alright* **längst** *all along*

Fragen zum Inhalt

1. Wie sieht diese Hyäne aus?
2. Was erfährt der Erzähler von der Hyäne?
3. Warum lädt der Erzähler die Hyäne ein?
4. Was tut der Erzähler, als er nach Hause kommt?
5. Warum laufen der Hyäne Tränen über die Wangen, als sie in die Wohnung des Erzählers kommt?
6. Schmeckt es der Hyäne?
7. Was erzählt die Hyäne dann dem Erzähler?
8. Ist der Erzähler überrascht?

Leo Slezak (1873-1946) was a well-known opera singer and humorist. From 1901-1926 he was a member of the Wiener Staatsoper. He also gave many guest performances in opera houses around the world and appeared in numerous films. After singing the role of Lohengrin many times, hewas prompted to write the following account of the opera.

Lohengrin

Lohengrin is probably a fusion of several medieval legends. Wagner condensed the legend and changed it somewhat to suit his own purposes. He sets the scene in Brabant, now Belgium.

Henry I of Germany ("The Fowler") is about to be invaded by the Hungarians. He comes to Brabant to enlist a force to help him fight them, but finds the land in upheaval. The ruler has died and left two children, a daughter, Elsa, and her younger brother, Gottfried. Gottfried is the heir to the throne. Count Frederick of Telramund is the guardian of the orphans. He has fallen in love with Elsa and asks her hand in marriage. When she refuses him, he marries Ortrud, the daughter of Radbod, Prince of Friesland. Ortrud has always wanted to seize the throne of Brabant. She is very jealous of her rival Elsa and manages to influence her husband with her hatred and political ambition. Pushed by Ortrud, Frederick accuses Elsa of having a lover whom she wants to take over the throne, and of having therefore killed her brother Gottfried, the heir to the throne. Actually Ortrud has lured Gottfried into a forest and changed him into a swan, telling the gullible Frederick that she has seen Elsa drown her brother.

Elsa must appear before King Henry but she has nothing to say in her defense. Just as judgement is about to be given, Lohengrin, the Knight of the Swan, appears and kills Telramund. Before defending Elsa, however, Lohengrin had made the condition that she never ask his name or from where he comes. Elsa is unable to keep this promise and the legend ends tragically.

There is a primitive belief that a man's name is part of his being and that if it is disclosed to a stranger and possible enemy, that stranger would then have power over his life. It is possible that the Lohengrin legend stems from this belief.

Das ist eine sehr komplizierte Sache, und ich muss meine lieben Leser ernstlich bitten, recht aufmerksam° zu sein, um sich aus dem Wirrsal der Handlung° herauszufinden und zu wissen, um was es sich eigentlich handelt.

Jedermann weiss, dass in früheren Zeiten sehr viel gezaubert° wurde. Man verwandelte° damals die schönsten Jünglinge—meistens Prinzen—in alle möglichen Tiere, und oft, wenn man der Meinung war, einen echten Harzer Kanari im Zimmer zu haben, entpuppte sich dieser eines Tages als verzauberter Erzherzog, den eine neidische, miese Fee° in diesen Roller° verwandelt hatte.

Also das kommt heute nicht mehr vor.

Wenn der Vorhang in die Höhe geht, ist die Bühne gespickt° mit Mannen.—Sie werden mich korrigieren wollen und sagen:

recht aufmerksam *very attentive*
das Wirrsal der Handlung *the confusion of the plot*
zaubern *to do magic*
verwandeln *to change, transform*
eine... Fee *a jealous bad fairy*
der Roller *male canary*
gespickt *filled, dotted with*

Männern! —, aber es heisst doch Mannen[1], die planlos mit den Schwertern° auf ihre Schilde schlagen und singen.

König Heinrich sitzt unter einer grossen Eiche, hat einen langen Umhängebart° und hält Gericht°.

Telramund, ein Edler°, hat eine Klage gegen Elsa von Brabant eingereicht° und behauptet, sie habe ihren Bruder, den kleinen Gottfried, umgebracht°. Der König glaubt es nicht, und es ist auch nicht wahr.

Elsa wird vorgeladen, wird gefragt. — Sie leugnet°.

Wer hat recht? Der Telramund oder die Elsa?

Bald hätte ich vergessen zu erzählen, dass Telramund verheiratet° ist und seine Frau Ortrud heisst. Übrigens eine recht düstere° Dame, die eigentlich Telramund zur Überreichung der Klage veranlasste.

In alten Zeiten war das Gottesgericht° modern. —

Wenn man nicht wusste, ob jemand schuldig° oder unschuldig war, so liess man zwei Männer miteinander kämpfen, und derjenige, der unterlag, war der Verbrecher°. Eine äusserst unsichere Angelegenheit°.

Telramund forderte jedermann auf, sich für Elsas Unschuld zu schlagen. Trotzdem keiner der Ritter die arme Elsa dieser Gemeinheit für fähig hält°, lässt sich, trotz° wiederholten Blasens auf der Trompete, keiner von ihnen in dieses Gedränge ein. Da befiehlt der König, noch einmal zu blasen.

Plötzlich sieht man von weitem einen glänzenden Ritter in einem Kahne° stehen, der von einem schneeweissen Schwan gezogen wird.

Der Chor der Mannen brüllt durcheinander° und zeigt auf den Ritter.

Lohengrin kommt an, wird von allen Seiten beleuchtet und singt das Schwanenlied, einen Viertelton zu tief°.

Der Schwan merkt das, darum fährt er davon. Nun kommt das eigentlich Interessante. —

Telramund bebt° hörbar, aber er lässt nicht nach°, er darf auch nicht, weil es so vorgeschrieben ist.

Zuerst geht Lohengrin zu Elsa und sagt ihr, dass er für sie kämpfen werde und ob sie seine Frau werden wolle. Dies könne jedoch nur unter der Bedingung° geschehen, dass sie ihn nie frage, wer er sei und woher er komme.

Also eigentlich eine Zumutung°! Man soll nicht wissen, mit wem man das Vergnügen hat. Eine wilde Sache.

das Schwert *sword*
der Umhängebart *false beard*
Gericht halten *to hold court*
der Edle *nobleman*
eine Klage einreichen *to make a charge* **umbringen** *to murder*
leugnen *to deny*
verheiratet *married*
düster *gloomy, dismal*
das Gottesgericht *judgment of God* **schuldig** *guilty*
der Verbrecher *criminal*
Eine . . . Angelegenheit. *A most uncertain affair.*
Trotzdem . . . hält* (see below) **trotz** *in spite of*
der Kahn *small boat*
durcheinander *all at once, in confusion*
tief *low*
beben *to tremble* **nachlassen** *to give in*
die Bedingung *condition*
Also eigentlich eine Zumutung! *Really now, what a nerve!*

°**Trotzdem keiner der Ritter die arme Elsa dieser Gemeinheit für fähig hält:** *Though none of the knights considers poor Elsa capable of this base deed*

---

[1] The plural form **Mannen** is poetic for **Männer** and refers to vassels and servants to knights. It can also be used jokingly.

Sie schwört, er geht hin, besiegt° den Telramund, schenkt ihm das Leben, die Ortrud zerspringt°, Elsa fliegt dem Namenlosen um den Hals°, die Mannen schlagen freudig bewegt mit ihren Schwertern auf die Schilde, der König streicht seinen Umhängebart, gibt seinen Segen°, und der Vorhang fällt.

Dies ist der erste Akt.

besiegen *to defeat*
zerspringen *to burst*
fliegt . . . Hals *throws her arms around the nameless one's neck* **der Segen** *blessing*

Im zweiten Akt ist es vor allem einmal finster.

Unheimlich lange Vorwürfe° und gegenseitige Anklagen° ertönen aus irgendeiner Ecke. Ortrud und Telramund streiten sich.

der Vorwurf *reproach*
gegenseitige Anklagen *mutual accusations*

Er nennt sie eine Genossin seiner Schmach°, und sie ist auch sehr unfreundlich mit ihm.

Nach langem Hin und Her beschliessen° sie, Elsa neugierig zu machen und ihr den Lohengrin zu verekeln°.

Im Mittelalter erschien° in der Nacht vor der Hochzeit die Braut immer auf dem Balkon und sprach mit dem Monde, oder, wenn keiner da war, mit dem ,,Zephir°''. Das sind lauter Übertriebenheiten°, die man heute nicht mehr macht, weil man sonst für blödsinnig° gehalten werden würde.

Während die Braut mit dem Zephir plaudert, seufzt° Ortrud unten so laut, dass Elsa es hören muss.

Sie geht hinunter, liest Ortrud von der Schwelle° auf und nimmt sie zu sich in den Palast. Das war das Dümmste, was die tun konnte.

eine . . . Schmach *a partner in his disgrace*
beschliessen *to decide*
ihr . . . verekeln *to make her dislike Lohengrin*
erscheinen *to appear*
der Zephir *zephyr* (poetic for mild, southwest wind)
lauter Übertriebenheiten *mere excesses* **blödsinnig** *crazy*
seufzen *to sigh*
die Schwelle *doorstep*

Beim Brautzug° erscheinen die gewiegtesten° Chordamen als Brautjungfern und streuen Blumen. Die Mannen beteiligen sich am Schreiten and singen in Synkopen°. Alles wallt majestätisch zur Kirche, da plötzlich drängt sich Ortrud vor Elsa und behauptet, sie gehöre nach vorne.

der Brautzug *wedding procession* **gewiegt** *smart*

in Synkopen *in syncopated rhythm*

Es erhebt sich eine grosse Aufregung°, und mitten in diesen Wirbel kommt der König mit Lohengrin. Der überschaut° sofort die ganze Situation und schleudert Blitze° aus seinen Augen. Er geht zu Elsa, nimmt sie beiseite und sagt ihr, sie solle sich ja nicht aufhetzen lassen° und ihn fragen, weil er sonst sofort abreisen müsse. Elsa meint, dass sie gar nicht daran denke und froh sei, dass sie endlich einmal heiraten könne. Er drückt sie an seine Brust°, und sie schreiten weiter auf die Kirche zu.

die Aufregung *stir, excitement*

überschauen *to comprehend, grasp* **Blitze schleudern** *to flash knowing looks*

s. aufhetzen lassen *to let herself get worked up*

die Brust *chest*

Plötzlich, im letzten Moment, springt Telramund hinter einem Pfeiler° hervor und beschimpft° Lohengrin. — Sagt, dass er ein Zauberer° sei und dass die ganze Geschichte doch höchst merkwürdig wäre. — Man soll mit einem Schwan angefahren kommen, man soll den Schwan wieder wegschicken, kein Mensch soll fragen dürfen, wer man ist, keine Legitimation, keine Ausweispapiere°, kein Visum — gar nichts!

der Pfeiler *pillar* **beschimpfen** *to scold* **der Zauberer** *sorcerer*

die Ausweispapiere *identification papers*

Deshalb erkläre er die ganze Sache mit dem Gottesgericht für Blech° und verlange die Revision der Angelegenheit.

Blech *rubbish*

Kurz und gut, Telramund ist, nach seiner Meinung mit Recht, aufgeregt°.

aufgeregt *upset*

Telramund bekommt einen Stoss in den Magen° und wird hinausgeschmissen.

einen Stoss in den Magen *a punch in the stomach*

Lohengrin und Elsa setzen das unterbrochene Schreiten in die Kirche fort, die Mannen schlagen freudig bewegt mit den Schwertern auf ihre Schilde, und unter beifälligem Nicken° des Königs fällt der Vorhang.

unter beifälligem Nicken *with the approving nod*

Dritter Akt. Das Brautgemach°.

das Brautgemach *bridal chamber*

Lohengrin und Elsa werden von dem König hereingeführt, der, nachdem er den beiden praktische Winke° gab, sofort wieder verschwindet.

praktische Winke *practical tips*

Der Zuschauer merkt schon an der Einrichtung°, dass das eine sehr unerfreuliche Brautnacht° werden wird.

die Einrichtung *set-up*

die Brautnacht *wedding night*

Lohengrin singt so lange, bis ihn Elsa endlich fragt, welchen Geschlechtes° er sei. Die Bombe platzt. Zu alledem kommt noch Telramund herein und will Lohengrin erschlagen°. Der Anschlag misslingt, Telramund fällt, von dem Blitze aus dem Auge Lohengrins getroffen°, tot zu Boden. — Er wird weggeräumt.

das Geschlecht *ancestry*

erschlagen *to kill*

von . . . getroffen *struck by the flash from Lohengrin's eye*

Lohengrin sagt Elsa nichts. Erst vor dem König will er reden. Auch wieder eine Bosheit° von ihm.

eine Bosheit *spiteful action*

Während Elsa mit essigsaurer Tonerde° gewaschen wird, fällt der Vorhang. Verwandlung. —

Derselbe Platz wie im ersten Akt. Der König erscheint hoch zu Ross°. Dieses entledigt sich vor allem alles Innerlichen°, während die Mannen siegesverlangend° mit den Schwertern auf die Schilde schlagen.

Es soll in den Krieg° gehen. Jeder einzelne lechzt nach Heldentod°.

essigsaure Tonerde *a lotion similar to witch hazel*

hoch zu Ross *on horseback*

dieses . . . Innerlichen * (see below)

der Krieg *war*

nach Heldentod lechzen *to pant for a hero's death*

° **Dieses entledigt sich vor allem alles Innerlichen:**
In front of everyone the horse relieves itself.

Lohengrin soll ein Bataillon übernehmen. Er kommt und sagt, er könne nicht mitkommen. Zum Glück° habe ihn Elsa gefragt, und nun müsse er heimwärts ziehen°.

Zum Zeichen der Trauer schlagen die Mannen mit den Schwertern auf ihre Schilde. Elsa wird hereingebracht. Sie wankt°.—Entweder sie schreitet oder sie wankt. Lohengrin stellt sich hin und singt die Gralserzählung[2].

Er sagt nichts Stichhaltiges°, lauter Sachen, die er nicht beweisen kann und angesichts deren er von keiner Musterungskommission enthoben worden wäre°. Aber alle glauben es. Vielleicht tun sie nur so, weil es schon sehr spät ist und niemand durch einen Einspruch° oder durch eine Debatte die Vorstellung noch mehr in die Länge ziehen° will.

Während Elsa nach Luft verlangt°, verabschiedet sich Lohengrin und gibt ihr ein Horn, einen Ring und ein Schwert.

Auf dem Horn soll sie blasen lernen, den Ring soll sie behalten, und das Schwert soll sie ihrem Bruder schenken.

Wie verwirrend°!

Er geht.

Die Mannen schlagen zum Zeichen der Trauer mit ihren Schwertern auf ihre Schilde. Plötzlich erscheint die Ortrud wieder. Sie gibt keine Ruhe. Sie schreit, dass sie den Bruder in einen Schwan verwandelt habe und dass sie an der ganzen Unannehmlichkeit schuld sei°.

Lohengrin durchbohrt sie mit einem Blitz aus seinem Auge. Sie stirbt.

Der Schwan taucht unter, und es springt ein übertrieben wonniger° Jüngling—ein Prinz—aus dem Wasser und umarmt Elsa.

Der kleine Gottfried!

Da Lohengrin nicht ohne jedes Zugtier° wegfahren kann, kommt eine Taube° und zieht ihn fort—was sehr unwahrscheinlich° ist. Elsa wankt und schreit, da fällt Gott sei Dank der Vorhang, denn es ist schon sehr spät.—Die Oper ist aus!

LEO SLEZAK
(1873-1946)

zum Glück *luckily*
heimwärts ziehen *to head toward home*
wanken *to stagger, sway*
nichts Stichhaltiges *nothing valid*
lauter . . . wäre * (see below)
der Einspruch *objection*
in die Länge ziehen *to stretch out*
nach Luft verlangen *to gasp for air*
Wie verwirrend! *How confusing!*
schuld sein an *to be responsible for*
übertrieben wonnig *exaggeratedly beautiful*
das Zugtier *draft animal*
die Taube *dove*
unwahrscheinlich *improbable*

° **lauter Sachen, die er nicht beweisen kann und angesichts deren er von keiner Musterungskommission enthoben worden wäre:**
just things he can't prove and in the light of which no draft board would have excused him from service.

---

[2] **Die Gralserzählung** is the legend of the Holy Grail. According to the legend the Grail, the cup used by Christ at the Last Supper, was brought to Britain and thereafter became the object of knightly quests. These quests could only be pursued by persons who were chaste in thought, word, and deed.

Fragen zum Inhalt

1. Was—sagt der Autor—kommt heute nicht mehr vor?
2. Welche beiden Charaktere erscheinen zu Anfang der Oper, und was tun sie?
3. Warum wird Elsa vorgeladen?
4. Wer ist Ortrud? Was wissen Sie von ihr?
5. Was war das sogenannte Gottesgericht?
6. Warum befiehlt der König, dass noch einmal auf der Trompete geblasen wird?
7. Wer erscheint daraufhin?
8. Was fragt Lohengrin die Elsa? Was muss Elsa versprechen?
9. Was geschieht daraufhin?

10. Wer streitet sich zu Beginn des zweiten Aktes, und was beschliessen die beiden?
11. Warum nimmt Elsa die Ortrud zu sich in den Palast?
12. Beschreiben Sie den Brautzug!
13. Warum nimmt Lohengrin die Elsa beiseite?
14. Worüber ist Telramund so aufgeregt?

15. Was passiert alles im Brautgemach?
16. Warum kann Lohengrin nicht mit den andern in den Krieg ziehen?
17. Was gibt Lohengrin der Elsa zum Abschied?
18. Warum tötet Lohengrin die Ortrud?
19. Was passiert daraufhin?
20. Wie verschwindet Lohengrin von der Bühne?

Vorschlag zu einem Klassenprojekt

1. Sie verteilen die verschiedenen Rollen an Ihre Klassenkameraden. Jemand liest den Lohengrin vor, und die einzelnen Charaktere spielen dabei die entsprechenden Rollen.
2. Sie schreiben Ihre eigenen Dialoge für die verschiedenen Rollen, studieren sie ein und spielen einen lustigen Lohengrin vor Ihrer Klasse!

Eine grössere Anschaffung°

die Anschaffung *acquisition*

Eines Abends sass ich im Dorfwirtshaus° vor (genauer gesagt, hinter) einem Glas Bier, als ein Mann gewöhnlichen Aussehens sich neben mich setzte und mit gedämpft–vertraulicher° Stimme fragte, ob ich eine Lokomotive kaufen wolle. Nun ist es zwar ziemlich leicht, mir etwas zu verkaufen, denn ich kann schlecht nein sagen°, aber bei einer grösseren Anschaffung dieser Art schien mir doch Vorsicht am Platze°. Obgleich ich wenig von Lokomotiven verstehe, erkundigte ich mich nach Typ, Baujahr und Kolbenweite, um bei dem Mann den Anschein zu erwecken, als habe er es hier mit einem Experten zu tun, der nicht gewillt sei°, die Katze im Sack zu kaufen. Ob ich ihm wirklich diesen Eindruck vermittelte°, weiss ich nicht; jedenfalls gab er bereitwillig Auskunft und zeigte mir Ansichten, die das Objekt von vorn, von hinten und von den Seiten darstellten. Sie sah gut aus, diese Lokomotive, und ich bestellte sie, nachdem wir uns vorher über den Preis geeinigt hatten. Denn sie war bereits gebraucht, und obgleich Lokomotiven sich bekanntlich nur sehr langsam abnützen°, war ich nicht gewillt, den Katalogpreis zu zahlen.

das Dorfwirtshaus *village pub*

gedämpft–vertraulich *hushed and intimate*

ich kann schlecht nein sagen *I have trouble saying no* **am Platze** *appropriate*

nicht gewillt *not willing to*

einen Eindruck vermitteln *to create an impression*

s. abnützen *to wear out*

Schon in derselben Nacht wurde die Lokomotive gebracht. Vielleicht hätte ich dieser allzu kurzfristigen Lieferung entnehmen sollen°, dass dem Handel etwas Anrüchiges° innewohnte, aber arglos wie ich war, kam ich nicht auf die Idee. Ins Haus konnte ich die Lokomotive nicht nehmen, die Türen gestatteten es nicht, zudem wäre es wahrscheinlich unter der Last° zusammengebrochen, und so musste sie in die Garage gebracht werden, ohnehin der angemessene° Platz für Fahrzeuge. Natürlich ging sie der Länge nach nur etwa halb hinein, dafür war die Höhe ausreichend; denn ich hatte in dieser Garage früher einmal meinen Fesselballon° untergebracht, aber der war geplatzt.

vielleicht . . . sollen *perhaps I should have concluded from this all too immediate delivery*

anrüchig *shady* **die Last** *weight*

angemessen *proper*

der Fesselballon *hot-air balloon*

Bald nach dieser Anschaffung besuchte mich mein Vetter. Er ist ein Mensch, der, jeglicher Spekulation und Gefühlsäusserung abhold°, nur die nackten Tatsachen gelten lässt°. Nichts erstaunt° ihn, er weiss alles, bevor man es ihm erzählt, weiss es besser und kann alles erklären. Kurz, ein unausstehlicher° Mensch. Wir begrüssten einander, und um die darauffolgende peinliche° Pause zu überbrücken, begann ich: „Diese herrlichen Herbstdüfte° . . ." – „Welkendes Kartoffelkraut°", entgegnete er, und an sich hatte er recht. Fürs erste steckte ich es auf° und schenkte mir von dem Kognak ein, den er mitgebracht hatte. Er schmeckte nach Seife, und ich gab dieser Empfindung Ausdruck°. Er sagte, der Kognak habe, wie ich auf dem Etikett ersehen könne, auf den Weltausstellungen° in Lüttich und Barcelona grosse Preise, in St. Louis gar die goldene Medaille erhalten, sei daher gut. Nachdem wir schweigend mehrere Kognaks getrunken hatten, beschloss er,

abhold *averse to* **nur . . . lässt** *only accepts the bare facts* **erstaunen** *to surprise*

peinlich *embarrassing*

der Duft *fragrance* **welkendes Kartoffelkraut** *rotting potato plants* **aufstecken** *to let pass*

ich . . . Ausdruck *I expressed this sensation*

die Weltausstellung *world's fair*

bei mir zu übernachten, und ging den Wagen einstellen°. Einige Minuten darauf kam er zurück und sagte mit leiser, leicht zitternder° Stimme, dass in meiner Garage eine grosse Schnellzugslokomotive stünde. ,,Ich weiss'', sagte ich ruhig und nippte von meinem Kognak, ,,ich habe sie mir vor kurzem angeschafft.'' Auf seine zaghafte Frage, ob ich öfters damit fahre, sagte ich, nein,

einstellen *to put away*
leicht zitternd *slightly trembling*

nicht oft, nur neulich°, nachts, da hätte ich eine benachbarte Bäuerin, die ein freudiges Ereignis° erwartete, in die Stadt ins Krankenhaus gefahren. Sie hätte noch in derselben Nacht Zwillingen° das Leben geschenkt°, aber das habe wohl mit der nächtlichen Lokomotivfahrt nichts zu tun. Übrigens war das alles erlogen, aber bei solchen Gelegenheiten kann ich der Versuchung nicht widerstehen°, die Wirklichkeit ein wenig zu schmücken. Ob er es geglaubt hat, weiss ich nicht, er nahm es schweigend zur Kenntnis, und es war offensichtlich, dass er sich bei mir nicht mehr wohl fühlte°. Er wurde ganz einsilbig, trank noch ein Glas Kognak und verabschiedete sich. Ich habe ihn nicht mehr gesehen.

Als kurz darauf die Meldung° durch die Tageszeitungen ging, dass den französischen Staatsbahnen eine Lokomotive abhanden gekommen sei (sei eines Nachts vom Erdboden—genauer gesagt vom Rangierbahnhof°—verschwunden), wurde mir natürlich klar, dass ich das Opfer° einer unlauteren Transaktion geworden war. Deshalb begegnete ich auch dem Verkäufer, als ich ihn kurz darauf im Dorfgasthaus sah, mit zurückhaltender° Kühle. Bei dieser Gelegenheit wollte er mir einen Kran verkaufen, aber ich wollte mich in ein Geschäft mit ihm nicht mehr einlassen, und ausserdem, was soll ich mit einem Kran?

WOLFGANG HILDESHEIMER
(1916)

neulich *recently*
ein freudiges Ereignis *a blessed event* **die Zwillinge** *twins*
das Leben schenken *to give birth*
ich kann der Versuchung nicht widerstehen *I can't resist the temptation*
s. wohl fühlen *to feel comfortable*
die Meldung *report*
der Rangierbahnhof *switch yard*
das Opfer *victim*
zurückhaltend *reserved*

Fragen zum Inhalt

1. Wo befindet sich der Mann, und was tut er dort?
2. Was für ein Angebot bekommt er von dem Fremden, der sich zu ihm an den Tisch setzt?
3. Wonach erkundigt sich der Mann? Warum tut er das?
4. Was tut der Fremde, bevor sich die beiden über den Preis einigen?
5. Was hätte der Mann ahnen sollen, als die Lokomotive schon am selben Abend gebracht wurde?
6. Warum lässt der Mann die Lokomotive in die Garage bringen?
7. Wie beschreibt der Mann seinen Vetter?
8. Was hat der Vetter mitgebracht, und warum muss er die Qualität seines Geschenks verteidigen?
9. Wie findet der Vetter heraus, dass der Mann eine Lokomotive besitzt?
10. Was erzählt der Mann seinem Vetter, was er schon alles mit der Lokomotive getan hat?
11. Warum will der Vetter nicht bei dem Mann übernachten?
12. Was erfährt der Mann kurze Zeit später? —Was wurde ihm klar?
13. Was will der Fremde dem Mann jetzt verkaufen, als er ihn wieder im Gasthaus trifft?
14. Warum lehnt der Mann dieses Angebot ab?

Geschichten zum Nachdenken

Die Tochter

Abends warteten sie auf Monika. Sie arbeitete in der Stadt, die Bahnverbindungen° sind schlecht. Sie, er und seine Frau, sassen am Tisch und warteten auf Monika. Seit sie in der Stadt arbeitete, assen sie erst um halb acht. Früher hatten sie eine Stunde eher gegessen. Jetzt warteten sie täglich eine Stunde am gedeckten Tisch, an ihren Plätzen, der Vater oben°, die Mutter auf dem Stuhl nahe der Küchentür, sie warteten vor dem leeren Platz Monikas. Einige Zeit später dann auch vor dem dampfenden° Kaffee, vor der Butter, dem Brot, der Marmelade.

Sie war grösser gewachsen als sie, sie war auch blonder und hatte die Haut, die feine Haut der Tante Maria. „Sie war immer ein liebes Kind", sagte die Mutter, während sie warteten.

In ihrem Zimmer hatte sie einen Plattenspieler, und sie brachte oft Platten mit aus der Stadt, und sie wusste, wer darauf sang. Sie hatte auch einen Spiegel und verschiedene Fläschchen° und Döschen, einen Hocker° aus marokkanischem Leder, eine Schachtel Zigaretten.

Der Vater holte sich seine Lohntüte° auch bei einem Bürofräulein. Er sah dann die vielen Stempel auf einem Gestell°, bestaunte° das sanfte Geräusch° der Rechenmaschine, die blondierten Haare des Fräuleins, sie sagte freundlich „Bitte schön", wenn er sich bedankte.

Über Mittag° blieb Monika in der Stadt, sie ass eine Kleinigkeit, wie sie sagte, in einem Tearoom. Sie war dann ein Fräulein, das in Tearooms lächelnd Zigaretten raucht. Oft fragten sie sie, was sie alles getan habe in der Stadt, im Büro. Sie wusste aber nichts zu sagen.

Dann versuchten sie wenigstens, sich genau vorzustellen°, wie sie beiläufig° in der Bahn ihr rotes Etui mit dem Abonnement° aufschlägt und vorweist, wie sie den Bahnsteig entlang geht, wie sie den Gruss eines Herrn lächelnd erwidert. Und dann stellten sie sich mehrmals vor in dieser Stunde, wie sie heimkommt, die

die Bahnverbindung *train connection*

oben *at the head*

dampfend *steaming*

Fläschchen und Döschen *little bottles and jars* **der Hocker** *stool*

die Lohntüte *pay envelope*

das Gestell *rack*

bestaunen *to marvel at* **das Geräusch** *noise*

über Mittag *at lunchtime*

s. vorstellen *to imagine*

beiläufig *casually* **das Abonnement** *commutation ticket*

Tasche und ein Modejournal° unter dem Arm, ihr Parfüm; stellten sich vor, wie sie sich an ihren Platz setzt, wie sie dann zusammen essen würden.

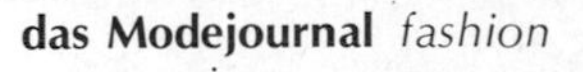
das Modejournal *fashion magazine*

Bald wird sie sich in der Stadt ein Zimmer nehmen, das wussten sie, und dass sie dann wieder um halb sieben essen würden, dass der Vater nach der Arbeit wieder seine Zeitung lesen würde, dass es dann kein Zimmer mehr mit Plattenspieler gäbe, keine Stunde des Wartens mehr. Auf dem Schrank stand eine Vase aus blauem schwedischem Glas, eine Vase aus der Stadt, ein Geschenkvorschlag aus dem Modejournal. ,,Sie ist wie deine Schwester'', sagte die Frau, ,,sie hat das alles von deiner Schwester. Erinnerst du dich, wie schön deine Schwester singen konnte.'' ,,Andere Mädchen rauchen auch'', sagte die Mutter. ,,Ja'', sagte er, ,,das habe ich auch gesagt.'' ,,Ihre Freundin hat kürzlich° geheiratet'', sagte die Mutter.

kürzlich *recently*

Sie wird auch heiraten, dachte er, sie wird in der Stadt wohnen.

Kürzlich hatte er Monika gebeten: ,,Sag mal etwas auf französisch.'' — ,,Ja'', hatte die Mutter wiederholt, ,,sag mal etwas auf französisch.'' Sie wusste aber nichts zu sagen.

Stenografieren kann sie auch, dachte er jetzt. ,,Für uns wäre das zu schwer'', sagten sie oft zueinander.

Dann stellte die Mutter den Kaffee auf den Tisch. ,,Ich habe den Zug gehört'', sagte sie.

PETER BICHSEL
(1935)

Fragen zum Inhalt

1. Warum warten die Eltern auf Monika?
2. Seit wann essen sie erst um halb acht zu Abend?
3. Wie warten die Eltern auf ihre Tochter?
4. Wie sieht Monika aus?
5. Was hat Monika alles in ihrem Zimmer?
6. Was sieht der Vater immer, wenn er sich seine Lohntüte holt?
7. Was tut Monika über Mittag?
8. Was erzählt Monika ihren Eltern von der Stadt? Von ihrer Arbeit im Büro?
9. Was stellen sich die Eltern vor, wenn sie an ihre Tochter denken?
10. Was stellen sie sich vor, wie ihre Tochter am Abend erscheint?
11. Was wird aber bald passieren, und was würden die Eltern dann wieder tun können?
12. Was glaubt die Mutter alles von ihrer Tochter?
13. Wie gut ist Monikas Französisch? Was kann sie noch?

Fragen zum Überlegen und Diskutieren

1. Was halten die Eltern von ihrer Tochter? Begründen Sie Ihre Antwort!
2. Was für einen Eindruck haben Sie von Monika?
3. Was denken Sie über Monikas Eltern?

Der Witz vom Pomuchelskopf

Wir waren bei meiner alten, zierlichen° Tante Agnes zu Besuch und sassen in ihrer Laube°. Die Erwachsenen erzählten Witze, die auch Kinder verstanden und vertrugen, und es wurde viel gelacht. Schliesslich wandte sich mein Vater aufmunternd° an seine Schwester: „Na, Agnes? Willst du nicht auch einen erzählen?"

„Ach Gott", meinte Tante Agnes zaghaft°, „den vom Pomuchelskopf kennt ihr ja schon alle . . ."

„Aber nein!" riefen die Erwachsenen. „Und wenn, dann habe ich ihn vergessen!" sagte mein Vater. Und nur ich, der Achtjährige°, krähte sieghaft und wissend: „Doch, doch! Du hast ihn uns ja erst vor acht Tagen erzählt!"

Tante Agnes wurde rot unter ihrem weissen Haar, aber mein Vater wurde ganz blass, und alle wurden still. Niemand lachte mehr, und dann stand Tante Agnes unter dem Vorwand° auf, neuen Kaffee holen zu müssen. Als sie fort° war, erhob sich auch mein Vater. „Komm mal mit, mein Junge!" sagte er streng°. Er führte mich in die Gartenecke, wo uns niemand sehen konnte, und gab mir eine sehr zornige und sehr kräftige Ohrfeige°.

Mein Vater, ein städtchenbekanntes Sinnbild von Sanftmut und Friedfertigkeit°, schlug mich sehr selten. Wenn er es einmal tat, pflegte° ich loszuheulen°, als sei ich geschunden° worden, weil das stets zur sofortigen Einstellung der Feindseligkeiten führte°. Diesmal tat ich das nicht. Ich starrte meinen Vater fassungslos° an, unter stummen Tränen aus grossen Augen. Er hielt meinem Blick stand°: „Du weisst, warum du die Ohrfeige bekommen hast?"

Da geschah das Unerwartete. „Jawohl", sagte ich mit zitternder Stimme, aber aus festem und trotzigem° Herzen. „Weil ich die Wahrheit gesagt habe, und ihr habt alle gelogen°. Tante hat euch den Witz vom Pomuchelskopf schon zehnmal erzählt, und zu Hause habt ihr euch darüber lustig gemacht°. Und jetzt . . ."

zierlich *dainty*
die Laube *arbor*
aufmunternd *encouragingly*
zaghaft *timidly*
der Achtjährige *the eight-year old (child)*
der Vorwand *pretense, excuse*
fort *gone*
streng *harshly*
die Ohrfeige *slap across the face*
ein . . . Friedfertigkeit * (see below) **pflegen** *to be in the habit of* **losheulen** *to start crying* **schinden** *to mistreat* **weil . . . führte** * (see below) **fassungslos** *aghast*
er . . . stand *he didn't give in to my look*
trotzig *defiant*
lügen *to lie*
s. lustig machen über *to make fun of*

° **ein städtchenbekanntes Sinnbild von Sanftmut und Friedfertigkeit:** *known in our small town to be a symbol of gentleness and peaceableness*

° **weil das stets zur sofortigen Einstellung der Feindseligkeiten führte:** *because that always led to the immediate stoppage of hostilities.*

Erich Heckel: Vater und Sohn (Holzschnitt, 1920)

Ich konnte nicht weiter. ,,Und jetzt'', ergänzte mein Vater, ,,wirst du deiner Wahrheitsliebe wegen° gehauen°. Sonst wurdest du gehauen, wenn du gelogen hattest.'' Ich nickte.

Mein Vater lehnte sich an den Zaun und schwieg° sehr lange. Heute weiss ich, dass er während dieser Zeit sich und mich begriff°. Sich, der, wie alle Friedfertigen, einem lange aufgespeicherten, gerechten Zorn im ungeeigneten Augenblick Luft gemacht und sich dadurch ins Unrecht gesetzt hatte°. Mich, in dem durch diese Ohrfeige etwas viel Tieferes° getroffen worden war als die schmerzende Wange: bisher war die Welt für mich ein hübsches, buntes, glattes Bild gewesen, eingefasst in den goldenen Rahmen° meiner Kindheit, gesehen durch das klare Glas elterlicher Morallehne°, für die jede Wahrheit ihren Lohn° und jede Lüge ihre Strafe° empfing; nun war das Bild mitten durchgerissen, der Rahmen gesprengt, das Glas zertrümmert°, die Wand des Lebens gähnte leer, kalt und hässlich. Es war, wie ich heute weiss, ein gefährlicher—vielleicht der gefährlichste Augenblick meiner Kindheit. Mein Vater hatte gelogen, mein Vater war ungerecht° gewesen, mein Vater war mir fremd°. Es kam alles darauf an, mich jetzt noch zu retten°—jetzt, in dieser Minute am Gartenzaun.

,,Siehst du'', begann der Vater behutsam°, sehr behutsam, ,,Tante Agnes kennt nur diesen einen Witz. Es macht ihr grosse Freude, ihn zu erzählen, und viel Freuden hat sie nicht in ihrem armen Leben. Wenn sie ihn nicht erzählen darf, ist das schlimmer für sie, als es für dich ist, wenn du darüber lachst, obwohl du ihn schon kennst. Nicht wahr?''

,,Ja'', sagte ich zögernd°. ,,Aber man darf doch nicht lügen.'' Vater legte die Hand um meinen Nacken°. ,,Gewiss, du bist wahr zu ihr gewesen. Aber du bist nicht lieb° zu ihr gewesen. Das hat mich geärgert°. Es kommt viel darauf an, wahr zu sein zu den Leuten. Aber es kommt alles darauf an, lieb zu sein zu den Leuten. Am besten ist man beides zusammen . . . aber das geht nicht immer. Wir wollen's jedenfalls beide versuchen, nicht wahr?''

Ich nickte°. Ich fühlte freilich noch grossen Schmerz. Denn das Bild der Welt, wie es den Raum meiner Kindheit geschmückt hatte, konnte Vater nicht wieder zusammensetzen. Es war endgültig kaputt°. Es war so hübsch, so glatt, so klar—aber es war auch flach° gewesen. Nun stürzte auch die Wand zusammen, an der es gehangen hatte, und dahinter lag das Leben, es bekam Tiefe°, grosse Tiefe und Weite° und viel Schatten, es war tief, dunkel und unbehaglich°. Aber Vater stand mitten drin. Vater gehörte wieder

wegen *because of* **hauen** *to hit*

schweigen *to be silent*

sich und mich begriff *understood himself and understood me*

Sich . . . hatte * (see below)

etwas viel Tieferes *something deep down inside of me*

der Rahmen *frame*

elterlicher Morallehne *of parental moral support*

der Lohn *reward* **die Strafe** *punishment*

zertrümmert *shattered*

ungerecht *unfair* **war mir fremd** *was a stranger to me*

Es . . . retten *Everything depended on his ability to save me.*

behutsam *gently, carefully*

zögernd *hesitantly*

der Nacken *neck*

lieb *kind*

ärgern *to make (someone) mad*

nicken *to nod*

endgültig kaputt *broken for once and for all*

flach *flat, one-dimensional*

die Tiefe *depth*

die Weite *breadth*

unbehaglich *uncomfortable*

° **Sich, der, wie alle Friedfertigen, einem lange aufgespeicherten, gerechten Zorn im ungeeigneten Augenblick Luft gemacht und sich dadurch ins Unrecht gesetzt hatte:**
Himself, who, like all peaceable people, had given vent to a justifiable and long stored up anger at the wrong time, and in doing so, he had put himself in the wrong.

zu mir und war nicht mehr fremd, stand zwischen Liebe und Lüge und war mir näher denn je°. Nie mehr würde er mir so nahe sein.

Ich lief zur Laube zurück und sprudelte Tante Agnes, die den neuen Kaffee eingoss, meine erste Lüge entgegen: „Tante Agnes, erzähl mir doch bitte den Witz vom Pomuchelskopf noch mal! Eben° habe ich ihn Vater erzählen wollen, und da habe ich gemerkt, dass ich ihn doch vergessen habe!" Tante liess vor Schreck° und Freude fast die Kanne fallen, das war meiner ersten Lüge und meiner ersten Liebe Lohn°—und dann erzählte sie den Witz vom Pomuchelskopf.

Heute habe ich den Witz vom Pomuchelskopf wirklich vergessen. Aber die Ohrfeige und die Worte am Gartenzaun nicht und niemals.

HERMANN MOSTAR

näher denn je *closer than ever*

eben *just now*

vor Schreck *out of shock*

das . . . Lohn *that was my first reward for a lie and for an act of love*

Fragen zum Inhalt

1. Was machen die Erwachsenen in Tante Agnes' Laube?
2. Was fragt der Vater seine Schwester?
3. Welchen Witz möchte die Tante eigentlich nicht erzählen? Warum nicht?
4. Wer möchte den Witz aber hören und wer nicht?
5. Was sagt der Achtjährige zu seiner Tante?
6. Was tun die Verwandten daraufhin? Und die Tante?
7. Was macht der Vater mit seinem Sohn?
8. Was für ein Mann ist der Vater?
9. Warum starrt der Junge seinen Vater fassungslos an? Was tut er sonst in solchen Situationen?
10. Wie verteidigt sich der Junge?
11. Wie verhält sich der Vater?
12. Warum sieht es der Vater gern, wenn die Tante diesen Witz erzählt?
13. Wie versucht der Vater, seinen Standpunkt seinem Sohn zu erklären?
14. Wie findet der Sohn die Handlung seines Vaters?
15. Was bittet dann der Achtjährige seine Tante?
16. Was tut die Tante daraufhin?

Fragen zum Überlegen und Diskutieren

1. Was halten Sie von den Verwandten von Tante Agnes?
2. Was denken Sie über den Achtjährigen?
3. Welche Worte gebraucht der Autor, um die heile Welt des Jungen zu beschreiben?
4. Hat sich der Vater richtig verhalten? Was hätten Sie als Vater getan?
5. Soll man einem Menschen immer die Wahrheit sagen, auch wenn sie den Menschen verletzt? Diskutieren Sie darüber und geben Sie Beispiele dafür!
6. Was halten Sie von der Bemerkung des Vaters, dass man sowohl wahr als auch lieb zu einem anderen Menschen sein soll?
7. Was für Folgen hatte diese Begebenheit auf den Achtjährigen?

Angst

Anne Frank was a young German-Jewish girl who fled from Germany with her family to escape persecution during the Third Reich. She was born in 1929 and died in 1945 in the concentration camp Bergen-Belsen. From 1942-44 she wrote a number of stories and kept a diary while in hiding in Amsterdam. The following is one of her stories.

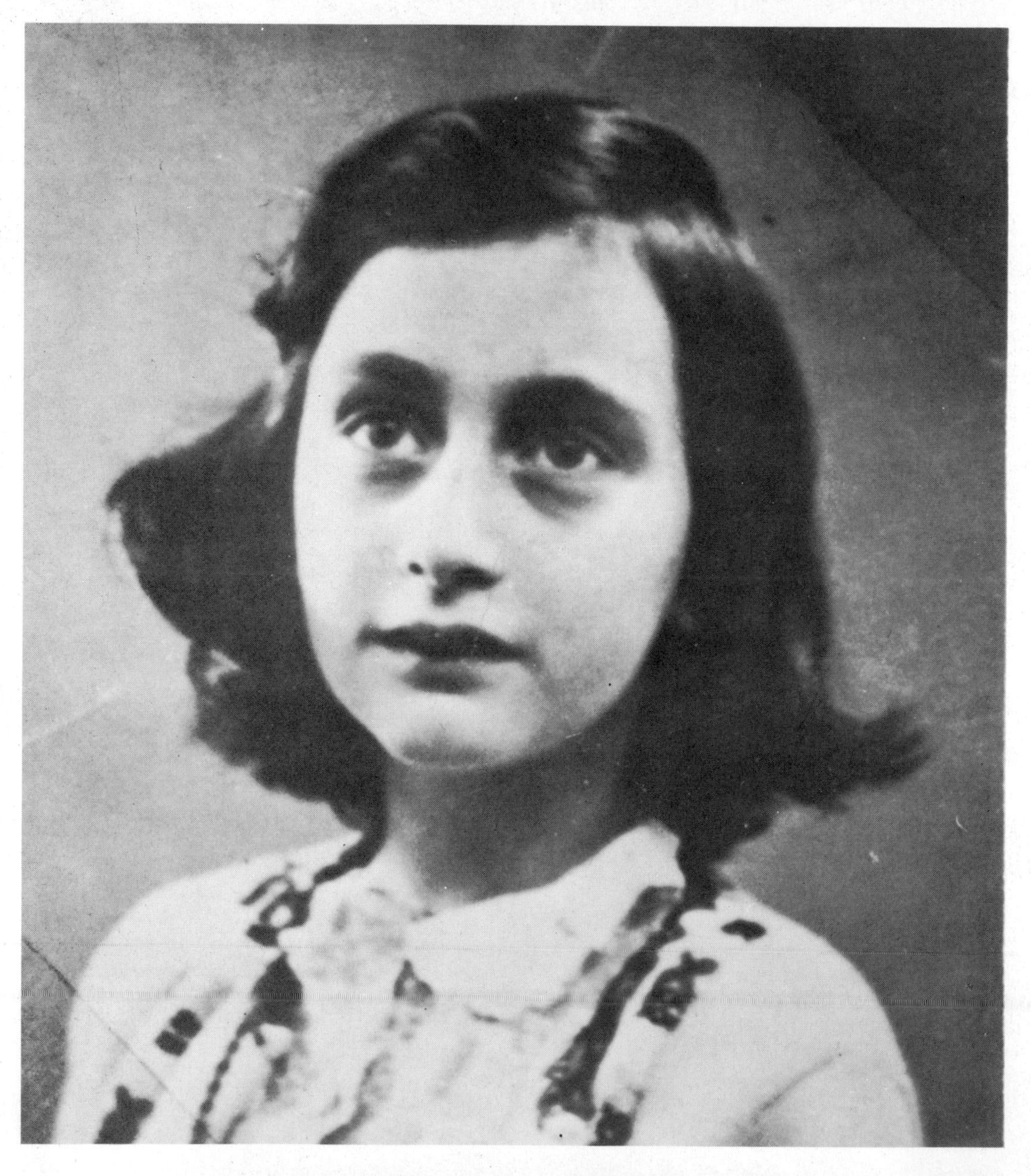

Ernst Schnabel[1] berichtet: Herr Frank sagte mir, in der ersten Zeit hätten sie viel Angst gehabt, dass die Polizei sie eines Tages finden könne. Aber wie Monat um Monat verging, das erste Jahr, das zweite dann, und wie die Nachrichten kamen von der Invasion an der Kanalküste und vom Vormarsch der alliierten Truppen in Frankreich, sei ihnen fast leicht und gerade hoffnungsvoll ums Herz gewesen. Dagegen fürchteten sie oft, dass im Hinterhaus ein Brand° ausbrechen und sie auf die Strasse hinaustreiben könnte.

der Brand *fire*

Das Haus war alt, es war sehr viel Holz darin verbaut. Eine kleine Unvorsichtigkeit°, ein Streichholz° hätte genügt . . . Sie hatten darum auch immer ein kleines Fluchtgepäck gepackt. Jeder hielt einen Rucksack für diesen Fall bereit. Er selber wollte ausser dem Rucksack noch die Aktentasche° mitnehmen, in der Annes Hefte und Tagebücher° steckten. Das hatte er ihr versprochen. Es fielen ja Bomben in Holland, auch in Amsterdam, und Nacht für Nacht zogen die Fliegergeschwader° über ihr Dach hin, da gab es Gefahren genug, und sie hatten keinen Keller, und das Haus dröhnte und bebte° von den Salven der Flakbatterien°.

die Unvorsichtigkeit *carelessness* **das Streichholz** *match*

die Aktentasche *briefcase*

das Tagebuch *diary*

das Fliegergeschwader *plane squadron*

dröhnen und beben *to boom and tremble* **die Flakbatterie** *battery of anti-aircraft guns*

Er sagte mir, diese Nächte hätten Anne mehr Kraft gekostet, als sie eigentlich besessen habe. Sie sei vor Angst manchmal ausser sich gewesen°, und habe sich erst wieder beruhigt, wenn er sie zu sich ins Bett nahm.

ausser sich sein *to be beside oneself*

Unter Annes Geschichten findet sich eine, die in dieser Not° geschrieben ist:

die Not *anguish*

Es war eine schreckliche Zeit, die ich damals durchmachte. Rings um uns her wütete° der Krieg, und niemand wusste, ob er in der nächsten Stunde noch leben würde. Meine Eltern, Brüder und Schwestern und ich wohnten in der Stadt, aber wir erwarteten, dass wir evakuiert würden oder fliehen müssten. Die Tage waren voll Kanonendonner und Schiesserei, die Nächte voll geheimnisvoller° Funken° und Getöse°, das aus der Tiefe zu kommen schien.

wüten *to rage*

geheimnisvoll *mysterious* **der Funke** *spark* **das Getöse** *noise*

Ich kann es nicht beschreiben. Ich erinnere mich an den Tumult° dieser Tage auch nicht mehr ganz genau. Ich weiss nur noch, dass ich den ganzen Tag nichts anderes tat, als Angst zu haben. Meine Eltern suchten mich auf jede Weise° zu beruhigen, aber nichts half. Mir war angst innen und aussen. Ich ass nicht, schlief schlecht und zitterte° nur. Eine Woche lang ging es so, bis eine Nacht kam, an die ich mich erinnere, als wäre sie gestern gewesen.

der Tumult *uproar*

auf jede Weise *in every way*

zittern *to tremble*

Um halb neun Uhr abends, als gerade das Schiessen etwas nachgelassen° hatte, lag ich ganz und gar angezogen auf dem Sofa, um etwas zu schlafen. Da wurden wir auf einmal alle

nachlassen *to let up*

[1] Ernst Schnabel wrote a book about Anne Frank based on testimonies of people who knew her, including Anne's father.

aufgeschreckt° durch zwei grässliche° Explosionen. Wie von Nadeln gestochen sprangen wir auf, alle zugleich°, und liefen in den Korridor hinaus. Sogar Mutter, die sonst immer so ruhig war, sah ganz blass aus. Das Knallen wiederholte sich in regelmässigen Abständen°, und mit einem Male hörten wir ein entsetzliches° Krachen, Klirren und Schreien, und ich lief weg, so schnell ich konnte. Mit meinem Rucksack auf dem Rücken und dick angekleidet, rannte ich fort, fort aus diesem schrecklich brennenden Wirrwarr°. Ringsum und an allen Ecken heulten° und schrieen die Menschen, die Strasse war taghell von brennenden Häusern, und alle Gegenstände° sahen beängstigend° glühend und rot aus.

aufschrecken *to startle* **grässlich** *dreadful* **zugleich** *at the same time*

der Abstand *interval*

entsetzlich *horrible*

der Wirrwarr *chaos* **heulen** *to cry*

der Gegenstand *object*

beängstigend *frightfully*

Ich dachte nicht an meine Eltern, meine Brüder und Schwestern, ich dachte nur an mich, und dass ich fort musste, immer nur fort. Ich fühlte keine Müdigkeit, meine Angst war stärker. Ich merkte nicht, dass ich meinen Rucksack verlor, ich rannte nur weiter. Ich kann nicht mehr sagen, wie lange ich so lief, immer das Bild der brennenden Häuser, der schreienden Menschen und verzerrten° Gesichter vor Augen. Angst war alles, was ich hatte.

verzerrt *distorted*

Mit einem Male begriff° ich, dass es stiller geworden war ringsumher. Ich sah mich um, als erwachte° ich aus einem Traume, und ich sah niemanden mehr und nichts. Kein Feuer, keine Bomben, keine Menschen.

begreifen *to realize*

erwachen *to awake*

Ich stand still. Ich befand mich auf einer Wiese. Über meinem Kopf flammten° die Sterne und schien der Mond, das Wetter war herrlich, die Nacht kühl, aber nicht kalt. Keinen Laut hörte ich mehr, erschöpft° setzte ich mich auf die Erde, breitete die Decke aus, die ich noch auf meinem Arm trug, und legte meinen Kopf darauf.

flammen *to sparkle*

erschöpft *exhausted*

Ich sah zum Himmel hinauf, und mit einem Male merkte ich, dass ich überhaupt keine Angst mehr hatte, gar nicht mehr, ich war ganz ruhig. Wie verrückt, dass ich überhaupt nicht an meine Familie dachte und auch keine Sehnsucht nach° ihnen hatte! Ich wollte nichts als Ruhe, und es dauerte nicht lange, da war ich mitten im Gras unter freiem Himmel eingeschlafen.

die Sehnsucht nach *longing for*

Als ich aufwachte, ging gerade die Sonne auf. Ich wusste sofort, wo ich war, denn ich sah in hellem Licht in der Ferne die Häuser, die ich kannte und die am Rande unserer Stadt stehen.

Ich rieb mir die Augen und sah mich noch einmal um. Niemand war in der Nähe. Nur die Pferdeblumen[2] und die Kleeblätter° im Gras leisteten mir Gesellschaft°. Ich legte mich noch einmal auf meine Decke und überlegte, was ich nun tun sollte. Aber meine Gedanken irrten immer wieder zu dem wunderlichen° Gefühl

das Kleeblatt *clover*

Gesellschaft leisten *to keep (s.o.) company*

wunderlich *strange*

[2] **Pferdeblumen,** *coltsfoot,* are plants native to Europe. They have yellow flowers and heart-shaped leaves.

zurück, das ich in der Nacht gehabt hatte, als ich allein im Gras sass und keine Angst hatte.

Später fand ich meine Eltern wieder, und wir wohnten zusammen in einer anderen Stadt.

Nun, wo der Krieg schon lange vorbei ist, weiss ich, wie es gekommen ist, dass unter dem weiten Himmel meine Angst verschwunden war. Damals, allein in der Natur, begriff ich—dass Angst nichts hilft und nichts nützt.

Wem gerade so bange° ist wie mir damals, der tut am besten, sich die Natur anzuschauen und zu sehen, dass Gott viel näher bei uns ist, als die meisten Menschen ahnen°.

bange sein *to be afraid*

ahnen *to suspect*

Seit dieser Zeit habe ich, wie viele Bomben auch noch in meiner Nähe gefallen sind, nie wieder richtige Angst gehabt.

ANNE FRANK
(1929-1945)

Fragen zum Inhalt

1. Wovor hatten die Franks in der ersten Zeit ihres Asyls Angst gehabt?
2. Wann konnten sie die erste Hoffnung auf Befreiung haben?
3. Was fürchteten sie aber zu dieser Zeit?
4. Warum hielt die Familie Frank immer einen Rucksack bereit?
5. Was wollte Herr Frank ausserdem noch mitnehmen? Warum?
6. Was passierte Nacht für Nacht in Amsterdam?
7. Wie verhielt sich Anne während dieser Nächte?
8. Wie beschreibt Anne selbst diese schreckliche Zeit in Amsterdam?
9. Wie beschreibt sie ihre Angst?
10. Wodurch wurde die Familie eines Abends aufgeschreckt?
11. Was tat Anne, und wie beschreibt sie die Stadt?
12. Warum konnte sie so weit rennen?
13. Was bemerkte sie dann auf einmal?
14. Wo befand sie sich, und was tat sie?
15. Warum war sie so schnell eingeschlafen?
16. Was sah Anne, als sie wieder aufwachte?
17. Was tat sie in Gedanken?
18. Was begriff Anne erst viel später, warum ihre Angst damals unter freiem Himmel verschwunden war?
19. Was sollte man lieber tun, wenn man grosse Angst hat?

Fragen zum Überlegen und Diskutieren

1. Stimmen Sie mit Anne überein, dass man sich am besten die Natur anschaut, wenn man grosse Angst hat?
2. Haben Sie schon einmal grosse Angst gehabt, und wie sind Sie Ihre Angst losgeworden?

„Hier Walfangschiff Hedda!"

Jahr für Jahr geht von der norwegischen Hafenstadt Trondheim aus das Walfangschiff° HEDDA auf grosse Fahrt. Monatelang treibt es in den graugrünen Wassern des Eismeeres° und füllt seinen stählernen Bauch mit dem Tran° der erbeuteten Wale.

das Walfangschiff *whaling ship*
das Eismeer *Arctic Ocean*
der Tran *(whale) blubber*

Die Männer an Bord wüssten nicht, was in dieser langen Zeit in der Welt geschieht, wenn sie Morton Allmers nicht hätten. Er ist der Bordfunker°. Jeden Tag sitzt er in seiner Kabine, hat den Kopfhörer° am Ohr und fängt die Funknachrichten auf°. Ja, Morton Allmers ist ein wichtiger Mann. Wenn er zum Beispiel eine Sturmwarnung überhören° würde, dann könnte es wohl passieren, dass das Schiff nicht mehr rechtzeitig° zurückkehren kann.

der Bordfunker *radio operator*
der Kopfhörer *earphone* **auf-fangen** *to receive*
überhören *to miss, not catch*
rechtzeitig *in time*

Auf dieser Fahrt aber ist alles gutgegangen. Zwar wird es noch rund eine Woche dauern, bis die HEDDA Trondheim wieder erreicht hat; aber was sind schon sieben Tage im Vergleich zu der langen Zeit, in der die Männer nichts als Wasser, Eis und den Himmel gesehen haben!

Auch Kapitän Svensson ist zufrieden°. Sie haben einen guten Fang gehabt. Die Fässer° in den Laderäumen sind bis an den Rand mit Tran gefüllt. Und wenn sein Geruch° auch nicht angenehm° ist, so bringt das Zeug doch ein schönes Stück Geld ein.

Mit seiner ständig brennenden Pfeife° im Mundwinkel steigt Kapitän Svensson in die Funkkabine hinunter. „'n Abend, Morton!" Der Bordfunker nickt° nur. Svensson sieht, dass er in die Muschel des Kopfhörers lauscht° und einen Funkspruch entgegennimmt. Geduldig° wartet er, bis Allmers den Hörer vom Ohr schiebt. „Gibt es etwas Neues?" fragt er dann.

„Wenig, Käptn. Eben hat sich das Fangschiff NAMSOS gemeldet. Es fährt fünfzehn Seemeilen Nord-nord-ost von uns und hat einige grössere Eisberge gesichtet."

„Eisberge?"Kapitän Svensson setzt sich auf einen Hocker° und zieht bedächtig° an seiner Pfeife. „In dieser Gegend etwas ungewöhnlich! Vielleicht sollten wir jetzt in der Dunkelheit noch langsamer fahren."

Morton Allmers antwortet nicht. Kapitän Svensson aber tippt ihm mit der Pfeife an die Schulter und kneift sein Auge ein wenig zu°.

„Was gibt es Neues in Trondheim?" fragt er verschmitzt°. „Eigentlich darf ich es ja nicht wissen; aber privat interessiert es mich doch, ob Ihr Olaf für seine Rechenarbeit° eine gute oder schlechte Zensur bekommen hat."

„Eine schlechte? Wo denken Sie hin, Käptn! Jetzt, wo er weiss, dass ich in einer Woche zu Hause bin?"

Die Männer lachen, und der Kapitän kneift wieder ein Auge zu. Jedermann an Bord kennt Morton Allmers als grossen Bastler°. In Trondheim bewohnt er mit seiner Frau und seinen Söhnen Olaf und Ragnar ein hübsches kleines Haus an der Küste. Dort hat er sich in seiner freien Zeit eine eigene Funkanlage° gebastelt. Olaf, der erst elf Jahre alt geworden ist, versteht nur wenig von den Geheimnissen° der vielen Schalter, Hebel und Drehknöpfe°. Aber Ragnar, der schon an der Technischen Hochschule° studiert, ist ein guter Funker. Er besitzt die internationale Funkerlaubnis°, und fast jeden Tag sendet er einen Gruss an den Vater auf hoher See und meldet ihm, was es zu Hause an Neuigkeiten gibt. Natürlich ist es Vater Allmers eigentlich nicht gestattet°, die Bordfunkanlage für private Funksprüche zu benützen. Aber Kapitän Svensson ist nicht kleinlich°. Im Gegenteil. Erst gestern ist er in die Funkkabine gekommen und hat Allmers gefragt: „Kann Ihr Olaf nicht schnell einmal zu meiner Frau hinüberspringen und sie daran erinnern°, dass Tante Ella übermorgen Geburtstag hat? Sie vergisst es sonst ganz bestimmt." Allmers hat diese Bitte wie schon viele andere nach Trondheim gefunkt, und Svensson, der das eigentlich gar nicht wissen darf, hat dabei mit dem linken Auge geblinzelt°.

zufrieden *satisfied*
das Fass *barrel*
der Geruch *smell, odor* **angenehm** *pleasant*
die Pfeife *pipe*
nicken *to nod*
lauschen *to listen*
geduldig *patiently*
der Hocker *stool*
bedächtig *thoughtfully*
das Auge zukneifen *to wink*
verschmitzt *mischievously*
die Rechenarbeit *math test*
der Bastler *person who likes to work at hobbies*
die Funkanlage *radio set*
das Geheimnis *secret* **Schalter, Hebel und Drehknöpfe** *switches, levers, and knobs*
die Hochschule *college*
die Funkerlaubnis *license to operate a ham radio*
gestattet *permitted*
kleinlich *petty*
erinnern an *to remind about*
blinzeln *to wink*

Die Männer unterhalten sich noch eine Weile, dann stopft sich der Kapitän seine Pfeife neu und wünscht dem Bordfunker eine gute Nacht.

Aber im gleichen Augenblick, in dem er die Kabinentür hinter sich schliessen will, erschüttert ein mächtiger Stoss° den Rumpf° des Schiffes. Ein dumpfes Geräusch berstenden Eisens, dann das Klirren splitternder Glasscherben°, das Krachen von herumfliegenden Kabinenmöbeln. Fast überall sind die Glühbirnen° zersprungen°.

In der mondlosen Finsternis° ist die HEDDA auf einen Eisberg aufgelaufen. Der Mann am Steuer hat zwar den riesigen Schatten, der plötzlich aus der Dunkelheit emporwuchs°, im letzten Augenblick gesehen. Aber da war es bereits zu spät, die Maschinen zu stoppen.

Kapitän Svensson hat in Sekundenschnelle das Deck erreicht. Im scharfen Strahl eines Handscheinwerfers° sieht er, wie an der eingedrückten Steuerbordseite unaufhörlich Tran aus dem Schiffskörper quillt°.

Morton Allmers hat inzwischen mit seiner Taschenlampe° die Funkanlage überprüft. Einige Drähte hängen lose herab. Fieberhaft probiert er, ob die Geräte° noch arbeiten. Da reisst hinter ihm der zweite Offizier die Kabinentür auf und brüllt: „Wir sinken! Sofort SOS und unseren Standpunkt durchgeben!"

Keuchend° hockt Allmers vor seinen Geräten und dreht an den verschiedenen Knöpfen. Gott sei Dank, der Empfänger° arbeitet. Undeutlich vernimmt° er eine Meldung der Wetterstation Hammerfest. Ob aber der Sender noch heil° ist? Allmers' Finger liegt auf der Morsetaste°. Pausenlos gibt er den Notruf SOS durch: kurz-kurz-kurz, lang-lang-lang, kurz-kurz-kurz . . . Kalter Schweiss rinnt ihm von der Stirn. Wenn doch irgendwer das Signal hören könnte! Wir sinken doch! In zwei, drei Stunden kann alles zu spät sein!

Plötzlich gibt es in dem Gerät ein hörbares Knacken. Allmers fährt auf°. Verzweifelt° kontrolliert er die Schalter und Drähte. Nichts. Alles bleibt still. Die Funkanlage arbeitet nicht mehr . . .

Von dem Kampf° der Männer auf See und von dem verhängnisvollen° Eisberg ahnen die Menschen im fernen° Trondheim nichts. Hinter den meisten Fenstern ist das Licht schon erloschen°. Aber in dem kleinen Haus an der Küste, das Morton Allmers gehört, sind alle Betten noch unberührt°. Ragnar ist zur Geburstagsfeier bei einem Freund eingeladen, Frau Allmers ist zu Besuch bei ihrer kranken Schwester. So ist Olaf allein zu Hause. Natürlich sollte er schon längst im Bett liegen. Aber er hat der Verlockung nicht widerstehen° können und liest noch ein bisschen.

Plötzlich kommt ihm ein Einfall°. Er verlässt das Wohnzimmer und steigt die schmale Treppe zur Dachkammer° hinauf. Dort

ein mächtiger Stoss *a powerful blow* **der Rumpf** *hull*
die Glasscherben *broken glass*
die Glühbirne *light bulb*
zersprungen *cracked*
die Finsternis *darkness*
emporwachsen *to rise up*
der Handscheinwerfer *small searchlight*
quellen *to gush forth*
die Taschenlampe *flashlight*
das Gerät *radio*
keuchend *panting*
der Empfänger *receiver*
vernehmen *to hear*
heil *intact*
die Morsetaste *key for sending Morse code*
auffahren *to jump up* **verzweifelt** *desperately*
der Kampf *struggle*
verhängnisvoll *fateful* **fern** *distant*
erloschen *extinguished*
unberührt *untouched*
der Verlockung widerstehen *to resist the temptation*
Plötzlich . . . Einfall *Suddenly he gets an idea.*
die Dachkammer *attic room*

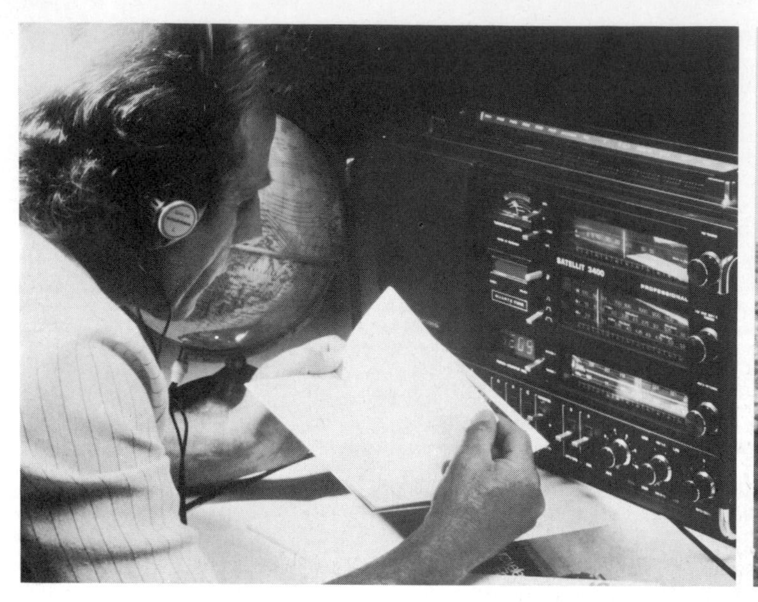

stehen die Apparate der Funkanlage, die der Vater zusammen mit Ragnar gebastelt hat. Olaf kann sie noch nicht allein bedienen°. Aber er ist oft dabeigewesen°, wie der Vater oder sein Bruder den Empfänger eingeschaltet haben.

Langsam streckt Olaf die Hand aus. Es kann ja gar nichts dabei passieren, denkt er. Und ganz bestimmt wird es auch keiner merken. Der kleine, schwarze Schalter macht leise „knack". An der Stirnseite° des Empfängers leuchtet ein Lämpchen auf°. Das Gerät ist eingeschaltet. Olaf stülpt sich den Kopfhörer über das blonde Haar. Wird irgend etwas zu hören sein? Ja, da dringen schon kurze und lange Summtöne° an sein Ohr. Das sind Morsezeichen°. Der Vater hat ihm einmal ein Blatt° mit dem Morsealphabet gezeigt, und Olaf hat sich das ganze Alphabet abgeschrieben° und dann auswendig gelernt°. Funksprüche, die langsam gesendet werden, kann er schon mitschreiben.

Der Empfänger ist auf die Wellenlänge° der HEDDA eingestellt. Olaf kann alles mithören, was der Vater hoch oben im Eismeer durch den Äther° funkt. Jetzt . . .! Wieder klingen die feinen, piepsenden Summtöne in der Muschel° des Kopfhörers.

Auf dem Tisch neben Olaf liegt ein Stoss° weisser Blätter und ein Bleistift. Olaf nimmt einen Bogen und beginnt, das Gehörte mitzuschreiben. Er kann nicht alles verstehen. Aber wenn er die hingekritzelten° Buchstaben sinngemäss ein bisschen ergänzt° hat er am Schluss einen richtigen Funkspruch.

Danach bleibt es im Kopfhörer eine Zeitlang still. Vielleicht ist der Vater schon schlafen gegangen, denkt Olaf und überlegt°, ob er auch ins Bett gehen soll. Er streckt schon die Hand nach dem Schalter aus. Da ertönt plötzlich wieder das Summen. Olaf greift

bedienen *to operate*
dabeisein *to be present*

die Stirnseite *front* **aufleuchten** *to light up*

der Summton *signal*
das Morsezeichen *Morse code*
das Blatt *sheet (of paper)*
abschreiben *to copy* **auswendig lernen** *to memorize*
die Wellenlänge *wave-length*

durch den Äther *over the air*
die Muschel *earpiece*
der Stoss *pile*

hingekritzelt *scribbled* **sinngemäss ergänzen** *to fill in*

überlegen *to consider*

erneut nach dem Bleistift und schreibt mit, aber während er schreibt, glaubt er seinen Augen und Ohren nicht zu trauen. Stimmt das denn, was er eben aufnotiert hat? Da steht es schwarz auf weiss: ,,. . . sos . . . sos . . . hier walfangschiff hedda . . . sind auf eisberg gelaufen und sinken . . . bitten dringend° um hilfe . . .''

Krampfhaft hält Olaf den Bleistift in der Hand. Jetzt wird der Standort° des Schiffes gefunkt! Mit klopfendem Herzen schreibt Olaf alles mit. Dann überlegt er: Wie könnte er helfen? Sein Blick überfliegt die Funkanlage. Da ist die Morsetaste, mit der er das Notsignal° weitergeben könnte. Wenn er nur wüsste, wie der Sender zu bedienen ist. Doch da, mit einem Male° wird es im Kopfhörer merkwürdig still. Olaf blickt auf°. Das Lämpchen brennt noch, der Empfänger ist also in Ordnung. Das bedeutet, dass die HEDDA, dass der Vater sich nicht mehr melden kann.

Einen Augenblick lang wirbeln Olafs Gedanken° wild durcheinander. Dann weiss er, was er zu tun hat. Er muss sofort seinen Bruder holen. Ragnar kann den Sender bedienen und Hilfe herbeirufen.

Olaf reisst sich den Körer vom Kopf. In langen Sätzen° fegt er die Treppe hinunter. Gott sei Dank, Hilmar Vigeland, bei dem Ragnar heute Geburtstag feiert, wohnt nicht allzu weit. Zehn Minuten später steht Olaf mit keuchendem Atem vor Vigelands Haustür und drückt auf den Klingelknopf°. Hilmar öffnet ihm. ,,Olaf, du?'' sagt er. ,,Was ist denn passiert?'' Aber Olaf gibt ihm gar keine Antwort. Hinter Hilmar hat er den Bruder entdeckt°. So springt er an dem Verblüfften° vorbei, stürzt zu Ragnar und packt ihn am Arm. ,,Du musst sofort kommen! Die HEDDA ist auf einen Eisberg gestossen und sinkt!''

dringend *urgently*
der Standort *location*
das Notsignal *distress signal*
mit einem Male *all at once*
aufblicken *to look up*
der Gedanke *thought*
der Satz *leap*
der Klingelknopf *doorbell*
entdecken *to discover*
der Verblüffte *amazed person*

Ragnar lacht. „Du bist nicht gescheit°. Mir so einen Schrecken einzujagen°! Wahrscheinlich° hast du geträumt. Du warst doch schon seit zwei Stunden im Bett?"

„Nein!" Beschwörend blickt Olaf den Bruder an. „Ich war in der Dachkammer und habe den Empfänger eingeschaltet. Ich wollte nur so zum Spass ein bisschen mithören, und da . . . Bestimmt, Ragnar! Glaub mir doch!"

Ragnar wird unsicher. Sollte es wirklich wahr sein, was Olaf erzählt? „Gut", sagt er schliesslich, „ich komme mit!"

Sie laufen durch die Strassen der nächtlichen Stadt und jagen, zu Hause angekommen, die Treppe zur Dachkammer hinauf. Mit dem ersten Blick sieht Ragnar das Blatt, auf dem Olaf den Funkspruch notiert hat. Wahrhaftig, es stimmt! Im Traum° kann Olaf diese Sätze nicht geschrieben haben.

Mit zwei, drei Griffen° hat Ragnar den Sender eingeschaltet. Seine Hand ruht° einen Augenblick auf der Morsetaste. Und dann beginnt er, den Hilferuf weiterzugeben. Sein Finger bedient die Taste so schnell, dass Olaf die Buchstaben gar nicht verstehen kann. Nun wird alles noch gut werden, denkt er.

Mehr als zehn Minuten lang sitzt Ragnar schon vor dem Sendegerät. Hin und wieder° lässt er die Hand auf der Taste ruhen und dreht mit der Linken an den Knöpfen des Empfängers.

Plötzlich hört er im Kopfhörer ein verschwommenes° Antwortzeichen. Er hält den Atem an und lauscht. „. . . hier walfangschiff namsos . . . haben sos-ruf gehört und kurs geändert° . . . sind in ungefähr vierzig minuten an unfallstelle . . . ende der meldung . . ."

Und die NAMSOS schafft es wirklich! In letzter Minute erreicht sie die sinkende HEDDA und kann die gesamte Mannschaft° an Bord nehmen. Als letzter verlässt mit Tränen° in den Augen Kapitän Svensson sein untergehendes Schiff.

Alles das wird den Menschen, die zu Hause jeden Morgen ihre Zeitung aufschlagen, nur allmählich° bekannt. Zwar hat die NAMSOS noch in derselben Nacht die Nachricht° vom Untergang der HEDDA und von der Rettung° aller Besatzungsmitglieder° an die Küstenstationen weitergegeben. Aber erst sechs Tage später, als die NAMSOS im Trondheimer Hafen einläuft und Kapitän Svensson von den Reportern bestürmt wird, stellt sich heraus°, wem die Rettung eigentlich zu verdanken ist.

Im Hause von Morton Allmers drücken die Zeitungsleute und Photographen pausenlos den Klingelknopf. Und wenn der Vater bei jeder neuen Störung zunächst° ärgerlich knurrt°, so stellt er sich doch immer wieder stolz zwischen den beiden Jungen vor die schussbereiten° Kameras. Dabei bildet er selber gar nicht den Mittelpunkt. Es sind die Namen von Olaf und Ragnar, die in den

Du bist nicht gescheit! *You're out of your mind!*
Mir . . . einzujagen! *To give me such a fright!*
wahrscheinlich *probably*

im Traum *in his dream*

der Griff *motion*
ruhen *to rest*

hin und wieder *now and then*

verschwommen *blurry*

ändern *to change*

die gesamte Mannschaft *the whole crew* **die Träne** *tear*

allmählich *gradually*
die Nachricht *news*
die Rettung *rescue* **das Besatzungsmitglied** *crew member*

s. herausstellen *to come to light*

zunächst *at first* **knurren** *to grumble*
schussbereit *ready to shoot*

dicken Schlagzeilen auf der ersten Seite aller norwegischen Zeitungen stehen. Auch ein besonders gewichtiges Telegramm ist gekommen: „ich gratuliere olaf und ragnar allmers, die durch ihr entschlossenes handeln° die mannschaft der hedda gerettet haben." Wahrhaftig mit diesem Telegramm hat ihnen der Ministerpräsident persönlich sein Lob ausgesprochen°!

„Wenn Olaf seine Rechenarbeit nun wirklich mangelhaft° hätte", sagt der Vater lächelnd zu seinen beiden Söhnen, könnte ich ihn ja kaum noch bei den Ohren nehmen, so berühmte Leute seid ihr inzwischen geworden! Aber es stimmt schon, was die Leute in den Zeitungen schreiben: Dass wir jetzt noch am Leben sind, haben wir nur euch zu verdanken."

entschlossenes Handeln *resolute action*
Lob aussprechen *to praise*
mangelhaft *unsatisfactorily*

STEPHAN GRÄFFSHAGEN

Fragen zum Inhalt

1. Was ist die Hedda, und was tut dieses Schiff?
2. Warum ist Morton Allmers ein so wichtiger Mann?
3. Womit ist Kapitän Svensson sehr zufrieden?
4. Was für eine Nachricht gibt Allmers dem Kapitän?
5. Was hört der Kapitän über Olaf Allmers?
6. Wie alt ist Olaf, und wovon versteht er nur wenig?
7. Was studiert Ragnar, und was tut er fast jeden Tag?
8. Warum sagt der Kapitän nichts, wenn Morton Allmers die Bordfunkanlage manchmal für private Funksprüche benutzt?
9. Was geschieht, als Kapitän Svensson die Funkkabine verlassen will?
10. Was ist passiert? Was tut der Kapitän, und was entdeckt er?
11. Was hat Morton Allmers inzwischen getan?
12. Was brüllt der zweite Offizier, und was tut Allmers daraufhin sofort?

13. Wie sieht es in Trondheim um diese Zeit aus und im Haus von Morton Allmers?
14. Was für einen Einfall hat der 11jährige Olaf plötzlich, und was macht er?
15. Was muss Olaf alles tun, bevor er einen Funkspruch hören kann?
16. Seit wann kennt Olaf das Morsealphabet?
17. Warum kann er sofort Funksprüche von seinem Vater empfangen?
18. Was tut Olaf jetzt, und was erfährt er dabei?
19. Was kann der Junge aber leider nicht tun?
20. Was für ein Gedanke kommt dem Jungen in den Kopf, und was tut er?
21. Warum glaubt Ragnar seinem Bruder zuerst nicht?
22. Was tut Ragnar, als er den Funkspruch sieht, den Olaf notiert hat?
23. Wie wird die Mannschaft der Hedda gerettet?

24. Wann erfährt die Bevölkerung erst, wem die Rettung zu verdanken ist?
25. Was passiert jetzt im Haus der Allmers?
26. Von wem kommt ein Telegramm, und was steht darin?
27. Wie zeigt es sich, dass Morton Allmers sehr stolz auf seine Söhne ist?

Das Porträt

„Nur wer im Wohlstand lebt, lebt angenehm[1]", zitieren viele. Das sagte sich auch Herr Neumeister. Nicht, dass er sich seinen Wohlstand auf unrechtmässige° Weise erschuf, nein, der Wohlstand war mit den Jahren über ihn hereingebrochen°, mit zwölf Stunden Arbeit am Tag, im freien Beruf. Er hatte oft die Nacht zum Tag gemacht, seine Reklamesprüche° waren begehrt°, die er den grossen Firmen zu guten Preisen verkaufte. Im Werbefernsehen liefen seine Verse, die Zeitungen wiederholten sie, Herr Neumeister hatte auch ein Buch über den Humor in der Reklame geschrieben, kurz, er nahm das Geld, wo er es verdienen konnte, liess seine Kinder etwas lernen, trieb einen gesunden Aufwand°, hatte ein schönes Haus mit Garten gemietet, er verwöhnte° seine Frau, die immer besonders schön angezogen war, heute ein kleidsamer° Hut, morgen eine Handtasche aus Kroko, er zechte° mit Geschäftsfreunden und fuhr jedes dritte Wochenende, wenn er es ermöglichen konnte und nicht den Sonntag zum Werktag machen musste,

unrechtmässig *illegal*
hereinbrechen über *to overtake*

der Reklamespruch *advertising slogan* **begehrt** *in demand*

einen gesunden Aufwand treiben *to live in style*
verwöhnen *to spoil, indulge*
kleidsam *becoming* **zechen** *to drink, go out with*

[1] **„Nur wer im Wohlstand lebt, lebt angenehm,"** *"Only those who are wealthy live comfortably,"* is a well-known line from Bertolt Brecht's *Dreigroschenoper*.

weil sich die Aufträge häuften°, mit seiner Familie aufs Land, an einen See, ins Gebirge. Ein normales Leben also, wie wir es heute gewöhnt sind, nicht übertrieben°, das, was uns zukommt°, wenn unsere Arbeit von Erfolg begleitet ist. Verständlich, bei diesem Leben und drei Kindern im Haus kann man keine Reichtümer erwerben° und nichts auf die hohe Kante legen°, aber man ist ja noch jung, vorgestern war man noch dreissig, gestern vierzig, und mit fünfzig ist man noch lange kein alter Mann. Da kann man sich getrost° noch etwas zumuten°—aber eines Tages hatte sich Herr Neumeister etwas zu viel zugemutet, und der Schlag° streifte ihn. Er streifte ihn härter, als es sonst meist der erste Schreckschuss zu tun pflegt°. Herr Neumeister war beiderseitig gelähmt°, wurde in ein Krankenhaus gebracht, und die Ärzte standen achselzukend° um sein Bett. „Wenn ihm die Natur nicht hilft, ärztliche Kunst vermag da wenig . . ."

Am Ersten war die Miete fällig°, am Zweiten das Licht, am Dritten das Telefon, am Vierten die Autorate° für den neuen Wagen, dazu die Arztkosten, das Studiengeld für den Sohn, das Internatsgeld° für die Töchter—da war noch Geld im Portemonnaie° und auf dem Konto°. Aber als der nächste Erste kam, musste Frau Konstanze schon die Beträge° aus allen Ecken zusammenkratzen, denn in einem freien Beruf geht wohl gutes Geld ein, aber wenn nichts an Arbeit hinausgeht, kommt der Briefträger nicht mehr mit Schecks ins Haus, und auf das Postscheckkonto[2] tröpfelt° es kaum noch, das ist so im freien Beruf.

Der Zustand° des Kranken versprach keine Besserung. Es war fraglich, ob Herr Neumeister je° wieder arbeiten und seinem Beruf nachgehen konnte. Aber was eine Frau von heute ist, die fügt sich nicht einfach klagend in ihr Schicksal°, sondern packt zu und versucht, mit dem Leben auf ihre Weise fertigzuwerden°. Da Konstanze als junges Mädchen die Akademie der Schönen Künste besucht hatte und für ihre Porträts damals sogar ein Stipendium erhielt, erinnerte sie sich ihres Könnens und der Eitelkeit° der Menschen. Sie hatte aus ihrer guten Zeit, die erst zwei Monate zurücklag, einen grossen Bekanntenkreis wohlhabender° Leute, Anwälte°, Direktoren, Schauspieler, Filmmanager und Produzenten und wie alle die gutverdienenden Leute heissen. Zu ihnen ging sie kurzentschlossen° und bot ihnen an, ihr Porträt zu malen, die Persönlichkeit des Mannes, die späte Schönheit der Ehefrau, die zarte Lieblichkeit° der Kinder.

Hundert Mark verlangte sie für ein Porträt, an dem sie zwei Tage arbeitete, und sie war überzeugt, dass sie so ihr vorübergehendes° Fortkommen° fände, denn der alte Freundeskreis war

---

[2] **Ein Postscheckkonto** is a type of checking account held with the post office rather than with a bank.

weil . . . häuften *because the jobs piled up*
übertrieben *overdone* **was uns zukommt** *what is our due*
Reichtümer erwerben *to amass a fortune* **auf die hohe Kante legen** *to save for a rainy day*
getrost *safely* **s. zumuten** *to take on* **der Schlag** *stroke*
als . . . pflegt *as is usually the case with the first warning*
beiderseitig gelähmt *paralyzed on both sides*
achselzuckend *shrugging their shoulders*
fällig *due*
die Autorate *car payment*
das Internat *boarding school*
das Portemonnaie *wallet* **das Konto** *bank account*
der Betrag *sum*
tröpfeln *to trickle*
der Zustand *condition*
je *ever*
die . . . Schicksal *she doesn't just resign herself complainingly to her fate*
fertigwerden *to cope*
die Eitelkeit *vanity*
wohlhabend *wealthy*
der Anwalt *lawyer*
kurzentschlossen *without hesitation*
die Lieblichkeit *sweetness*
vorübergehend *temporary* **das Fortkommen** *livelihood*

gross, in dem ein Hundertmarkschein keine beträchtliche° Rolle spielte und alle ihre Notlage° gut kannten.

Wir selbst, meine Frau und ich, gehörten zu dem alten Freundeskreis. Als Frau Neumeister zu uns kam und uns anbot, Porträts von mir und meiner Frau zu machen oder, falls° dies uns zu zeitraubend° sei, unsere beiden Töchter für hundert Mark zu porträtieren, hörten wir sie aufmerksam° und mit innerem Mitgefühl° an und versprachen, nicht gerade bindend, aber doch nicht ablehnend°, uns die Sache durch den Kopf gehen zu lassen. Im Augenblick allerdings ständen wir vor einer unaufschiebbaren° Reise, aber, wenn wir zurückkämen — warum nicht?

Wir trafen noch am gleichen Abend andere Freunde, bei denen Frau Neumeister ebenfalls vorstellig geworden° war, und wir besprachen, da der Frau ja irgendwie geholfen werden musste, wohlwollend° ihren Vorschlag.

„Nun ja", sagte einer von uns, „ich werde mir zwar nicht mein eigenes Porträt im Zimmer aufhängen — "

„Ausserdem weiss man ja nicht, wie es ausfällt° — "

„Das ist es", ergänzte der dritte. „Kann sie denn überhaupt porträtieren?"

„Sie sagt es. Abgesehen davon° — zum Stil unserer Wohnung passen keine Bilder an der Wand!"

„Dazu muss man so ein Bild noch rahmen lassen°, und so ein Rahmen kostet ein Heidengeld°."

Einer wurde ganz massiv° und sagte: „Ich, der ich einen

beträchtlich *substantial*
die Notlage *predicament*
falls *in case*
zeitraubend *time-consuming*
aufmerksam *attentively*
das Mitgefühl *pity*
ablehnend *refusing*
unaufschiebbar *not able to be postponed*
vorstellig werden *to present a case*
wohlwollend *well-meaningly*
ausfallen *to turn out*
abgesehen davon *aside from that*
rahmen lassen *to have framed*
ein Heidengeld *a lot of money*
massiv werden *to be blunt*

frühen Picasso und einen Matisse[3] habe, kann mir doch keinen Neumeister an die Wand hängen!"

„Eigentlich eine Zumutung°."

„Wahrhaftig! Eine Zumutung."

Als Frau Neumeister merkte, dass die reichen Freunde ihres Mannes, die oft ihre Gastfreundschaft° genossen° und es auch in vorgerückter Stunde—denn sie war heute noch eine schöne, ansehnliche Frau—an Beteuerungen ihrer Verehrung nicht hatten fehlen lassen°, im Augenblick Reisen und unaufschiebbare Geschäfte vorschützten°, verlor sie eines Tages ihren Lebensmut° und klagte ihrer Putzfrau, einer gewissen Frau Scheuermann, ihr Leid°. Sie schilderte°—denn einen Menschen muss der Mensch ja haben, an den man hinweinen und dem man sein Herz ausschütten kann, und die Putzfrau war im Augenblick die Nächste—ihre Lage und was ihr von den reichen Freunden ihres Mannes widerfahren° war.

„Können Sie denn Porträts malen?" fragte Frau Scheuermann.

„Ich habe es als junges Mädchen gelernt."

„Was haben Sie verlangt?"

„Hundert Mark", sagt Frau Neumeister verlegen°, „ich brauche Geld. Die Krankheit meines Mannes—"

Da setzte sich Frau Scheuermann, die Putzfrau, was sie sonst

die Zumutung *nerve*

die Gastfreundschaft *hospitality*
geniessen *to enjoy*

an . . . lassen *were never short on declarations of admiration* **vorschützen** *to plead as an excuse*
der Lebensmut *courage*
ihr Leid klagen *to tell her troubles* **schildern** *to describe*
widerfahren *to happen to*

verlegen *embarrassed*

[3] Picasso and Matisse are famous 20th century painters.

nie zu tun pflegte°, in den grossen Sessel, nickte und war mit Frau Neumeister einer Meinung über die Welt.

Als Frau Scheuermann das nächste Mal zum Putzen kam, brachte sie zehn Porträtaufträge mit, von der Gemüsefrau in der Strasse, von der Milchfrau, bei der Frau Neumeister seit Jahren ihre Butter und die Milch kaufte, von der Bäckerin, von der Zeitungsfrau, vom Bierfahrer[4], von der Frau aus der Waschanstalt°, von ihrer eigenen Hausschneiderin°, vom Briefträger, vom Busfahrer, und setzte hinzu: ,,Ich möchte mich auch gern, wenn es nicht zu unverschämt° ist, von Ihnen malen lassen. Wenn Sie wollen, können Sie sofort anfangen. Das Geld habe ich mit. Ich muss mir nur erst noch einmal mit dem Kamm durch die Haare fahren . . .''

Da Frau Scheuermann auch unsere Putzfrau war und ich sie eines Tages, als ich es erfahren° hatte, fragte, wie die Porträts ausgefallen wären und ob denn diese einfachen Leute überhaupt Verständnis° für die Bilder hätten und warum sie sich überhaupt hätten von Frau Neumeister malen lassen, sah mich Frau Scheuermann nur kurz an und sagte, nicht gerade freundlich: ,,Ganz einfach—wir wollten ihr helfen.''

Jo Hanns Rösler

zu tun pflegen *to be in the habit of doing*

die Waschanstalt *laundry*

die Hausschneiderin *dressmaker*

unverschämt *impudent, nervy*

erfahren *to find out*

Verständnis haben für *to appreciate*

Fragen zum Inhalt

1. Wie ist Herr Neumeister zu seinem Wohlstand gekommen?
2. Womit verdient er sich das Geld, und was tut er damit?
3. Was passierte eines Tages mit Herrn Neumeister, und warum traf ihn dieser Schlag besonders hart?
4. Was für Ausgaben kommen auf Herrn Neumeister zu?
5. Was machte Frau Neumeister, als der Zustand des Kranken keine Besserung versprach?
6. Warum kaufen die Freunde der Neumeisters nicht sofort ein Porträt von sich selbst? Was für Ausreden haben sie?
7. Warum klagte Frau Neumeister einmal ihrer Putzfrau ihr Leid?
8. Was brachte Frau Scheuermann mit, als sie das nächste Mal zum Putzen kam?
9. Aus welchem Grund hatte Frau Scheuermann diese Aufträge verschafft?

Fragen zum Überlegen und Diskutieren

1. Was halten Sie von Herrn Neumeister? Würden Sie auch so mit dem Geld umgehen wie er?
2. Was halten Sie von Frau Neumeister?
3. Was halten Sie von den Freunden von Neumeisters? Hatten sie gute Ausreden? Diskutieren Sie darüber!
4. Was für eine Frau ist die Putzfrau?

---

[4] Many people have beer and/or mineral water delivered to their house every week.

Am Band°

das Band *assembly line*

Eine Frau arbeitet mich ein°. Sie ist schon vier Jahre am Band und verrichtet ihre Arbeit ‚wie im Schlaf', wie sie selbst sagt. Ihre Gesichtszüge° sind verhärtet wie bei einem Mann.

Nach zwei Tagen Einarbeitung wird die Frau versetzt° zum Wagenwaschen. Damit ist sie nicht einverstanden. Sie fürchtet um ihre Hände, die vom Benzin ausgelaugt° werden. Aber danach fragt keiner.

Punkt 15.10 Uhr ruckt das Band an°. Nach drei Stunden bin ich selbst nur noch Band. Ich spüre° die fliessende Bewegung des Bandes wie einen Sog° in mir.

J., vom Band nebenan, 49 Jahre alt, erinnert sich an frühere Zeiten: „Da ging es noch gemütlicher am Band her°. Wo früher an einem Band drei Fertigmacher waren, sind heute an zwei Bändern vier. Hin und wieder kommt der Refa-Mann[1] mit der Stoppuhr und beobachtet uns heimlich°. Aber den kenne ich schon. Dann weiss ich, bald wird wieder jemand eingespart° oder es kommt Arbeit dazu." Aber J. beklagt sich° nicht. „Man gewöhnt sich daran. Hauptsache, ich bin noch gesund. Und jede Woche ein paar Flaschen Bier." Jeden Tag, nach Schichtsende°, 23.40 Uhr, setzt er noch ein paar Überstunden dran und kehrt mit zwei andern unseren Hallenabschnitt° aus.

Einer von meinem Bandabschnitt erzählt, wie der dauernde Schichtwechsel° am Band ‚langsam aber sicher' seine Ehe° kaputt mache. Er ist jungverheiratet—ein Kind—seit zwei Monaten neu am Band. „Wenn ich nach Hause komme, bin ich so durchgedreht° und fertig°, dass mich jeder Muckser vom Kind aufregt°. Für meine Frau bin ich einfach nicht ansprechbar. Ich sehe es kommen, dass sie sich noch scheiden lässt°. Bei der Spätschicht ist es am allerschlimmsten. Meine Frau ist jetzt für eine Zeitlang mit dem Kind zu ihrer Mutter gezogen. Aber das ist mir fast lieber so.

Wer am Band mein Meister ist, weiss ich nicht. Es kam einmal jemand vorbei—an seinem hellbraunen Kittel ein Schildchen „Meister Soundso"—und fragte nach meinem Namen. Er sagte: „Ich weiss, Sie sind neu. Ich komme jeden Tag hier mal vorbei . . ."

Die vor mir am Band arbeiten und die hinter mir, kenne ich nicht. Ich weiss nicht, was die anderen arbeiten. Manchmal begegnen wir uns am Band im gleichen Wagen[2]. Sie sind mit der

einarbeiten *to train*

der Gesichtszug *feature*
versetzen *to transfer*

ausgelaugt *puffy*

anrucken *to start moving*
spüren *to feel*
der Sog *suction*

Da . . . her. *Things were slower, more relaxed then.*

heimlich *secretly*
eingespart *cut back*
s. beklagen *to complain*

die Schicht *shift*

der Hallenabschnitt *section of the workroom*

der Schichtwechsel *change of shift* **die Ehe** *marriage*

durchgedreht *overwrought*

fertig *dead tired* **aufregen** *to upset*

s. scheiden lassen *to get a divorce*

[1] The **Refa-Mann** is a "time and motion" expert. **Refa** is an acronym for **Reichsausschuss für Arbeitszeitermittlung,** *Commission for Time Studies, today referred to as* **Verband für Arbeitsstudien.**

[2] This is an automobile assembly line.

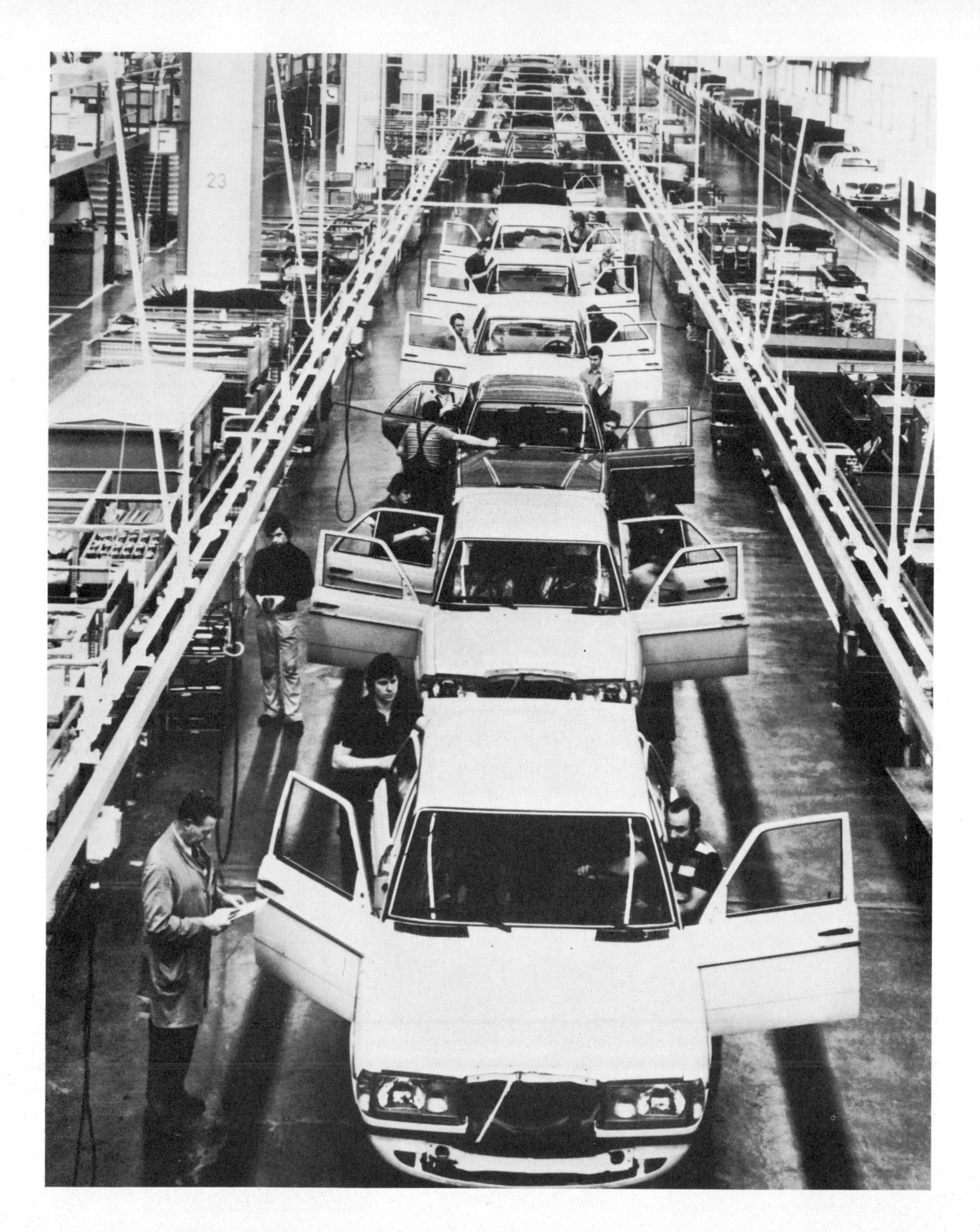
F
23

Montage° an ihrem Abschnitt nicht fertig geworden und in mein Revier° abgetrieben° worden, oder umgekehrt. Dann sind wir uns gegenseitig im Weg. Da schlägt mir einer eine Wagentür ins Kreuz° oder ich beschütte° einen mit Lack, der mich angestossen° hat. Entschuldigt wird sich nicht. Jeder ist so von seinen Handgriffen in Anspruch genommen, dass er den andern einfach übersieht. Das Zermürbende am Band ist die ewige Eintönigkeit, das nicht Haltmachen können, das Ausgeliefertsein°. Die Zeit vergeht quälend° langsam, weil sie nicht ausgefüllt ist. Sie erscheint leer, weil nichts geschieht, was mit dem wirklichen Leben zu tun hat.

GÜNTER WALLRAFF (*1942*)

die Montage *assembly*
das Revier *area* **abtreiben** *to carry* **das Kreuz** *back*
beschütten *to spill onto* **anstossen** *to push*

Das . . . das Ausgeliefertsein. * (see below)
quälend *torturingly*

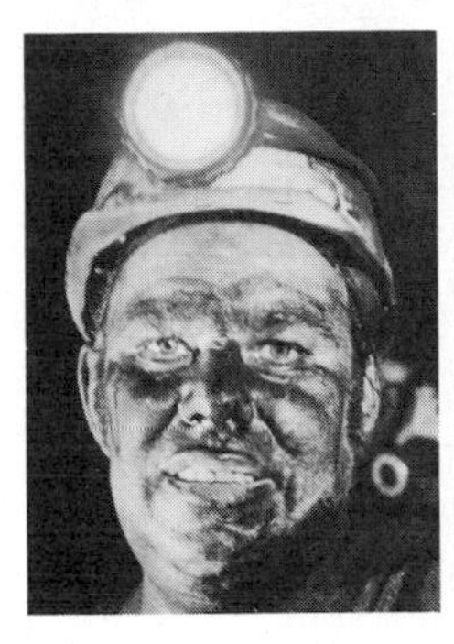

Fragen zum Inhalt

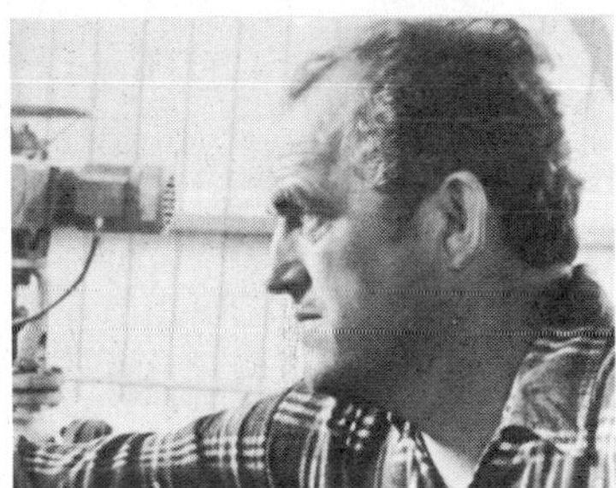

1. Wie sieht die Frau aus, die den Mann einarbeitet?
2. Womit ist die Frau nicht einverstanden? Warum nicht?
3. Was spürt der Mann, wenn er am Band arbeitet?
4. Was erzählt der Mann nebenan, wie es früher war?
5. Warum beklagt sich dieser ältere Mann nicht?
6. Was erzählt der jungverheiratete Mann?
7. Wie sieht der Meister aus? Was sagt er zu dem Mann am Band?
8. Warum kennt der Mann die Kollegen nicht, die vor ihm und hinter ihm arbeiten?
9. Wann begegnen sie sich manchmal? Was passiert dann?
10. Was zermürbt den Mann am Band?

Fragen zum Überlegen und Diskutieren

1. Vergleichen Sie die Einstellung des älteren Mannes zur Arbeit am Band mit der des jungverheirateten Mannes! Wie erklären Sie sich diesen Unterschied?
2. Der Mann sagt: Die Arbeit am Band hat mit dem wirklichen Leben nichts zu tun. Stimmen Sie mit dieser Feststellung überein?
3. Möchten Sie an diesem Band arbeiten? Begründen Sie Ihre Antwort!

° **Das Zermürbende am Band ist die ewige Eintönigkeit, das nicht Haltmachen können, das Ausgeliefertsein:**

The thing that wears you out on the assembly line is the never-ending monotony, the not being able to stop, the fact that you're at the mercy (of something).

Die Unbequeme

Sie war fast schon im ersten Schuljahr in meiner Klasse, obwohl sie fast ein Jahr jünger ist als ich. Sie hat im übernächsten Haus gewohnt. Als Kinder haben wir viel zusammen gespielt, bis zu dem Alter, wo Jungen und Mädchen nicht mehr miteinander spielen, Bärbel Mollenbacher hiess sie und war ein kleines, mageres° Ding, das überall herumwieselte und die Nase in alles hineinsteckte. Bärbels Noten waren immer besser als meine, aber das lag daran, dass ich faul war, solange ich in die Schule gegangen bin. Hätte ich mich so ins Zeug gelegt° wie Bärbel, dann hätte ich sie glatt überrundet. Aber wozu?

Von dieser Bärbel will ich jetzt erzählen. Eine verrückte Nudel, sagten alle in unserer Klasse. Bis vor kurzem° war ich auch nicht sicher, was ich von ihr halten sollte. Manchmal hab ich sie einfach prima gefunden, aber manchmal hat sie mich auch wütend° gemacht, und das will was heissen, denn alle sagen, ich sei die Ruhe selber°.

In den unteren Klassen hat sich Bärbel von den anderen Mädchen noch kaum unterschieden°. Sie war neugierig, kicherig° and schwatzhaft°. Viel mehr liess sich von ihr nicht sagen. Ach ja, sie fürchtete sich im Dunkeln. Wir gingen einen Winter lang zum Chorsingen, sie und ich, denn wir hatten beide gute Stimmen. Auf dem Heimweg war es schon dunkel. Da hat sie mich gebeten, ob sie mit mir heimgehen dürfe. Ich hab abgelehnt°. Denn was hätten die anderen Jungen gesagt, wenn sie mich mit ihr gesehen hätten? Damals war ich dreizehn! Und was machte sie da? Sie ging drei Schritte hinter mir, und wenn ich stehenblieb, blieb sie auch stehen. Das hat mich rasend° gemacht!

Komisch: vor dem Dunkeln hat sie sich gefürchtet, aber vor dem, was die anderen von ihr sagten and dachten, hatte sie gar keine Angst. Als sie so etwa vierzehn war, fing sie an, ganz anders zu werden als der übrige Haufen°. Aber das hat ihr nicht das Geringste ausgemacht°! Wenn irgendeiner ihrer Pläne schiefgelaufen war, hat es ihr auch nichts ausgemacht, das ganz offen einzugestehen°. Mir wäre das sehr schwergefallen. Ich war ganz normal, so wie man das in Oberkratzenbach[1] von unsereinem erwartet hat, nicht so unruhig° wie Bärbel. Ja, unruhig, das ist das richtige Wort. Bärbel hat Unruhe verbreitet°: in der Schule, in ihrer Familie, im ganzen Ort.

Mit vierzehn hat sie angefangen, den Lehrern Fragen zu stellen. Am liebsten hätte sie ununterbrochen gefragt. Oft hat sie die Lehrer so weit gebracht, dass die selber keine Antwort mehr wussten. Sie fragte, warum es überhaupt Kriege gebe—man

mager *thin*

s. ins Zeug legen *to put one's nose to the grindstone*

bis vor kurzem *until recently*

wütend *mad, furious*

ich sei die Ruhe selber *I never get upset*

s. unterscheiden *to distinguish o.s. from* **kicherig** *giggly*
schwatzhaft *chatty*

ablehnen *to decline, refuse*

rasend *furious*

der übrige Haufen *the rest of the bunch* **Aber . . . ausgemacht!** *But it didn't matter the least bit to her!*
eingestehen *to admit*

Unruhe verbreiten *to spread unrest*

[1] **Oberkratzenbach** is a small town near Frankfurt.

könnte das viele Geld, das das Militär kostet, doch für nützlichere Zwecke° gebrauchen! Sie fragte, warum es verschiedene Klassen in den Krankenhäusern und auf der Bahn gebe, warum Alkohol und Zigaretten nicht verboten würden, wenn sie doch so gesundheitsschädlich° seien, und wie es möglich war, dass Hitler eine ganze Nation so in die Gewalt bekommen° konnte, dass sie sich benahm wie ein Kaninchen° vor der Schlange. Ja, sie fragte sogar den Religionslehrer[2], ob er ernstlich daran glaube, dass es einen Gott gibt!

Das alles waren Fragen, die uns auch schon mal durch den Kopf gegangen waren. Aber niemand von uns wäre auf die Idee gekommen, sich deswegen an die Lehrer zu wenden°.

Es zeigte sich, dass sie es ohne eine Idee, für die sie sich begeistern° konnte, nicht lange aushielt. Einmal zündete° es bei ihr in der Englischstunde. Wir haben da ein Stück über Florence Nightingale gelesen, diese englische Krankenschwester°, die sich irgendwann im vorigen Jahrhundert um Verwundete° gekümmert hat, ich glaube, auf der Krim[3]. Das muss damals was ganz Unerhörtes gewesen sein, wie hätte sie sonst so berühmt werden

nützlichere Zwecke *more useful purposes*

gesundheitsschädlich *harmful to (one's) health*
in die Gewalt bekommen *to have in one's power*
das Kaninchen *rabbit*

s. wenden an *to turn to, ask*

s. begeistern für *to become enthusiastic about* **zünden** *to spark*
die Krankenschwester *nurse*
Verwundete *wounded*

[2] Religion is a subject taught as part of the curriculum in German secondary schools. Students may elect not to take this subject. Some schools offer alternate courses such as philosophy or ethics.

[3] **Die Krim,** *the Crimea,* is a peninsula in southwestern Russia, extending into the Black Sea.

können? Sie wird beschrieben wie ein richtiger Engel°. Na schön, es war sicher kein Vergnügen, die blutigen°, verlausten° und verdreckten° Burschen zu säubern und zu pflegen, und die Hygiene von damals kann man sich ja vorstellen°. Bärbel glühte plötzlich vor Begeisterung, fand diese Nightingale fabelhaft und bedauerte°, dass es weit und breit keine Verbandsplätze° mit Hunderten verwundeter Soldaten gab! Gleich am nächsten Tag fuhr sie ins Krankenhaus in unsere Kreisstadt° und bot ihre Hilfe an. Aber sie war erst fünfzehn, da haben sie sie wieder heimgeschickt.

blutig *bloody* **verlaust** *full of lice* **verdreckt** *dirty*
s. vorstellen *to imagine*
bedauern *to be sorry* **der Verbandsplatz** *dressing station*
die Kreisstadt *county seat*

Von den Kranken kam sie auf die Alten. Jeden Nachmittag fuhr sie ins Altersheim° in Begelbach und las denen vor, die nicht mehr selber lesen konnten. Aber lange ging das auch nicht gut, denn die meisten verlangten was Erbauliches° oder solche Heimatromane[4], wo zum Schluss natürlich alles gut ausgehen° musste. Das gefiel Bärbel nicht. Sie las den Alten vor, was ihr selber gefiel, aber das mochten die Alten nicht hören, und so haben sie es wohl vermieden°, Bärbel zu bitten, wiederzukommen.

das Altersheim *old-age home*
erbaulich *devotional, religious*
gut ausgehen *to turn out well*
vermeiden *to avoid*

Das war eine grosse Enttäuschung für sie, aber keine Bremse°.

„Es gibt so viel Elend° in der Welt, wir müssen helfen!" predigte sie in unserer Klasse, besteckte das ganze Wandbrett mit Artikeln über Hungernde, Obdachlose°, Gequälte° in Amerika, Afrika und Asien und Bildern, die einem den Schlaf rauben konnten. Wer einen Bogen um das Wandbrett machte°, den nahm sie am Arm und schob ihn hin.

„Schau hin!" rief sie. „Geht dich das etwa nichts an?"

Sie organisierte einen Basar in der Schule für irgendwelche Hungernden in irgendeinem Teil Afrikas, sie sammelte alte Kleider und Decken für die Opfer° einer Flutkatastrophe, sie sammelte andauernd Geld für ich weiss nicht was für Epidemiekranke, Gefangene° oder Flüchtlinge°.

In dieser Zeit sind wir ihr alle aus dem Weg gegangen. Sie war uns mit ihrer ewigen Bettelei um Spenden° einfach lästig°. BB haben wir sie damals genannt, das sollte bedeuten: „Barmherzige° Bärbel".

Ein ganzes Jahr lang hat sie sich da reingekniet°. Weder von uns noch von ihren Eltern hat sie sich von dieser fixen Idee abbringen lassen°, Notleidenden° helfen zu müssen. Es kam so weit, dass sie mich einmal ausgeschimpft hat°, als ich ein Stück Brot auf dem Schulhof in den Papierkorb geworfen habe. „Andere wären froh, wenn sie nur die Hälfte von diesem Brot hätten!" rief sie. Ja, so verrückt war sie—bis die Sache mit den Haaren passierte.

die Bremse *brake, curb*
das Elend *misery*
Obdachlose *the homeless* **Gequälte** *the tortured*
wer . . . machte *whoever steered clear of the bulletin board*
das Opfer *victim*
der Gefangene *prisoner* **der Flüchtling** *refugee*
Bettelei um Spenden *begging for donations* **lästig** *annoying*
barmherzig *merciful*
reinknien *to work hard at*
s. abbringen lassen *to let o.s. be talked out of* **Notleidende** *the needy*
ausschimpfen *to scold*

[4] **Heimatromane** are romantic novels centering around the folklore and local color of a region.

Das war damals, als die Jungen angefangen haben, lange Haare zu tragen. In den Städten war das schon überall Mode, aber bei uns in Oberkratzenbach hat man sich noch entsetzlich darüber aufgeregt°. Da kam mal so ein Langhaariger aus Frankfurt zu uns in den Ort, auf den Kirmesplatz°. Alle starrten ihn an, und die Männer, vor allem die älteren, die schon im Krieg gewesen waren, schimpften: ,,Was hat dieser Taugenichts°, dieser Tagedieb° und Schmutzfink° hier zu suchen? Der hat nichts anderes im Kopf, als unseren Mädchen den Kopf zu verdrehen! Und die dummen Gänse rennen natürlich so einem gleich nach!''

Der Langhaarige war ein ganz netter Kerl°, und die Mädchen flogen tatsächlich auf ihn. Er war ganz anders als wir aus dem Ort, daran lag's wohl. Ich kann's jetzt auch verstehen. Um Mitternacht, als fast alle Männer betrunken waren, fielen zehn Oberkratzenbacher über ihn her°, zerrten ihn aus dem Festzelt, stiessen ihn in den Friseurladen und banden ihn dort auf einem Stuhl fest. Der Friseur machte mit, weil es die anderen so wollten. Er wollte sich's nicht mit der Kundschaft verderben°. Sie haben ihn aufgefordert, dem Städter einen Kahlkopf zu scheren°, und er hat's getan. Danach haben sie den Geschorenen noch verdroschen°, dass er kaum noch auf sein Motorrad klettern konnte.

Bei dieser Geschichte ist Bärbel ausser sich geraten°. Es hätte nicht viel gefehlt, und sie hätte auch Prügel bezogen°. Denn sie hatte sich mitten zwischen die Männer gedrängt und gebrüllt: ,,Ihr Feiglinge! Zehn gegen einen, nur weil er anders ist als ihr! Als ob früher Männer nicht auch lange Haare gehabt hätten!''

Sie bekam ein paar Knüffe° ab und wurde weggeschoben. Sie weinte vor Wut°, als sie ihn schoren.

,,Da habt ihr's'', sagten die Leute. ,,Sie hat sich eben Hals über Kopf in diesen Laffen° verliebt°!''

,,In diesem Ort will ich nicht bleiben'', sagte Bärbel am ersten Schultag nach der Kirmes, als wir sie neckten°. ,,Hier ist man nicht frei. Sobald ich die Schule hinter mir hab', geh' ich fort, anderswohin, wo man mich so leben lässt, wie ich will!''

,,Aber wir leben hier doch so, wie wir wollen'', sagte einer aus der Klasse erstaunt°.

,,Wir leben hier so, wie unsere Eltern wollen!'' rief Bärbel und regte sich mächtig°. ,,Und ihr alle lasst euch das gefallen°! Ihr seid so träge°, dass ihr noch in diesem Mief ersticken° werdet, ohne es zu merken!'' Sie nahm den Mund reichlich voll und kritisierte an uns herum, bis wir patzig° wurden. Sie wollte immer mit dem Kopf durch die Wand. Hätte sie uns damals etwas diplomatischer erklärt, was sie meinte, hätten wir sie vielleicht begriffen°. Aber so hat sie uns wütend gemacht.

Sie hatte es daheim durchgesetzt, dass sie zehn Jahre in die Schule gehen durfte, obwohl ihre Eltern das für einen Blödsinn°

s. aufregen über *to get upset about*
der Kirmesplatz *fairgrounds*
der Taugenichts *good-for-nothing* **der Tagedieb** *loafer*
der Schmutzfink *dirty person*
ein ganz netter Kerl *a real nice guy*
herfallen über *to attack*
Er . . . verderben. *He didn't want to ruin his business.*
einen Kahlkopf scheren *to shave (his) head bald*
verdreschen *to beat up*
ausser sich geraten *to fly into a rage*
Es . . . bezogen. *A little more and she would have gotten beaten up herself.*
der Knuff *poke*
sie . . . Wut *she cried with rage*
der Laffe *fop, dandy* **s. verlieben in** *to fall in love with*
necken *to tease*
erstaunt *amazed*
s. mächtig regen *to get all stirred up* **Und . . . gefallen!** *And you all put up with it!*
träge *inert* **ersticken** *to suffocate*
patzig *snappy, rude*
begreifen *to understand*

hielten. „Wozu soll sie so viel lernen? Sie wird ja doch heiraten."

Aber auch die Lehrer hatten den Mollenbachers zugeredet°, denn Bärbel war die Klassenbeste. Schliesslich haben sie nachgegeben° — „weil sie noch so kindisch ist!" — und Bärbel machte die Mittlere Reife[5]. Ich ging ein Jahr früher als sie ab, weil ich Machinenschlosser° werden sollte, und dafür braucht man nur neun Jahre.

zureden *to persuade*

nachgeben *to give in*

der Maschinenschlosser *engine or machine fitter*

Noch bevor Bärbel mit der Schule fertig war, kam es bei Mollenbachers zu einem Riesenkrach°, denn sie sollte nun Friseuse werden. Es gab da eine Tante, die einen Frisiersalon im Nachbarort hatte. Bärbel aber wollte um alles in der Welt keine Friseuse werden, sondern Krankenschwester. Das erlaubten ihre Eltern nicht. Ich war gar nicht erstaunt, als ich ein paar Tage nach Schulschluss hörte, Bärbel sei verschwunden. Sie habe einen Brief hinterlassen: Sie gehe nach Frankfurt. Man solle sie in Ruhe lassen, sie werde sich schon allein durchschlagen°. Ihre Eltern liessen sie nicht von der Polizei suchen, was ich erwartet hatte, sondern erzählten im ganzen Ort herum, dass es zwischen Bärbel und ihnen aus sei°.

ein Riesenkrach *a huge fight, quarrel*

s. durchschlagen *to make it*

aus sein *to be finished, over*

„Eine solche Tochter, die in der Stadt herumvagabundiert, kennen wir nicht mehr", sagten sie und liessen sich bemitleiden°.

sie liessen sich bemitleiden *they let themselves be pitied*

Ein paar Monate später kam ich einmal nach Frankfurt. Ich

[5] **Die Mittlere Reife** is a school-leaving certificate acquired after successfully completing 10th grade.

war damals Lehrling einer Maschinenschlosserei in Begelbach. Es war an einem Sonntag. Ich sollte einen Grossonkel im Altersheim besuchen und ihm zum Geburtstag ein Fresspaket° bringen. Früher war meine Mutter immer selber gefahren, aber diesmal meinte sie, ich sei schon alt genug, ihr diesen Weg abzunehmen°. Gern habe ich's nicht gemacht, aber an den Sonntagen ist in Oberkratzenbach sowieso nichts los. Nachdem ich das Paket abgeliefert° hatte, schlenderte ich noch so herum°, weil der Zug erst zwei Stunden später ging. Als ich über einen Platz kam, wo neben einem Springbrunnen Taubenschwärme° herumtrippelten°, sah ich Bärbel. Sie sass auf der Erde, mitten in einer Schar von Hippies, lehnte sich gegen den Brunnen und sang. Der Bursche neben ihr, ein Langhaariger, spielte Gitarre. Die übrigen sangen auch und klatschten den Rhythmus. Bärbel sah mager aus, aber zufrieden°. Sie ist aufgesprungen, als sie mich sah, und hat mir die Hand gegeben. Sie zog mich gleich in den Kreis° ihrer Freunde.

„Das ist ein Schulkamerad von mir", sagte sie zu den anderen, und zu mir sagte sie: „Komm, setz dich, sing eine Weile mit uns." Zuerst kam ich mir etwas komisch vor° in dieser Gesellschaft. Ich war der einzige mit kurzen Haaren. Aber sie waren nett zu mir, so als wäre ich einer von ihnen.

Bärbel erzählte mir von einer Trampfahrt° nach Südfrankreich. Dort sei es ganz wunderbar gewesen. Ja, Hunger habe sie ab und zu gehabt, aber so tragisch sei das nicht gewesen. Sie habe sehr nette Leute kennengelernt, Jungen und Mädchen aus den verschiedensten° Nationen, sogar Japaner, und wenn sie kein Geld mehr gehabt hätten, wären sie zu den Bauern helfen gegangen. Das hätte mindestens eine Mahlzeit eingetragen. Das Leben sei einfach herrlich! Dabei hatte sie ganz verblichene° Jeans an und nichts bei sich als einen Umhängebeutel°.

„Übrigens hab ich keine Angst mehr im Dunkeln", sagte sie lachend.

„Komm doch mit heim", sagte ich, als ich gehen musste.

„Ich denk nicht dran°!" antwortete sie. „Bleib du lieber bei uns." Nicht auszudenken°, was meine Eltern zu so etwas gesagt hätten! Zu Hause erzählte ich nichts von Bärbel, aber bald sprach es sich in Oberkratzenbach doch herum, dass sie in Frankfurt gammelte°, denn auch andere hatten sie gesehen. Ein paar Jungen aus unserer ehemaligen Klasse fuhren aus Neugier° hin. Als sie das merkte, liess sie sich auf dem Platz mit dem Springbrunnen nicht mehr sehen.

Ein Jahr später bekamen ihre Eltern einen Anruf aus Frankfurt: Bärbel sei bei einer Demonstration gegen den Vietnam-Krieg verletzt worden. Der Anruf kam nicht von Bärbel, sondern von der Polizei, die die Adresse des Krankenhauses durchgab°. Die Mollenbachers fuhren hin und wollten Bärbel heimholen.

das Fresspaket *package of goodies*

ihr . . . abnehmen *to relieve her of this duty*

abliefern *to deliver* **herumschlendern** *to stroll around*

der Taubenschwarm *flock of pigeons* **herumtrippeln** *to hop around*

zufrieden *content*

der Kreis *circle*

zuerst . . . vor *at first I felt a little funny*

die Trampfahrt *hitchhiking trip*

verschieden *diverse*

verblichen *faded*

der Umhängebeutel *shoulder bag*

Ich denk nicht dran! *I wouldn't dream of it!*

nicht auszudenken *inconceivable*

gammeln *to loaf, bum around*

aus Neugier *out of curiosity*

durchgeben *to give, pass on*

„Das hat sie nun davon", sagte ihr Vater zu meinem Vater, bevor sie abfuhren. „Ein gebrochenes Bein und eine Gehirnerschütterung°! Was hat dieses Mädel auf einer Demonstration zu suchen? Schlimm genug, wenn Burschen meinen, sie mussten aus was weiss Gott für lächerlichen° Gründen auf der Strasse randalieren°. Als ob uns dieser Vietnam-Krieg etwas anginge°! Sollen sie sich doch am anderen Ende der Welt die Köpfe einschlagen, wenn sie Spass dran haben!"

Die Mollenbachers kehrten ohne Bärbel zurück.

„Sie ist immer noch nicht zur Vernunft gekommen°!" klagte Frau Mollenbacher jedem, der es hören wollte. Mir hat das imponiert°, dass Bärbel sich so stark gemacht hat. Denn ihr Vater ist ein strenger° Mann, vor dem der ganze Ort kuscht°.

Einige Zeit danach traf ich Bärbel noch einmal in Frankfurt—auf einem Busausflug von unserer Berufsschulklasse. Wir hatten einen Betrieb besichtigt und waren im Palmengarten[6] gewesen. Als wir in Gruppen durch die Innenstadt spazierten, sah ich sie an der Hauptwache[7]. Reiner Zufall°. Sie wartete auf die Strassenbahn. Ich winkte ihr, und da kam sie gleich auf mich zu. Die beiden anderen, die bei mir waren, hatten nicht zu unserer Klasse gehört.

die Gehirnerschütterung *concussion*

lächerlich *ridiculous*

randalieren *to riot*

Als . . . anginge! *As if this Vietnam War was any of our business!*

zur Vernunft kommen *to come to (her) senses*

imponieren *to impress*

streng *stern* **kuschen** *to knuckle under*

reiner Zufall *pure coincidence*

---

[6] **Der Palmengarten** is a botanical garden in Frankfurt containing many exotic plants and trees.

[7] **Die Hauptwache** is a famous landmark in Frankfurt. The beautiful Baroque building was constructed in 1730. It was formerly a police station.

Sie grinsten verlegen° und machten, dass sie weiterkamen. Natürlich wussten sie über Bärbel Bescheid°—wer denn nicht in Oberkratzenbach und Umgebung?

„Wir treffen uns beim Bus!" rief der eine über die Schulter zurück.

Ich genierte° mich etwas, aber ich konnte Bärbel doch nicht so einfach stehenlassen. Sie liess die Strassenbahn fahren, und wir gingen zusammen ans Mainufer°. Dort haben wir uns auf eine Bank gesetzt. Sie erzählte mir, dass das Bein jetzt wieder in Ordnung sei. Sie sei seit einem halben Jahr Schwesternschülerin°, und abends arbeite sie noch ein paar Stunden als Kassiererin in einem Schnellimbiss.

„Weisst du", sagte sie, „auf den Trampfahrten, unter den Hippies, war es zwar° wunderbar, aber man kann ja nicht ewig° Hippie bleiben. Ein Hippie mit vierzig oder fünfzig ist lächerlich. Man will auch mal selber so weit kommen, dass man sich seinen Lebensunterhalt° verdienen kann. Ich hatte es einfach satt gehabt°, mir immer nur von anderen helfen zu lassen. Und ich wollte doch gern Krankenschwester werden! Na, ich sag dir, es ist eine Schinderei°: Tagsüber die Schule, abends an der Kasse. Von irgendwas muss ich ja auch leben. Aber macht Spass. In ein paar Jahren werde ich's geschafft haben, auch ohne meine Eltern!"

Ich muss sagen, sie hat mir sehr imponiert. Wenn ich mich mit ihr verglich, kam ich mir vor wie ein kleines Kind an Mamas Schürzenzipfel°.

verlegen *embarrassed*
Bescheid wissen über *to know all about*

s. genieren *to feel awkward*

das Mainufer *shore of the Main River*
die Schwesternschülerin *nursing student*

zwar *of course* **ewig** *forever*

der Lebensunterhalt *livelihood*
es satt haben *to be fed up with*

eine Schinderei *a grind*

die Schürzenzipfel *apron strings*

„Aber fühlst du dich nicht allein?" fragte ich. „So ohne die Verwandtschaft und Bekanntschaft und das Gewohnte° von daheim?"

„Am Anfang, als ich von den Hippies fortging, war's schon manchmal zum Heulen°", sagte sie. „Aber jetzt hab ich mir eine nette Clique zusammengesucht. Zwei davon sind auch Schwesternschülerinnen, die eine ist Japanerin, die andere aus Berlin. Und ein Medizinstudent gehört dazu. Der hat mir erst mal klargemacht, was in Vietnam eigentlich gespielt wird°. Er ist ein Neger aus Uganda. Zu unserem Kreis gehört übrigens einer, der auch Machinenschlosser ist, wie du. Er will Ingenieur werden. Der hat's auch schwer: Den ganzen Tag arbeitet er, und danach geht er in die Abendschule. Aber er ist ehrgeizig°, er wird's schaffen. Ein prima Kerl. Er wohnt mit dem Medizinstudenten zusammen auf einer Bude°. Übers Wochenende fahren wir oft raus in den Wald oder zum Schwimmen, die ganze Clique. Samstags gehen wir manchmal tanzen. In der Studentenbude treffen wir uns oft. Die Vermieterin° ist eine freundliche Frau, sie stört sich nicht daran°, wenn wir die halbe Nacht diskutieren oder Platten hören. Wir waren auch zusammen auf ein paar Demonstrationen. Als ich im Krankenhaus lag, haben sich die Leute aus der Clique ganz grossartig° um mich gekümmert."

„Der Maschinenschlosser ist dein fester Freund°?" fragte ich.

„Ach hör auf", sagte Bärbel ärgerlich°. „Man muss doch nicht immer gleich einen festen Freund haben. Ich will noch nicht heiraten. Ich will erst Krankenschwester werden. Zeit habe ich ja genug."

„Ja", sagte ich, irgendwie erleichtert°. „Du hast noch viel Zeit."

„Hör mal", rief sie plötzlich, „wie wär's, wenn du auch weitermachen° würdest?"

„Ich? Weitermachen? Wie meinst du das?" stotterte ich.

„Mensch, Richard!" rief sie, sprang auf und rüttelte° mich an den Schultern. „Du bist doch nicht auf den Kopf gefallen°! Du kannst doch vorankommen! Willst du nicht Ingenieur werden?"

„Ich? Ingenieur?" fragte ich blöd°. Ich hab versucht, mir das vorzustellen, aber es ging nicht.

„Ich weiss nicht", sagte ich. „Schön wär's ja, aber was werden die Leute dazu sagen? So was° hat doch noch keiner in Oberkratzenbach gemacht—"

„Und der Herbert? Und der Kurt?" fragte Bärbel.

„Das ist was anderes", sagte ich. „Herberts Vater ist Lehrer, und Kurts Vater hat mit seiner Tankstelle eine Menge Geld gemacht. Mein Vater geht in die Fabrik°, und Geld hat er auch keins."

„Es kommt doch nicht auf deinen Vater an, sondern auf dich", rief Bärbel. „Eigentlich sollte ich dir eine kleben°, damit du

das Gewohnte *the familiar (things)*

zum Heulen *pretty bad (so bad I could have cried)*

was . . . wird *what's actually going on in Vietnam*

ehrgeizig *ambitious*

die Bude *little room*

die Vermieterin *landlady*

sie stört sich nicht daran *it doesn't bother her*

grossartig *wonderfully*

fester Freund *steady boyfriend*

ärgerlich *annoyed*

erleichtert *relieved*

weitermachen *to go on, continue*

rütteln *to shake*

Du . . . gefallen! *You're no fool!*

blöd *stupidly*

so was *something like that*

in die Fabrik gehen *to work in a factory*

ich sollte dir eine kleben *I should smack you one*

aufwachst! Willst du denn dein Leben lang Schlosser bleiben, wenn du das Zeug hast°, weiterzukommen? Du fängst schon an zu verholzen° wie ein altes Radieschen! Wenn du noch lange wartest, bist du im Oberkrazenbacher Mief erstickt und interessierst dich für nichts mehr, was ausserhalb° Oberkratzenbachs passiert. Geh weg, bevor es zu spät ist! Sie können dich nicht halten, auch deine Eltern nicht. Mach dir doch dein eigenes Leben!"

das Zeug haben *to have what it takes* **verholzen** *to become stringy and dried out*

ausserhalb *outside of*

Na, ihr werdet lachen: Bärbels Vorschlag ging in meinem Gehirn auf wie Hefeteig°, und nach der Gesellenprüfung bin ich dann auch nach Frankfurt gegangen. Morgens arbeite ich in einer Schlosserei, abends gehe ich in die Schule. Ich hatte noch nicht einmal Schwierigkeiten mit meinen Eltern, denn ich habe da einen ganz geschickten Kriegsplan° entwickelt: ein Ingenieur verdient mehr Geld und ist angesehen°. Das hat eingeschlagen, das hat überzeugt! Sie helfen mir sogar mit hundert Mark monatlich. Das finde ich recht anständig° von ihnen.

ging . . . Hefeteig *expanded in my brain like yeast dough*

ein geschickter Kriegsplan *a clever plan of attack*
angesehen *respected*

anständig *decent*

Ich gehöre jetzt zu Bärbels Clique. Vor allem mit dem Studenten aus Uganda verstehe° ich mich grossartig. Es war gut, dass mir Bärbel den richtigen Schubs° zur richtigen Zeit gegeben hat. Man lernt hier eine Menge—nicht nur in der Abend-

s. verstehen mit *to get along with* **der Schubs** *push*

schule, sondern überall: im Betrieb°, in Bärbels Kreis, auf der Strasse, im Theater. Ja, im Theater! Dahin gehen wir auch manchmal, natürlich auf die billigsten Plätze. Die Berlinerin versteht eine Menge vom Theater und sucht die Stücke aus, die am interessantesten sind. Nach solchen Stücken geht man ganz aufgewühlt° nach Hause. Wenn so was im Fernsehen kam, als ich noch in Oberkratzenbach war, haben wir immer abgedreht.

Das beste an meinem Sprung nach Frankfurt aber ist, dass Bärbel und ich uns so gut verstehen. Schon nach ein paar Wochen war uns das klar. Wir wollen aber erst heiraten, wenn wir fertig sind. Zuerst hatte ich noch nicht so richtig Mut dazu, mich in Bärbel zu verlieben, denn sie ist nicht bequem. Sie bringt Unruhe in alles und verändert alles. Die gehorcht° mir nicht blindlings, wie meine Mutter meinem Vater gehorcht. Sie ist kritisch. Aber je länger ich mit ihr zusammen bin, um so mehr bekomme ich selber Spass an allem, was anders und neu ist. Wenn ich daran denke, wie ich geworden wäre, wenn ich in Oberkratzenbach geblieben wäre—na danke! Ich hätte irgend so ein langweiliges Ding geheiratet, das zu allem nickt°, was ich sage, auch wenn es der grösste Blödsinn° ist. Und samstag abends, wenn nicht öfter, hätte ich in der Wirtschaft° gesessen.

In Oberkratzenbach wissen sie noch nichts davon. Meine Eltern werden mich für wahnsinnig° halten, wenn ich's ihnen schreibe. Ausgerechnet die Bärbel°! Werden die jammern.

Wir haben auch schon feste Pläne: erst wollen wir ein paar Jahre ins Ausland—vielleicht nach Afrika, vielleicht nach Südamerika. Dort kann man Ingenieure und Krankenschwestern brauchen. Ausserdem° lernt man im Ausland immer eine Menge dazu. Und wenn wir wieder nach Europa zurückkommen, lassen wir uns in Oberkratzenbach nieder°. In der Nähe werden wir schon Arbeit finden: In der Kreisstadt oder in Begelbach. Uns geht es drum°, frischen Wind nach Oberkratzenbach zu bringen. Darin sind wir uns ganz einig. Bärbel und ich. Vielleicht werde ich sie etwas bremsen° müssen, wenn sie mit ihren Ideen zu schnell vorstossen° will. Denn in Oberkratzenbach geht alles langsam, auch die Entwicklung, und die Oberkratzenbacher sind misstrauisch°. Man muss vorsichtig mit ihnen umgehen°, wenn man etwas bei ihnen erreichen will. Bärbel wird ihrerseits sicher dafür sorgen, dass ich nicht träge werde. Denn sie hat Energie für zwei. Sie platzt° schon vor lauter Ideen für die Zeit, in der wir Entwicklungshelfer° in Oberkratzenbach sein werden.

Übrigens gibt es inzwischen in Oberkratzenbach schon viele Jungen mit langen Haaren. Die Welt verändert sich, sogar dort. Wir wollen versuchen, sie noch etwas schneller zu verändern.

GUDRUN PAUSEWANG

im Betrieb *at work*

aufgewühlt *stirred up*

gehorchen *to obey*

nicken *to nod*
der Blödsinn *nonsense*
die Wirtschaft *bar, pub*

wahnsinnig *crazy*
Ausgerechnet die Bärbel! *Bärbel of all people!*

ausserdem *besides*

s. niederlassen *to settle*

uns geht es drum *our object is to*
bremsen *to curb*
vorstossen *to rush in*

misstrauisch *distrustful*
man . . . umgehen *you have to handle them carefully*
platzen vor *to burst with*
der Entwicklungshelfer *volunteer in a developing country*

Fragen zum Inhalt

1. Wie sieht Bärbel Mollenbacher aus? Wie benimmt sie sich? Was halten ihre Klassenkameraden von ihr?
2. Wie verhält sich Bärbel in der Schule?
3. Wann wollte Bärbel einmal in einem Krankenhaus arbeiten?
4. Was machte sie im Altersheim?
5. Was tut sie alles in der Schule, und warum wird sie deshalb BB genannt?
6. Was passierte mit dem langhaarigen Jungen, der von Frankfurt nach Oberkratzenbach kam?
7. Was beschliesst Bärbel nach dem Vorfall mit dem Langhaarigen? Was für Gründe gibt sie für ihren Entschluss?
8. Was hatte Bärbel zu Hause bei ihren Eltern durchgesetzt?
9. Wann kam es bei den Mollenbachers zu einem Riesenkrach, und was passierte danach?
10. Aus welchem Grund fährt der junge Schlosserlehrling einmal nach Frankfurt?
11. Unter welchen Umständen trifft er die Bärbel wieder? Was erfährt er alles von ihr?
12. Wann erst hören Bärbels Eltern etwas von ihrer Tochter? Was hat Bärbel getan, und warum liegt sie im Krankenhaus?
13. Wann traf der junge Schlosserlehrling die Bärbel zum zweiten Mal in Frankfurt?
14. Was erfährt er jetzt von Bärbel? Was für einen Freundeskreis hat sie jetzt?
15. Was für eine Idee gibt Bärbel dem jungen Mann, und was hält dieser anfangs von ihrem Vorschlag?
16. Wie ändert sich das Leben des jungen Schlosserlehrlings?
17. Was ist das beste an diesem Entschluss, in Frankfurt weiter zur Schule zu gehen?
18. Was für Pläne haben die beiden jungen Menschen fürs spätere Leben, wenn er Ingenieur und sie Krankenschwester ist?
19. Was wollen die beiden tun, wenn sie einmal wieder nach Europa zurückkommen?

Fragen zum Überlegen und Diskutieren

1. Was für ein Mädchen ist die Bärbel? Bedauern Sie sie, oder bewundern Sie sie?
2. Welche Eigenschaften finden Sie an ihr besonders wertvoll und welche nicht?
3. Beschreiben Sie, was Sie Ihrer Meinung nach unter „einem unbequemen Menschen" verstehen!
4. Wie hat Bärbel das Leben des jungen Mannes beeinflusst?
5. Warum hat Richard nie selbst daran gedacht weiterzustudieren? Was für Ausreden hat er dafür? Diskutieren Sie über seine Ausreden!
6. In welcher Zeit findet diese Geschichte statt? Begründen Sie Ihre Antwort! Hätte sich diese Geschichte auch in den Vereinigten Staaten abspielen können?
7. Bärbels Vater sagt: „Als ob uns dieser Vietnam-Krieg etwas anginge!" Meinen Sie, dass man sich Gedanken darüber machen sollte über das, was irgendwo anders in der Welt geschieht? Warum oder warum nicht?
8. Was ist ein Hippie? Bärbel meint, dass ein Hippie mit 40 oder 50 Jahren lächerlich sei. Warum wohl? Was meinen Sie dazu?
9. Was zeigt Ihnen diese Geschichte?

An der Brücke

Die haben mir meine Beine geflickt° und haben mir einen Posten gegeben, wo ich sitzen kann: ich zähle die Leute, die über die neue Brücke gehen. Es macht ihnen ja Spass, sich ihre Tüchtigkeit° mit Zahlen zu belegen, sie berauschen° sich an diesem sinnlosen Nichts aus ein paar Ziffern, und den ganzen Tag, den ganzen Tag geht mein stummer Mund wie ein Uhrwerk, indem ich Nummer auf Nummer häufe, um ihnen abends den Triumph einer Zahl zu schenken. Ihre Gesichter strahlen, wenn ich ihnen das Ergebnis meiner Schicht° mitteile, je höher die Zahl, um so mehr strahlen sie, und sie haben Grund, sich befriedigt° ins Bett zu legen, denn viele Tausende gehen täglich über ihre neue Brücke . . .

Aber ihre Statistik stimmt nicht. Es tut mir leid, aber sie stimmt nicht. Ich bin ein unzuverlässiger° Mensch, obwohl ich es verstehe, den Eindruck von Biederkeit° zu erwecken.

Insgeheim° macht es mir Freude, manchmal einen zu unterschlagen° und dann wieder, wenn ich Mitleid° empfinde, ihnen ein paar zu schenken. Ihr Glück liegt in meiner Hand. Wenn ich wütend° bin, wenn ich nichts zu rauchen° habe, gebe ich nur den Durchschnitt° an, manchmal unter dem Durchschnitt, und wenn mein Herz aufschlägt, wenn ich froh bin, lasse ich meine Grosszügigkeit in einer fünfstelligen Zahl verströmen. Sie sind ja so glücklich! Sie reissen° mir förmlich das Ergebnis jedesmal aus der Hand, und ihre Augen leuchten auf, und sie klopfen mir auf die Schulter. Sie ahnen° ja nichts! Und dann fangen sie an zu multiplizieren, zu dividieren, zu prozentualisieren, ich weiss nicht was. Sie rechnen aus, wieviel heute jede Minute über die Brücke gehen und wieviel in zehn Jahren über die Brücke gegangen sein werden. Sie lieben das zweite Futur, das zweite Futur[1] ist ihre Spezialität—und doch, es tut mir leid, dass alles nicht stimmt . . .

Wenn meine kleine Geliebte° über die Brücke kommt—und sie kommt zweimal am Tage—, dann bleibt mein Herz einfach stehen. Das unermüdliche Ticken meines Herzens setzt einfach aus°, bis sie in die Allee eingebogen und verschwunden ist. Und alle, die in dieser Zeit passieren, verschweige° ich ihnen. Diese zwei Minuten gehören mir, mir ganz allein, und ich lasse sie mir nicht nehmen. Und auch wenn sie abends wieder zurückkommt aus ihrer Eisdiele°—wenn sie auf der anderen Seite des Gehsteiges° meinen stummen Mund passiert, der zählen, zählen muss, dann setzt mein Herz wieder aus, und ich fange erst wieder an zu zählen, wenn sie nicht mehr zu sehen ist. Und alle, die das Glück haben, in diesen Minuten vor meinen blinden Augen zu defilieren°, gehen

flicken *to patch, mend*
die Tüchtigkeit *efficiency*
s. berauschen an *to be enraptured with*
die Schicht *shift*
befriedigt *satisfied*
unzuverlässig *undependable*
die Biederkeit *honesty*
insgeheim *secretly*
unterschlagen *leave out* **das Mitleid** *pity, sympathy*
wütend *angry* **rauchen** *to smoke*
der Durchschnitt *average*
reissen *to tear*
ahnen *to suspect*
die Geliebte *loved one, sweetheart*
aussetzen *to stop*
verschweigen *to keep from*
die Eisdiele *ice cream parlor*
der Gehsteig *sidewalk*
defilieren *to march past*

[1] **Das zweite Futur,** *the future perfect:* **wieviel über die Brücke gegangen sein werden,** *how many will have gone over the bridge.*

Rolf Nesch: Freihafen-Brücke, Hamburg (1932)

nicht in die Ewigkeit der Statistik ein: Schattenmänner° und Schattenfrauen, nichtige Wesen°, die im zweiten Futur der Statistik nicht mitmarschieren werden . . .

Es ist klar, dass ich sie liebe. Aber sie weiss nichts davon, und ich möchte auch nicht, dass sie es erfährt. Sie soll nicht ahnen, auf welche ungeheure Weise sie alle Berechnungen° über den Haufen wirft°, und ahnungslos und unschuldig soll sie mit ihren langen braunen Haaren und den zarten Füssen in ihre Eisdiele marschieren, und sie soll viel Trinkgeld bekommen. Ich liebe sie. Es ist ganz klar, dass ich sie liebe.

Neulich haben sie mich kontrolliert°. Der Kumpel, der auf der anderen Seite sitzt und die Autos zählen muss, hat mich früh genug gewarnt, und ich habe höllisch aufgepasst. Ich habe gezählt wie verrückt, ein Kilometerzähler kann nicht besser zählen. Der Oberstatistiker selbst hat sich drüben auf die andere Seite gestellt und hat später das Ergebnis einer Stunde mit meinem Stundenplan verglichen. Ich hatte nur einen weniger als er. Meine kleine Geliebte war vorbeigekommen, und niemals im Leben werde ich dieses hübsche Kind ins zweite Futur transportieren lassen, diese meine kleine Geliebte soll nicht multipliziert und dividiert und in ein prozentuales Nichts verwandelt° werden. Mein Herz hat mir

der Schattenmann *phantom*
nichtige Wesen *inconsequential beings*

die Berechnungen *calculations*
über den Haufen werfen *to throw to the wind*

kontrollieren *to check*

verwandeln *to transform*

geblutet, dass ich zählen musste, ohne ihr nachsehen° zu können, und dem Kumpel drüben, der die Autos zählen muss, bin ich sehr dankbar gewesen. Es ging ja glatt um meine Existenz°.

Der Oberstatistiker hat mir auf die Schulter geklopft und hat gesagt, dass ich gut bin, zuverlässig und treu. „Eins in der Stunde verzählt", hat er gesagt, „macht nicht viel. Wir zählen sowieso einen gewissen prozentualen Verschleiss° hinzu. Ich werde beantragen°, dass sie zu den Pferdewagen versetzt werden."

Pferdewagen ist natürlich die Masche°. Pferdewagen ist ein Lenz° wie nie zuvor. Pferdewagen gibt es höchstens fünfundzwanzig am Tage, und alle halbe Stunde einmal in seinem Gehirn° die nächste Nummer fallenzulassen, das ist ein Lenz!

Pferdewagen wäre herrlich. Zwischen vier und acht dürfen überhaupt keine Pferdewagen über die Brücke, und ich könnte spazierengehen oder in die Eisdiele, könnte sie mir lange anschauen oder sie vielleicht ein Stück nach Hause bringen, meine kleine ungezählte Geliebte . . .

nachsehen *to follow with one's eyes*
Es . . . Existenz. *My existence was plainly at stake.*
der Verschleiss *margin of error*
beantragen *to propose*
die Masche *soft job*
ein Lenz *a lark*
das Gehirn *brain*

HEINRICH BÖLL
(1917)

Fragen zum Inhalt

1. Was für ein Mann ist das, und was muss er tun?
2. Worüber freuen sich die Leute?
3. Wie zeigt es sich, dass diese Leute mit der Arbeit des Mannes zufrieden sind?
4. Was bereitet dem Mann grosse Freude?
5. Wann gibt er den Durchschnitt an? Wann mehr?
6. Was machen die Leute mit diesen Zahlen?
7. Wann stimmen die Zahlen des Mannes nicht?
8. Wie sieht das Mädchen aus, und wo arbeitet es?
9. Wovon ahnt das Mädchen nichts?
10. Warum musste der Mann neulich einmal höllisch aufpassen?
11. Wie wurde der Mann kontrolliert?
12. Hat der Mann dieses Mal das Mädchen mitgezählt? Warum oder warum nicht?
13. Wie zeigt der Oberstatistiker, dass er mit der Arbeit des Mannes zufrieden ist?
14. Warum ist Pferdewagenzählen die Masche?—Was könnte der Mann dann tun?

Fragen zum Überlegen und Diskutieren

1. Woher weiss man, dass der Mann seine Arbeit nicht ernst nimmt?
2. Liebt er das Mädchen wirklich? Wieso spricht er das Mädchen nie einmal an?
3. Die kleine Geliebte soll keine Zahl, keine Statistik werden. Wie wird man heutzutage „eine Zahl"? Geben Sie Beispiele an!
4. Diese Geschichte wurde vor über 30 Jahren geschrieben. Bringt sie auch etwas über unsere moderne Zeit zum Ausdruck?

Liebesgeschichte

Am späten Nachmittag hatte es aufgehört zu regnen. Die nasse Strasse glänzte schwarz; es tropfte von Vorsprüngen° und Traufen°; die Dämmerung° schlich in die Stadt.

Wer nicht nach Hause eilte, schlenderte und genoss die saubere Luft, die ein leichter Wind in die Klüfte zwischen den Mietshäusern trieb.

der Vorsprung *ledge* **die Traufe** *gutter* **die Dämmerung** *twilight*

„Klapp mir den Kragen° hoch", befahl° der Mann und blieb stehen.

Die Frau gehorchte°. Dann setzte sie stumm den Weg an seiner Seite fort. Ihre Stirn war gefurcht; ihre Blicke hafteten am Boden°. Erst das Lachen zweier junger Männer liess sie aufmerken.

Die beiden lehnten in einer Toreinfahrt. Vor Wind und Nässe geschützt, erzählten sie unbekümmert°, was sie von den Vorübergehenden dachten.

Müde musterte° die Frau die lachenden jungen Männer.

„Die gefallen dir", warf ihr der Mann verbittert vor°.

Sie antwortete nicht.

„Ich sehe doch, was los ist", behauptete er gereizt°. „Gesunde junge Männer, da guckst du hin°."

Die Frau senkte den Kopf.

„Gib es doch zu°", steigerte sich der Mann. Seine Stimme zitterte°. „Du . . ."

„Lass das eifersüchtige Gezänk°", bat sie ruhig.

der Kragen *collar* **befehlen** *to order*
gehorchen *to obey*
ihre . . . Boden *her eyes were glued to the ground*
unbekümmert *carelessly*
mustern *to size up*
vorwerfen *to reproach*
gereizt *irritably*
hingucken *to look at*
zugeben *to admit*
zittern *to tremble*
Lass . . . Gezänk. *Stop the jealous quarreling.*

Wortlos gingen sie weiter; sie näherten sich einer Ecke.

Die Frau fasste ihren Mann bei der Schulter und verlangsamte ihren Schritt. Unwillig versuchte er, die Hand abzuschütteln. Er betrat die Fahrbahn°.

„Lass das!" zischte er sie an.

Aber sie zog ihn zurück. Nachdem sie sich vergewissert hatte, dass kein Fahrzeug in der Nähe war, schob sie ihren Mann sacht voran°. Sie führte ihn über die Strasse bis in den Lichtkreis der Leuchtschrift° auf der gegenüberliegenden Seite.

Der Name einer Gastwirtschaft spiegelte sich in den regenfeuchten Platten des Gehsteigs. Er färbte Boden, Häuserfront, Kleidung und Gesichter grün. Der Mann trat an den kleinen Aushangkasten°; er prüfte die Preise der Speisekarte. Von drinnen drang ihm Stimmengewirr entgegen. „Hast du Geld bei dir?" fragte er seine Frau.

„Ja", erklärte sie gleichgültig°.

„Komm", forderte er sie auf und steuerte dem Eingang zu. „Ich möchte unter Menschen sein."

die Fahrbahn betreten *to step into the street*
sacht voranschieben *to gently push forward*
die Leuchtschrift *illuminated letters*
der Aushangkasten *glass box containing a menu*
gleichgültig *indifferently*

Ohne ein Wort ging sie vor, öffnete, raffte den Windvorhang[1] beiseite und hielt die Tür offen.

Laut und gewohnheitsmässig grüsste der Wirt vom Schanktisch° her.

Die meisten Gäste standen dort, tranken und unterhielten sich lärmend.

Niemand unter ihnen beachtete die Eintretenden°.

Hinter ihrem Mann schloss die Frau die Tür; sie nahm ihm den Hut vom Kopf. Den Hut in der Hand, suchte sie Platz.

Nur wenige Tische waren besetzt°.

Sie wählte eine Nische, halbdunkel, nur vom Schanktisch aus eingesehen°. Ihrem Mann half sie aus dem Mantel. Während er sich hinter den Tisch setzte, hängte sie seinen Mantel an einen Haken und stülpte den Hut darüber. Ihre Jacke behielt sie an.

Als auch sie sass, kam der Wirt. ,,Guten Abend, die Herrschaften!" Ohne seine Gäste anzuschauen, knickte er einen Bierdeckel° und fegte° damit über die weissgescheuerte Tischplatte. ,,Was darf es sein?"

,,Haben Sie Wein?" erkundigte sich der Mann.

Ohne eine Antwort zu geben, holte der Wirt vom Nebentisch eine Getränkekarte und stellte sie vor den Gast.

Aber die Frau griff danach. Sie hielt die Karte so, dass auch ihr Mann sie lesen konnte.

Der Mann beugte sich vor°. Mit der Brust lehnte er sich gegen die Tischkante und überflog° das Angebot. Dann bestellte er: ,,Zwei Glas Mosel.[2]"

Der Wirt zerbrach den Bierdeckel und steckte ihn in seine Schürzentasche°.

,,Zwei Mosel", wiederholte er und wollte sich umwenden°.

,,Und einen Strohhalm°, bitte", fügte die Frau noch hinzu.

Der Wirt drehte den Kopf zurück. Abschätzend betrachtete° er die Frau.

,,Einen Strohhalm?" Seine Mundwinkel verzogen sich.

,,Ja, bitte", beharrte die Frau, ,,zwei Mosel und einen Strohhalm."

Der Wirt presste die Lippen aufeinander. Wortlos verliess er den Tisch. Er liess sich Zeit°, ehe er den Wein brachte. Als er die Gläser absetzte, betonte er nachdrücklich: ,,Zwei Mosel", machte eine Pause, ,,und einen Strohhalm."

Dabei legte er den Strohhalm neben das Glas der Frau. Sie bedankte sich nickend und lächelte kaum merklich.

Während der Wirt zum Schanktisch zurückkehrte, riss sie das

der Schanktisch *bar*

eintreten *to enter*

besetzt *occupied*

eingesehen *to be seen*

der Bierdeckel *(cardboard) coaster* **fegen** *to dust, sweep off*

s. vorbeugen *to lean forward*

überfliegen *to look over quickly*

die Schürzentasche *apron pocket* **s. umwenden** *to turn around* **der Strohhalm** *straw*

abschätzend betrachten *to size up*

s. Zeit lassen *to take one's time*

---

[1] Restaurants in Germany often have a heavy curtain right inside the entrance to protect customers sitting near the door from the draft.

[2] **Mosel** is a white wine from the wine region along the Mosel River.

Ende der Papierhülle° ab; den Rest der Hülle blies sie durch den Strohhalm mit kindlicher Freude über den Tisch fort in die Gaststube. Dann rückte sie das Weinglas des Mannes bis fast zur Tischkante vor° und steckte den Strohhalm hinein.

Mit den Lippen fasste der Mann das Röhrchen und begann, den Wein zu saugen.

Das beobachtete der Wirt vom Schanktisch aus. Er schüttelte den Kopf.

Da betrat ein Mädchen von etwa achtzehn Jahren die Gaststube.

Geniesserische Blicke° der Trinker am Schanktisch massen sie.

Auch der Mann hob den Kopf vom Glas. Den Strohhalm behielt er im Mund und bewegte ihn auf und ab.

Das Mädchen kaufte zwei Flaschen Bier.

Die Blicke des Mannes folgten ihr, bis sie hinter dem Windvorhang verschwunden war. Die Frau seufzte° unhörbar.

Er liess den Strohhalm zurück in das Glas fallen. „Zigarette!" verlangte er.

Sie kramte in ihrer Jackentasche, schüttelte zwei Zigaretten aus der Packung und steckte ihm eine davon zwischen die Lippen. Dann suchte sie Streichhölzer°, um sich und ihm die Zigaretten anzuzünden.

Beide rauchten unruhig und schweigend. Sie lauschten° den Gesprächen am Schanktisch.

Die Gäste dort hatten schon viel getrunken. Sie feierten° einen jungen Mann in ihrer Mitte.

„Los, leg mal 'ne Platte auf!" rief einer dem Wirt zu. „Alte Kameraden![3]"

Kurz darauf dröhnte der Lautsprecher: „Tam, tatatata, tam, tatatata, tamtatatatata . . ."

Die Gäste am Schanktisch stampften im Takt mit. Sie hoben ihre Gläser und prosteten dem Jüngling zu°. „Auf unseren jungen Soldaten!"

Der Junge lächelte hilflos.

„Wenn du die Stiefel erst einmal eingelaufen° hast, macht es dir schon Spass", tröstete ihn einer.

Ein Alter klopfte ihm auf die Schulter. „Lass dich nicht kleinkriegen", ermahnte er ihn, bereits ein wenig lallend. „Die paar Monate schleifen dich zum Mann°!"

die Papierhülle *paper wrapper*

vorrücken *to move up*

geniesserische Blicke *appreciative looks*

seufzen *to sigh*

Streichhölzer *matches*

lauschen *to listen to*

feiern *to honor*

zuprosten *to toast*

die Stiefel einlaufen *to break in (your) boots*

Lass . . . Mann! * (see below)

° **„Lass dich nicht kleinkriegen", ermahnte er ihn, bereits ein wenig lallend. „Die paar Monate schleifen dich zum Mann!":**
"Don't let them get the best of you," he warned him, already babbling a bit. "These few months will make a man out of you!"

---

[3] **"Alte Kameraden"** is a well-known marching song.

Die Zigarette im Mundwinkel des Mannes in der Nische zuckte. Er kniff die Augen zu. „Mann!" stiess er laut und angeekelt° zwischen den Lippen hervor.

„Nimm!" fuhr er die Frau an°.

Sie nahm ihm die Zigarette aus dem Mund und legte sie auf den Rand des Aschenbechers. „Misch dich nicht ein", bettelte° sie leise.

„Komm mit", sagte er schroff. Absichtlich° schob er seinen Stuhl so zurück, dass es kreischte; er erhob sich; mit knallenden Schritten° durchquerte er die Gaststube.

Alle schauten plötzlich zu ihm hin und verstummten°.

Der Wirt schaltete den Plattenspieler aus.

Die Frau drückte ihre Zigarette in den Aschenbecher und folgte ihrem Mann.

Der Mann wartete; er kehrte sich noch einmal den Gästen zu, laut und deutlich betonte er: „Mann!"

Sie zögerte° noch. Ihr Blick glitt über die Gesichter der Gäste am Schanktisch.

Dann öffnete sie die Tür mit der Aufschrift „Damen" und ging mit ihrem Mann hinein.

„Grosser Gott!" stöhnte der Wirt. „Das ist mir vorhin überhaupt nicht aufgefallen°! Deswegen der Strohhalm!"

In die Stille sagte einer: „Die arme Frau!"

„Und ihr mit eurem dummen Geschwätz°", schimpfte der Wirt. Er holte eine Flasche aus dem Kühler und füllte zwei kleine Gläser.

Der Mann und die Frau betraten wieder die Gaststube.

Schweigend starrten ihnen alle entgegen.

Der Blick des Mannes streifte° die Schweigenden nur. Fest und aufrecht° begab er sich an seinen Platz zurück. Die leeren Ärmel° seiner Jacke schlenkerten bei jedem Schritt.

Der Wirt eilte mit den beiden Schnapsgläsern hinzu. Er schob dem Mann den Stuhl zurecht. Dann setzte er die Gläser vor und erklärte: „Darf ich Ihnen dies im Auftrag° der Herren da vorn bringen. Wir bitten vielmals um Entschuldigung, es tut uns leid . . ."

Der Mann sprang auf, dass der Stuhl umkippte. „Ich verzichte auf Ihr Mitleid°!" schrie er den Wirt an. Die leeren Ärmel fuchtelten über dem Tisch. „Mitleid verdienen die Dummköpfe dort!" Er deutete° mit dem Kinn in Richtung zum Schanktisch. „Die Dummköpfe, die glauben, erst Soldatenspielen mache zum Mann!" Sein Atem jagte; seine Stimme überschlug sich. „Da, Junge, das hat man davon!" Er schleuderte seine Ärmel in die Höhe; erregt° schluchzte er auf°.

Verlegen° rückwärtsgehend wich der Wirt vom Tisch.

angeekelt *disgusted*
anfahren *to snap (at)*
betteln *to beg*
absichtlich *intentionally*
knallende Schritte *loud steps*
verstummen *to become silent*
zögern *to hesitate*
Das . . . aufgefallen! *I didn't even notice it before!*
das Geschwätz *chatter*
streifen *to skim over*
aufrecht *straight* **die leeren Ärmel** *the empty sleeves*
im Auftrag *at the request of*
Ich . . . Mitleid! *I can do without their pity!*
deuten *to indicate*
erregt *agitated*
aufschluchzen *to give a sob*
verlegen *embarrassed*

Niemand sagte ein Wort. Man hörte nur das heftige Atmen des Ohnhänders°.

Seine Frau bückte sich und hob den umgestürzten Stuhl auf. Ruhig redete sie auf ihn ein: „Sie haben es doch nicht so gemeint." Sie drückte ihn bei den Schultern auf seinen Platz.

„Was quatschen° sie denn so", stammelte er, „was quatschen sie denn so, wenn sie es nicht meinen!"

Die Gäste am Schanktisch zahlten und gingen lautlos.

Nur die Gläser klirrten, die der Wirt forträumte.

Der stossende Atem des Ohnhänders füllte die Gaststube.

Seine Frau flüsterte: „Beruhige dich, bitte, beruhige dich." Sie strich ihm über das Haar. Wie ein Kind beschwichtigte° sie ihn: „Sei still. Wir gehen nach Hause. Ruhig. Ich bin doch bei dir. Mach dir keine Sorgen. Ich bleibe bei dir."

HANS PETER RICHTER

der Ohnhänder *man without arms*

quatschen *to talk nonsense*

beschwichtigen *to calm down*

Fragen zum Inhalt

1. Wie ist das Wetter an diesem späten Nachmittag?
2. Wie zeigt es sich, dass der Mann eifersüchtig ist?
3. Warum geht der Mann mit seiner Frau in die Gastwirtschaft?
4. Was tut die Frau alles, bevor sie sich in der Gastwirtschaft hinsetzen können?
5. Wie hilft die Frau ihrem Mann beim Lesen der Getränkekarte?
6. Was bestellen sie sich, und warum betrachtet der Wirt die Frau so abschätzend?
7. Wie serviert der Wirt das Gewünschte?
8. Was muss die Frau tun, damit ihr Mann den Wein trinken kann?
9. Was tun die Gäste am Schanktisch? Wen feiern sie und warum? Wie trösten sie den jungen Mann?
10. Wovor hat die Frau Angst? Was ist mit ihrem Mann passiert, als er den Leuten zuhört?
11. Wann merken die Leute am Schanktisch, dass dieser Mann keine Arme hat? Was sagen sie zueinander?
12. Warum kommt der Wirt mit zwei Schnäpsen an den Tisch des Ehepaars?
13. Was sagt der Mann jetzt zu den andern am Schanktisch?
14. Wie verhalten sich die Gäste?
15. Wie beschwichtigt die Frau ihren Mann?

Fragen zum Überlegen und Diskutieren

1. Können Sie den Mann verstehen, dass er auf seine Frau eifersüchtig ist? Was meinen Sie dazu?
2. Warum hat sich der Mann über das Gespräch der Leute am Schanktisch so aufgeregt? Hätte er lieber schweigen sollen?
3. Was will der Autor mit dieser Geschichte seinen Lesern sagen?

Essays, Aphorismen und Sprichwörter

Das innere Auge

Ein grosser Maler° hatte eine Anzahl von Schülern, die er in seiner Kunst° unterwies. Mit Bedacht liess er sie lang und fleissig die Dinge der Natur nachbilden°. Eines Tages aber sagte er zu ihnen: ,,Geht nun auf den Platz der Stadt und male dort jeder nach seiner Wahl und seinem Standort das, was er sieht.'' Die Schüler, froh eines Auftrags°, der ihnen, wie es schien, grössere Freiheiten erlaubte, zogen mit Leinwand, Pinsel und Farben hinaus, und jeder malte den Platz mit seinen Gebäuden°, den Menschen die darauf ab und zu gingen, umherstanden oder unter dem Zeltdach des Cafés sassen, den Pferden, Wagen, Zeitungsständen, Blumenkiosken und dem hohen Turm der Kirche, die den Platz behütete°—jeder von einem anderen Standort, der ihm die malerischste Wirkung° versprach, und jeder so gut wie er es vermochte. Doch wie erstaunt° waren die Jünger, als der Meister, dem sie ihr Werk nach Hause brachten, die Gemälde gar nicht ansah, sie ziemlich achtlos° einsammelte und allesamt in einem Schrank verschloss. ,,So'', sagte er zu den Enttäuschten, ,,nun geht, ein jeder in seine Kammer° oder wohin ihr sonst mögt, und malt das Bild das ihr nun schaut; das Bild, das in euch lebt; das Bild nicht aus der Kraft° der Natur sondern aus eurer Kraft.'' Die Schüler gingen; jeder trug wohl ein Bild in sich, aber es schien ihnen nur ein Rest von dem Reichtum jener farbigen Wirklichkeit zu sein, die sie auf dem Platze mit leiblichen Augen eingesogen hatten°. Ihr inneres Auge schien manches zu versagen°, manches zu unterdrücken, für manches blind geworden zu sein. Mit Aufwendung einer ungeheuren, bisher nie gekannten Energie, einer zitternden, halb noch verzagenden Inbrunst suchten sie das wenige in nun von der Natur nicht mehr kontrollierten Pinselstrichen, in groben nur ihrer Vorstellung angehörenden Farben zum Ausdruck zu bringen, was in ihnen lebte°. Sie fühlten: es gewann Gestalt°, es schloss sich zusammen zu neuer ungeahnter° Wirklichkeit—keiner wusste recht wie. Da war auf des einen Bild nur jenes Café mit den im Schatten liegenden Wölbungen° in der Tiefe und den hellen roten Sandsteinfeuern der sonnbeglänzten Fassade. Da war bei dem andern nur die Ecke mit dem Blumenkiosk, ein paar Menschen davor, und der übrige Platz war leer; das Café schien unbesucht. Da waren bei dem dritten der

der Maler *painter*
die Kunst *art*
nachbilden *to copy*
der Auftrag *assignment*
das Gebäude *building*
behüten *to protect*
die Wirkung *effect*
erstaunt *amazed*
achtlos *not paying attention*
die Kammer *small room*
die Kraft *power, strength*
mit . . . hatten *had taken in with their own eyes*
versagen *to fail (to see)*
Mit . . . lebte. *(see below)
Gestalt gewinnen *to take shape*
ungeahnt *undreamed of*
die Wölbung *arch*

° **Mit Aufwendung einer ungeheuren, bisher nie gekannten Energie, einer zitternden, halb noch verzagenden Inbrunst suchten sie das wenige in nun von der Natur nicht mehr kontrollierten Pinselstrichen, in groben nur ihrer Vorstellung angehörenden Farben zum Ausdruck zu bringen, was in ihnen lebte:**
With tremendous energy they until now never knew they had and with trembling, still half despairing fervor they tried to give expression to that which lived inside of them, using brush strokes that were no longer controlled by nature and using basic colors they themselves pictured in their minds.

Lovis Corinth: Selbstbildnis (1924)

Turm, die Häuser, das Café nur als Gebäude, als mannigfarbige°, um den Platz gestellt. Da waren bei dem vierten hastende Menschen, in Gruppen und Reihen, still und in Bewegung vor dem Café, in dem man das Leben, den Betrieb° und das Gesumm ahnte°. Da war bei jedem etwas anderes.

Als sie aber ihre Bilder dem Meister brachten, betrachtete° er sie lange schweigend. Er ging an den verschlossenen Schrank, entnahm ihm jene Nachbilder° der Natur und stellte jedes Schülers Werk des leiblichen Auges neben das zugehörige° des innern. Und da geschah es, dass massloses Erstaunen die jungen Maler erfasste. Denn mit ihren eigenen Augen, an ihrer eigenen Hände Werk, gewahrten° sie um wieviel wahrhaftiger, wirklicher das echte Bild des Künstlers, das in ihnen lebte, war im Vergleich mit dem Abbild°. Farben standen klar und leuchtend nebeneinander, gegeneinander, wo früher ein gleichgültiges° Durcheinander° war. Linien stiegen und sanken nach einem geheimen° Gesetz, zum Einfachen neigend, wo früher ein Gewimmel und Gewirr die Leinwand gefüllt hatte. Das Bild hatte die Schwäche° des Nachbilds und Abbilds verloren. Es genoss die Kraft eigener Schöpfung°.

Was ich hier von dem Maler erzählte, der Dichter° müsste das gleiche von sich erzählen; und jeder Künstler von seiner Kunst.

RUDOLF BINDING

mannigfarbig *multicolored*
der Betrieb *activity* **ahnen** *to sense*
betrachten *to view, examine*
das Nachbild *imitation*
das zugehörige *the corresponding one*
gewahren *to perceive*
das Abbild *copy*
gleichgültig *indifferent* **das Durcheinander** *confusion*
geheim *secret*
die Schwäche *weakness*
eigener Schöpfung *of one's own creation* **der Dichter** *poet*

Fragen zum Inhalt

1. Was mussten die Schüler des grossen Meisters anfangs tun?
2. Welchen Auftrag bekamen sie eines Tages?
3. Warum freuten sich die Schüler über diesen Auftrag?
4. Was sollte jeder von ihnen malen?
5. Worüber waren die Schüler erstaunt, als sie ihre Werke dem Meister gaben?
6. Welchen Auftrag bekamen sie dann von ihrem Meister?
7. Warum mussten die Schüler jetzt besonders viel Energie beim Malen aufwenden?
8. Was merkten sie aber? Wie malten sie jetzt?
9. Was tat der Meister jetzt, als sie ihm die Bilder brachten?
10. Worüber waren die Schüler jetzt erstaunt?

Fragen zum Überlegen und Diskutieren

1. Was wollte der grosse Maler seinen Schülern beweisen? Ist es ihm gelungen?—Könnte ein anderer Künstler (Bildhauer, Schriftsteller) das gleiche mit seinen Schülern tun?
2. Zeichnen oder malen Sie? Komponieren Sie oder schreiben Sie Gedichte oder Geschichten?—Haben Sie schon einmal eine ähnliche Erfahrung gehabt wie die Studenten in dieser Geschichte?

Du sollst dir kein Bildnis° machen

das Bildnis *image, picture*

Emil Nolde: Junges Paar (1913)

Es ist bemerkenswert, dass wir gerade von dem Menschen, den wir lieben, am mindesten° aussagen können, wie er sei. Eben darin besteht ja die Liebe, das Wunderbare an der Liebe, dass sie uns in der Schwebe des Lebendigen hält°, in der Bereitschaft, einem Menschen zu folgen in allen seinen möglichen Entfaltungen°. Wir wissen, dass jeder Mensch, wenn man ihn liebt, sich wie verwandelt° fühlt, wie entfaltet, und dass auch dem Liebenden sich alles entfaltet, das Nächste°, das lange Bekannte. Vieles sieht er wie zum ersten Male. Die Liebe befreit es aus jeglichem Bildnis°. Das ist das Erregende°, das Abenteuerliche°, das eigentlich Spannende, dass wir mit den Menschen, die wir lieben, nicht fertigwerden: weil wir sie lieben; solang wir sie lieben. Man höre bloss die Dichter°, wenn sie lieben; sie tappen nach Vergleichen, als wären sie betrunken, sie greifen nach allen Dingen im All°, nach Blumen und Tieren, nach Wolken, nach Sternen und Meeren. Warum? So wie das All, wie Gottes unerschöpfliche° Geräumigkeit, schrankenlos, alles Möglichen voll, aller Geheimnisse° voll, unfassbar° ist der Mensch, den man liebt — Nur die Liebe erträgt ihn so.

am mindesten *the least*

in . . . hält *keeps us in suspense about life*
die Entfaltung *stage of development*

verwandelt *transformed*
das Nächste *the closest thing*
jegliches Bildnis *preconceived notion* **erregend** *stimulating*
abenteuerlich *adventurous*

der Dichter *poet*
das All *universe*

unerschöpflich *inexhaustible*
das Geheimnis *secret* **unfassbar** *incomprehensible*

Warum reisen wir?
Auch dies, damit wir Menschen begegnen, die nicht meinen,

dass sie uns kennen ein für allemal°; damit wir noch einmal erfahren, was uns in diesem Leben möglich sei —

Es ist ohnehin schon wenig genug°.

Unsere Meinung, dass wir das andere kennen, ist das Ende der Liebe, jedesmal, aber Ursache und Wirkung° liegen vielleicht anders, als wir anzunehmen versucht sind°—nicht weil wir das andere kennen, geht unsere Liebe zu Ende, sondern umgekehrt: weil unsere Liebe zu Ende geht, weil ihre Kraft sich erschöpft hat, darum ist der Mensch fertig für uns. Er muss es sein. Wir können nicht mehr! Wir künden ihm die Bereitschaft°, auf weitere Verwandlungen einzugehen. Wir verweigern ihm den Anspruch° alles Lebendigen, das unfassbar bleibt, und zugleich sind wir verwundert und enttäuscht, dass unser Verhältnis° nicht mehr lebendig sei.

„Du bist nicht", sagt der Enttäuschte oder die Enttäuschte: „wofür ich Dich gehalten habe."

Und wofür hat man sich denn gehalten?

Für ein Geheimnis, das der Mensch ja immerhin ist, ein erregendes Rätsel°, das auszuhalten° wir müde geworden sind. Man macht sich ein Bildnis. Das ist das Lieblose, der Verrat°.

Kassandra, die Ahnungsvolle[1], die scheinbar Warnende und nutzlos Warnende, ist sie immer ganz unschuldig° an dem Unheil°, das sie vorausklagt?

Dessen Bildnis sie entwirft.

Irgendeine fixe Meinung unsrer Freunde, unsrer Eltern, unsrer Erzieher°, auch sie lastet auf° manchem wie ein altes Orakel. Ein halbes Leben steht unter der heimlichen° Frage: Erfüllt es sich oder erfüllt es sich nicht. Mindestens die Frage ist uns auf die Stirne gebrannt, und man wird ein Orakel nicht los, bis man es zur Erfüllung bringt. Dabei muss es sich durchaus nicht im geraden Sinn° erfüllen; auch im Widerspruch° zeigt sich der Einfluss° darin, dass man so nicht sein will, wie der andere uns einschätzt°. Man wird das Gegenteil, aber man wird es durch den andern.

Eine Lehrerin sagte einmal zu meiner Mutter, niemals in ihrem Leben werde sie stricken lernen. Meine Mutter erzählte uns jenen Ausspruch sehr oft; sie hat ihn nie vergessen, nie verziehen°; sie ist eine leidenschaftliche° und ungewöhnliche Strickerin geworden, und alle die Strümpfe und Mützen, die Handschuhe, die Pullover, die ich jemals bekommen habe, am Ende verdanke ich sie allein jenem ärgerlichen° Orakel! . . .

In gewissem Grad sind wir wirklich das Wesen°, das die andern in uns hineinsehen, Freunde wie Feinde. Und umgekehrt! Auch wir sind die Verfasser° der andern; wir sind auf eine heimliche

ein für allemal *once and for all*

Es . . . genug. *It's little enough as it is.*

Ursache und Wirkung *cause and effect* **als . . . sind** *as we are tempted to believe*

die Bereitschaft künden *to terminate the willingness*

den Anspruch verweigern *to deny the right*

das Verhältnis *relationship*

das Rätsel *riddle* **aushalten** *to endure* **der Verrat** *betrayal*

unschuldig *innocent* **das Unheil** *disaster*

der Erzieher *educator* **lasten auf** *to weigh upon*

heimlich *secret*

im geraden Sinn *in the exact sense* **der Widerspruch** *contradiction* **der Einfluss** *influence*

einschätzen *to size up*

verzeihen *to forgive*

leidenschaftlich *passionate*

ärgerlich *annoying*

das Wesen *being*

der Verfasser *shaper*

---

[1] In Greek mythology Apollo gave Cassandra prophetic powers to win her love. When thwarted, however, he decreed that no one should believe her prophecies.

und unentrinnbare° Weise verantwortlich für das Gesicht, das sie uns zeigen, verantwortlich nicht für ihre Anlage°, aber für die Ausschöpfung° dieser Anlage. Wir sind es, die dem Freunde, dessen Erstarrtsein uns bemüht, im Wege stehen, und zwar dadurch, dass unsere Meinung, er sei erstarrt, ein weiteres Glied in jener Kette ist, die ihn fesselt und langsam erwürgt°. Wir wünschen ihm, dass er sich wandle°, o ja, wir wünschen es ganzen Völkern! Aber darum sind wir noch lange nicht bereit, unsere Vorstellung° von ihnen aufzugeben. Wir selber sind die letzten, die sie verwandeln. Wir halten uns für den Spiegel und ahnen° nur selten, wie sehr der andere seinerseits eben der Spiegel unsres erstarrten Menschenbildes ist, unser Erzeugnis, unser Opfer—.

unentrinnbar *inescapable*
die Anlage *natural ability*
die Ausschöpfung *realization*
Wir . . . erwürgt. * (see below)
wandeln *to change*
die Vorstellung *impression*
ahnen *to suspect*

Du sollst dir kein Bildnis machen, heisst es, von Gott[2]. Es dürfte auch in diesem Sinne gelten: Gott als das Lebendige in jedem Menschen, das, was nicht erfassbar ist. Es ist eine Versündigung°, die wir, so wie sie an uns begangen° wird, fast ohne Unterlass wieder begehen—

Ausgenommen° wenn wir lieben.

die Versündigung *sin*
begehen *to commit*
ausgenommen *except*

MAX FRISCH
(1911)

Fragen zum Überlegen und Diskutieren

1. Kennen Sie einen Menschen, der immer pessimistisch ist, der immer auf kommendes Unheil weist wie Kassandra?—Beschreiben Sie diese Person und geben Sie Beispiele an, die die pessimistische Einstellung dieser Person zeigen!
2. Hat irgendjemand Ihnen—oder jemandem, den Sie kennen—einmal gesagt, dass Sie etwas nie in Ihrem Leben gut lernen oder überhaupt nicht lernen werden?—Wie haben Sie bewiesen, dass man sie falsch eingeschätzt hat?
3. Was für eine Wirkung haben Aussprüche wie „aus ihm (aus ihr) wird nie etwas werden" oder „sie ist viel zu gross, um Tänzerin zu werden" oder „Automechaniker ist kein Beruf für Mädchen" auf junge Leute?—Sprechen Sie darüber!
4. „Menschen tun oder werden oft nicht das, was man von ihnen erwartet."—Kennen Sie jemanden, vielleicht irgendeinen berühmten Menschen, auf den dieser Ausspruch passt?

° **Wir sind es, die dem Freunde, dessen Erstarrtsein uns bemüht, im Wege stehen, und zwar dadurch, dass unsere Meinung, er sei erstarrt, ein weiteres Glied in jener Kette ist, die ihn fesselt und langsam erwürgt:**
We're the ones who stand in the way of the friend whose stagnation troubles us. By considering him stagnant we are another link in the chain that binds him and slowly strangles him.

---

[2] "Thou shalt not make unto thee any graven image . . ." Exodus 20:4

Aphorismen und Sprüche

Angelus Silesius *(1624-1677)*

Die Ros ist ohn warumb, sie blühet°, weil sie blühet,
Sie acht nicht jhrer selbst, fragt nicht ob man sie sihet.

Matthias Claudius *(1740-1815)*

Es gibt einige Freundschaften, die im Himmel beschlossen° sind und auf Erden vollzogen° werden.

Friedrich der Grosse *(1740-1786)*

Kenntnisse° kann jedermann haben, aber die Kunst zu denken ist das seltenste° Geschenk der Natur.

Johann Kaspar Lavater *(1741-1801)*

Sprich nie Böses° von einem Menschen, wenn du es nicht gewiss weisst!
Und wenn du es weisst, so frage dich: Warum erzähle ich es?

Johann Gotthelf Herder *(1744-1803)*

Was der Frühling nicht säte°, kann der Sommer nicht reifen°, der Herbst nicht ernten° und der Winter nicht geniessen°.

Johann Wolfgang von Goethe *(1749-1832)*

Es ist nicht genug zu wissen; man muss auch anwenden°;
es ist nicht genug zu wollen; man muss auch tun.

Nicht allein das Angeborene°, sondern auch das Erworbene° ist der Mensch.

Wer mit dem Leben spielt, kommt nie zurecht°;
wer sich nicht selbst befiehlt°, bleibt immer ein Knecht°.

Frei will ich sein im Denken und im Dichten°;
im Handeln schränkt die Welt genug uns ein°.

Man sollte alle Tage wenigstens ein kleines Lied hören,
ein gutes Gedicht° lesen,
ein schönes Gemälde° sehen und—wenn es möglich wäre—
einige vernünftige Worte sprechen.

blühen *to bloom;* **beschlossen** *decided on, arranged;* **vollziehen** *to carry out;* **die Kenntnisse** (pl) *knowledge;* **selten** *rare;* **Böses** *bad (things);* **säen** *to sow;* **reifen** *to ripen;* **ernten** *to harvest;* **geniessen** *to enjoy;* **anwenden** *to apply, put to use;* **das Angeborene** *what one is born with;* **das Erworbene** *what one acquires, achieves;* **zurechtkommen** *to succeed;* **s. selbst befehlen** *to take one's own orders, be in charge of oneself;* **der Knecht** *servant, slave;* **dichten** *to write (poetry, fiction, etc.);* **einschränken** *to restrict, confine;* **das Gedicht** *poem;* **das Gemälde** *painting*

Macht mir den Teufel° nur nicht klein!
Ein Kerl, den alle Menschen hassen, der muss was sein.

Jugend ist Trunkenheit ohne Wein.

Denn ich bin ein Mensch gewesen, und das heisst ein Kämpfer sein.

aus *Faust:*

Es irrt° der Mensch, so lang' er strebt°.

Die Tat° ist alles, nicht der Ruhm°.

Uns ist ganz kannibalisch wohl°, als wie fünfhundert Säuen°.

Ach Gott! die Kunst ist lang, und kurz ist unser Leben.

Hier bin ich Mensch, hier darf ich's sein.

Georg Wilhelm Friedrich Hegel *(1770-1831)*

Aus der Geschichte können wir lernen, dass die Völker aus der Geschichte nichts gelernt haben.

Arthur Schopenhauer *(1788-1860)*

Wer nicht zeitlebens gewissermassen° ein grosses Kind bleibt, sondern ein ernsthafter, nüchterner°, durchweg gesetzter° und vernünftiger Mann wird, kann ein sehr nützlicher und tüchtiger° Bürger° dieser Welt sein; nur nimmermehr ein Genie.

Das Schicksal° mischt die Karten, und wir spielen.

Jeremias Gotthelf *(1797-1854)*

Schwer ist es, die rechte Mitte zu treffen:
Das Herz zu härten für das Leben,
es weich zu halten für das Lieben.

Heinrich Heine *(1797-1856)*

Ein Kluger bemerkt° alles, ein Dummer macht über alles eine Bemerkung°.

Ludwig Feuerbach *(1804-1872)*

Man ist, was er isst.

der Teufel *devil;* **irren** *to err, make a mistake;* **streben** *to strive;* **die Tat** *deed;* **der Ruhm** *fame, glory;* **ganz kannibalisch wohl** *terrifically content;* **die Sau** *sow (female hog);* **gewissermassen** *to a certain extent;* **nüchtern** *sober;* **gesetzt** *sedate;* **tüchtig** *capable, hardworking;* **der Bürger** *citizen;* **das Schicksal** *fate, destiny;* **bemerken** *to notice;* **die Bemerkung** *remark*

Berthold Auerbach *(1812-1882)*

Geld erwerben° erfordert° Klugheit;
Geld bewahren° erfordert eine gewisse Weisheit°,
und Geld schön auszugeben, ist eine Kunst.

Musik allein ist die Weltsprache und braucht nicht übersetzt° zu werden. Da spricht Seele° zu Seele.

Emanuel Geibel *(1815-1884)*

Ein ewig Rätsel° ist das Leben, und ein Geheimnis° bleibt der Tod°.

Theodor Fontane *(1819-1898)*

Glücklich machen ist das höchste Glück. Aber auch dankbar empfangen° können ist Glück.

Aus der *Fledermaus* von **Johann Strauss** *(1825-1899)*

Glücklich ist, wer vergisst, was nicht mehr zu ändern° ist.

Carl Schurz *(1829-1906)*

Ideale sind wie Sterne: Man kann sie nicht erreichen, aber man kann sich nach ihnen orientieren.

Wilhelm Busch *(1832-1908)*

Dumme Gedanken° hat jeder, nur der Weise° verschweigt° sie.

Peter Rosegger *(1843-1918)*

Ein Kind ist ein Buch, aus dem wir lesen und in das wir schreiben sollen.

Friedrich Nietzsche *(1844-1900)*

Das beste Mittel, den Tag gut zu beginnen ist: beim Erwachen daran zu denken, ob man nicht wenigstens einem Menschen an diesem Tag eine Freude machen kann.

Richard Dehmel *(1863-1920)*

Ein bisschen Liebe von Mensch zu Mensch ist besser als alle Liebe zur Menschheit°.

erwerben *to acquire;* **erfordern** *to require;* **bewahren** *to keep;* **die Weisheit** *wisdom;* **übersetzen** *to translate;* **die Seele** *soul;* **das Rätsel** *riddle, puzzle;* **das Geheimnis** *secret;* **der Tod** *death;* **empfangen** *to receive;* **ändern** *to change;* **der Gedanke** *thought;* **der Weise** *wise person;* **verschweigen** *to keep quiet;* **die Menschheit** *humanity*

Christian Morgenstern *(1871-1914)*

Wo Erd und All° zusammengehen, da schaue hin.

Nicht da ist man daheim°, wo man seinen Wohnsitz° hat, sondern wo man verstanden wird.

Karl Kraus *(1874-1936)*

Krieg° ist zuerst die Hoffnung, dass es einem besser gehen wird, hierauf die Erwartung, dass es dem andern schlechter gehen wird, dann die Genugtuung°, dass es dem andern auch nicht besser geht, und hernach die Überraschung°, dass es beiden schlechter geht.

Albert Schweitzer *(1875-1965)*

Glück ist gute Gesundheit und ein schlechtes Gedächtnis°.

Alfred Polgar *(1875-1955)*

„Witz° ist das Niesen° des Gehirns°." Und ein immer witziger Mensch etwas so Unausstehliches° und Unappetitliches wie ein Kerl, der einen chronischen Schnupfen hat, aber kein Taschentuch°.

Reiseerfahrung°: Jede Reise ist um die letzte Stunde zu lang°.

Hermann Hesse *(1877-1962)*

Fühle mit allem Leid° der Welt, aber richte deine Kräfte° nicht dorthin, wo du machtlos° bist, sondern zum Nächsten, dem du helfen, den du lieben und erfreuen kannst.

Lesen ohne Liebe, Wissen ohne Ehrfurcht°, Bildung° ohne Herz ist eine der schlimmsten Sünden° gegen den Geist°.

Damit das Mögliche entsteht, muss immer wieder das Unmögliche versucht werden.

Ich halte es nicht für das Wichtigste, welchen Glauben° ein Mensch habe, sondern dass er überhaupt einen habe.

Carl Zuckmayer *(1896-1977)*

Die Welt wird nie gut, aber sie könnte besser werden.

das All *universe;* **daheim** *at home;* **der Wohnsitz** *residence;* **der Krieg** *war;* **die Genugtuung** *satisfaction;* **die Überraschung** *surprise;* **das Gedächtnis** *memory;* **der Witz** *wit;* **das Niesen** *sneezing;* **das Gehirn** *brain;* **unausstehlich** *unbearable;* **das Taschentuch** *handkerchief;* **die Erfahrung** *experience;* **Jede . . . lang.** *Every trip is too long by one hour—the last one;* **das Leid** *suffering;* **die Kräfte** (pl) *energy;* **machtlos** *powerless;* **die Ehrfurcht** *respect;* **die Bildung** *education;* **die Sünde** *sin;* **der Geist** *mind;* **der Glaube** *faith, belief*

Kurt Tucholsky *(1890-1935)*

Nichts ist schwerer und nichts erfordert° mehr Charakter, als sich in offenem Gegensatz° zu seiner Zeit zu befinden und laut zu sagen: Nein

Es ist schön, mit jemand schweigen° zu können.

Wer auf andre Leute wirken° will, der muss erst einmal in ihrer Sprache mit ihnen reden.

Freundschaft, das ist wie Heimat°.

Es gibt vielerlei Lärme, aber es gibt nur eine Stille.

Ludwig Erhard *(1897-1977)*

Ein Kompromiss, das ist die Kunst, einen Kuchen so zu teilen°, dass jeder meint, er habe das grösste Stück bekommen.

Manfred Hausmann *(1898)*

Ohne Faulheit kein Fortschritt°!
Weil der Mensch zu faul war, zu rudern,
erfand° er das Dampfschiff;
weil er zu faul war, zu Fuss zu gehen,
erfand er das Auto;
weil er zu faul war, abends die Augen zuzumachen,
erfand er das Fernsehen.

Wolfgang Borchert *(1921-1947)*

Ich möchte Leuchtturm° sein in Nacht und Wind
für Dorsch° und Stint°, für jedes Boot—
und bin doch selbst ein Schiff in Not°.

Sprichwörter°

Sprichwörter sind der Spiegel der Denkart° einer Nation.

Die dümmsten Bauern haben die grössten Kartoffeln.

Einen Baum soll man biegen°, solange er jung ist.

Wer Butter am Kopf hat, soll nicht in die Sonne gehen.

erfordern *to require;* **der Gegensatz** *opposition;* **schweigen** *to be silent;* **wirken** *to influence;* **die Heimat** *homeland;* **teilen** *to divide up;* **der Fortschritt** *progress;* **erfinden** *to invent;* **der Leuchtturm** *lighthouse;* **der Dorsch** *cod;* **der Stint** *smelt;* **in Not** *in trouble;* **das Sprichwort** *proverb, saying;* **die Denkart** *way of thinking;* **biegen** *to bend*

Deutsche Sprak, schwere Sprak. (Redensart)

Ein Wort ist leichter zurückgehalten als zurückgenommen.

Wer im Frühling nicht sät°, wird im Herbst nicht ernten°.

Wer den Fuchs fangen will, muss mit den Hühnern aufstehen.

Geduld und Fleiss erringt den Preis.

Geld allein macht nicht glücklich.

Einmal geschrieben ist so gut wie zehnmal gelesen.

Wer im Glashaus sitzt, soll nicht mit Steinen werfen.

Wenn über eine dumme Sache endlich Gras gewachsen ist, so kommt sicher ein Kamel gelaufen, das alles wieder runterfrisst.

Man kann nicht auf zwei Hochzeiten zugleich tanzen.

Höflichkeit kostet nichts.

Jahre lehren mehr als Bücher.

Wen's juckt°, der kratze sich.

Alt werden steht in Gottes Gunst; jung bleiben, das ist Lebenskunst.

Wie die Alten sungen, so zwitschern° auch die Jungen.

Kleine Kinder—kleine Sorgen; grosse Kinder—grosse Sorgen. (Und in den Niederlanden sagt man: kleine Kinder—Kopfweh; grosse Kinder—Herzweh.)

Durch Fehler wird man klug.

Fragen macht klug.

Klug zu reden ist schwer; klug zu schweigen° noch mehr.

Man muss das Leben eben nehmen, wie das Leben eben ist.

Ein gutes Beispiel ist der beste Lehrmeister.

Liebe geht durch den Magen°.

Was sich liebt, neckt sich°.

Jeder Mensch hat seinen Vogel°.

Allen Menschen recht getan, ist eine Kunst, die niemand kann.

Jedermanns Freund ist jedermanns Narr°.

Träume sind Schäume°.

Wie du mir, so ich dir.

Geheime° Wohltaten° sind die besten.

In der Kürze liegt die Würze°.

Vorsicht ist besser als Nachsicht°.

Unkraut vergeht° nicht.

Ein Unglück° kommt selten allein.

säen *to sow;* **ernten** *to harvest;* **jucken** *to itch;* **zwitschern** *to chirp;* **schweigen** *to be silent;* **der Magen** *stomach;* **necken** *to tease;* **einen Vogel haben** *to be cuckoo;* **der Narr** *fool;* **der Schaum** *froth, bubbles;* **geheim** *secret;* **die Wohltat** *good deed;* **die Würze** *spice;* **die Nachsicht** *hindsight;* **vergehen** *to die out;* **das Unglück** *misfortune*

Märchen und Sagen

The brothers Jakob Grimm (1785-1863) and Wilhelm Grimm (1786-1859) worked together most of their lives. They both studied history and philology at the University of Marburg and became interested in German legends and fairy tales. In 1812 they jointly published the first volume of Kinder- und Hausmärchen, *which was to become extremely popular not only in Germany, but also in many other countries throughout the world. The second volume appeared in 1815 and the third in 1822. From 1816 to 1818 they jointly published their* Deutsche Sagen.

Although most famous for their collections of fairy tales, the Brothers Grimm made other important contributions to German language and literature. They collected, translated, and edited many different texts, publishing such works as Die deutsche Heldensage *and* Deutsche Mythologie, *to mention only two. Perhaps their biggest undertaking was the compiling of a German dictionary. They worked on it from 1852 until Wilhelm's death in 1859, planning to include all words in use from the 15th century to their own day. After Wilhelm's death the dictionary was completed by a group of scholars.*

Another ambitious and important project was Jakob Grimm's Deutsche Grammatik *(1819-1837), which attempted to present for the first time a scientifically formulated grammar for all German languages. In this work language is approached not as something static, but rather as something constantly evolving, closely tied to the lives of those who speak it. At the time, this was a revolutionary premise and caused quite a stir in philological circles.*

Rumpelstilzchen

Es war einmal ein Müller°, der war arm, aber er hatte eine schöne Tochter. Nun traf es sich°, dass er mit dem König zu sprechen kam, und um sich ein Ansehen zu geben°, sagte er zu ihm: ,,Ich habe eine Tochter, die kann Stroh° zu Gold spinnen.'' Der König sprach zum Müller: ,,Das ist eine Kunst°, die mir wohlgefällt; wenn deine Tochter so geschickt ist, wie du sagst, so bring sie morgen in mein Schloss, da will ich sie auf die Probe stellen°.'' Als nun das Mädchen zu ihm gebracht ward[1], führte er es in eine Kammer, die ganz voll Stroh lag, gab ihr Rad° und Haspel° und sprach: ,,Jetzt mache dich an die Arbeit, und wenn du diese Nacht durch bis morgen früh dieses Stroh nicht zu Gold versponnen hast, so musst du sterben.'' Darauf schloss er die Kammer selbst zu, und sie blieb allein darin.

Da sass nun die arme Müllerstochter und wusste um ihr Leben keinen Rat°; sie verstand gar nichts davon, wie man Stroh zu Gold spinnen konnte, und ihre Angst ward immer grösser, dass sie endlich zu weinen° anfing. Da ging auf einmal die Türe auf, und ein kleines Männchen trat herein und sprach: ,,Guten Abend,

der Müller *miller*
es traf sich *it came to pass*
s. ein Ansehen geben *to put on airs* **das Stroh** *straw*
die Kunst *art*
auf die Probe stellen *to put to the test*
das Rad *(spinning) wheel* **die Haspel** *spool*
wusste . . . Rat *for the life of her she didn't know what to do* **weinen** *to cry*

[1] **ward** is an old form of **wurde.**

Jungfer° Müllerin, warum weint sie[2] so sehr?" — „Ach", antwortete das Mädchen, „ich soll Stroh zu Gold spinnen und verstehe das nicht." Sprach das Männchen: „Was gibst du mir, wenn ich dir's spinne?" — „Mein Halsband°", sagte das Mädchen. Das Männchen nahm das Halsband, setzte sich vor das Rädchen, und schnurr, schnurr, schnurr, dreimal gezogen, war die Spule voll. Dann steckte es eine andere auf, und schnurr, schnurr, schnurr, dreimal gezogen, war auch die zweite voll — und so ging's fort bis zum Morgen, da war alles Stroh versponnen, und alle Spulen waren voll Gold. Beim Sonnenaufgang kam schon der König, und als er das Gold

die Jungfer *maiden*

das Halsband *necklace*

[2] The third person used to be used as a form of address.

erblickte, erstaunte° er und freute sich, aber sein Herz ward nur noch goldgieriger°. Er liess die Müllerstochter in eine andere Kammer voll Stroh bringen, die noch viel grösser war, und befahl° ihr, das auch in einer Nacht zu spinnen, wenn ihr das Leben lieb wäre°. Das Mädchen wusste sich nicht zu helfen und weinte, da ging abermals die Türe auf, und das kleine Männchen erschien und sprach: „Was gibst du mir, wenn ich dir das Stroh zu Gold spinne?" —„ Meinen Ring von dem Finger", antwortete das Mädchen. Das Männchen nahm den Ring, fing wieder an zu schnurren mit dem Rade und hatte bis zum Morgen alles Stroh zu glänzendem Gold gesponnen. Der König freute sich über die Massen bei dem Anblick, war aber noch immer nicht Goldes satt°, sondern liess die Müllerstochter in eine noch grössere Kammer voll Stroh bringen und sprach: „Die musst du noch in dieser Nacht verspinnen — gelingt dir's aber°, so sollst du meine Gemahlin° werden." — Wenn's auch eine Müllerstochter ist, dachte er, eine reichere Frau finde ich in der ganzen Welt nicht. Als das Mädchen allein war, kam das Männlein zum drittenmal wieder und sprach: „Was gibst du mir, wenn ich dir noch diesmal das Stroh spinne?" — „Ich habe nichts mehr, das ich geben könnte", antwortete das Mädchen. „So versprich° mir, wenn du Königin wirst, dein erstes Kind." Wer weiss, wie das noch geht, dachte die Müllerstochter und wusste sich auch in der Not nicht anders zu helfen°; sie versprach also dem Männchen, was es verlangte, und das Männchen spann dafür noch einmal das Stroh zu Gold. Und als am Morgen der König kam und alles fand, wie er gewünscht hatte, so hielt er Hochzeit° mit ihr, und die schöne Müllerstochter ward eine Königin.

Über ein Jahr° brachte sie ein schönes Kind zur Welt und dachte gar nicht mehr an das Männchen: da trat es plötzlich in ihre Kammer und sprach: „Nun gib mir, was du versprochen hast." Die Königin erschrak° und bot dem Männchen alle Reichtümer des Königreichs° an, wenn es ihr das Kind lassen wollte. Aber das Männchen sprach: „Nein, etwas Lebendes ist mir lieber als alle Schätze° der Welt." Da fing die Königin so an zu jammern und zu weinen, dass das Männchen Mitleiden° mit ihr hatte: „Drei Tage will ich dir Zeit lassen", sprach es, „wenn du bis dahin meinen Namen weisst, so sollst du dein Kind behalten."

Nun besann sich die Königin die ganze Nacht über auf° alle Namen, die sie jemals gehört hatte, und schickte einen Boten° über Land, der sollte sich erkundigen° weit und breit, was es sonst noch für Namen gäbe. Als am andern Tag das Männchen kam, fing sie an mit Kaspar, Melchior, Balzer und sagte alle Namen, die sie wusste, nach der Reihe her°, aber bei jedem sprach das Männlein: „So heiss ich nicht." Den zweiten Tag liess sie in der Nachbarschaft herumfragen, wie die Leute da genannt würden, und sagte dem Männlein die ungewöhnlichsten und seltsamsten°

erstaunen *to be amazed*
goldgierig *greedy for gold*
befehlen *to command*

wenn . . . wäre *if she valued her life*

er war noch nicht Goldes satt *it was still not enough gold for him*
gelingt dir's aber *but if you succeed* **die Gemahlin** *wife*

versprechen *to promise*

wusste . . . helfen *didn't know any other way out of her trouble*

Hochzeit halten *to marry*

über ein Jahr *in a year*

erschrecken *to be frightened*
alle Reichtümer des Königreiches *all the riches of the kingdom* **der Schatz** *treasure*
Mitleiden haben mit *to take pity*

s. besinnen auf *to call to mind*
der Bote *messenger*
s. erkundigen *to ask*

nach der Reihe her *one after the other*

seltsam *strange*

Namen vor: ,,Heisst du vielleicht Rippenbiest oder Hammelswade oder Schnürbein?" Aber es antwortete immer: ,,So heiss ich nicht." Den dritten Tag kam der Bote wieder zurück und erzählte: ,,Neue Namen habe ich keinen einzigen finden können, aber wie ich an einen hohen Berg um die Waldecke kam, wo Fuchs und Has sich gute Nacht sagen[3], so sah ich da ein kleines Haus, und vor dem Haus brannte ein Feuer, und um das Feuer sprang ein gar zu lächerliches° Männchen, hüpfte auf einem Bein und schrie:

> ,Heute back ich, morgen brau° ich,
> Übermorgen hol ich der Königin ihr Kind;
> Ach, wie gut ist, dass niemand weiss,
> Dass ich Rumpelstilzchen heiss!' "

lächerlich *ridiculous*
brauen *to brew*

Da könnt ihr denken, wie die Königin froh war, als sie den Namen hörte, und als bald hernach das Männlein hereintrat und fragte: ,,Nun, Frau Königin, wie heiss ich?" fragte sie erst: ,,Heisst du Kunz?"—,,Nein."—,,Heisst du Heinz?"—,,Nein." ,,Heisst du etwa Rumpelstilzchen?"

,,Das hat dir der Teufel° gesagt, das hat dir der Teufel gesagt", schrie das Männlein und stiess mit dem rechten Fuss vor Zorn° so tief in die Erde, dass es bis an den Leib° hineinfuhr, dann packte es in seiner Wut° den linken Fuss mit beiden Händen und riss sich selbst mitten entzwei°.

der Teufel *devil*
vor Zorn *out of anger*
bis an den Leib *up to the trunk of his body* **die Wut** *rage*
er riss sich mitten entzwei *he tore himself in two down the middle*

BRÜDER GRIMM

Fragen zum Inhalt

1. Was sagte der arme Müller, als er mit dem König sprach? Warum sagte er das?
2. Was meinte der König daraufhin?
3. Wohin wurde die junge Müllerstochter geführt, und was sagte der König zu ihr?
4. Warum bekam das junge Mädchen grosse Angst?
5. Was passierte, als sie zu weinen anfing?
6. Wie wurde das Stroh zu Gold?
7. Was machte der König, als er das Gold sah?
8. Was passierte in der zweiten Nacht?
9. Was tat und was sagte der König, als er das viele Gold sah?
10. Was versprach die Müllerstochter dem Männchen in der dritten Nacht?
11. Was tat der König, als er die dritte Kammer voller Gold sah?
12. Was passierte ein Jahr später?
13. Was sollte die Königin tun, um ihr Kind behalten zu können?
14. Was tat die Königin, um den Namen des Männleins zu erkunden?
15. Mit welcher Nachricht kam ein Bote am dritten Tag zur Königin?
16. Wie endet das Märchen?

---

[3] **Wo Fuchs und Has sich gute Nacht sagen,** *where the fox and the rabbit say good-night to each other,* is a colloquial expression for a very out-of-the-way place.

Frau Holle

Eine Witwe° hatte zwei Töchter, davon war die eine schön und fleissig, die andere hässlich und faul. Sie hatte aber die hässliche und faule, weil sie ihre rechte° Tochter war, viel lieber, und die andere musste alle Arbeit tun und das Aschenputtel° im Hause sein. Das arme Mädchen musste sich täglich auf die grosse Strasse bei einem Brunnen° setzen und musste so viel spinnen, dass ihm das Blut aus den Fingern sprang. Nun trug es sich zu°, dass die

die Witwe *widow*

recht *real*

das Aschenputtel *maid*

der Brunnen *well*

es trug sich zu *it came to pass*

Spule einmal ganz blutig war; da bückte° es sich damit in den Brunnen und wollte sie abwaschen, sie sprang ihm aber aus der Hand und fiel hinab. Es weinte°, lief zur Stiefmutter und erzählte ihr das Unglück. Sie schalt° es aber so heftig und war so unbarmherzig°, dass sie sprach: ,,Hast du die Spule hinunterfallen lassen, so hol sie auch wieder herauf.'' Da ging das Mädchen zu dem Brunnen zurück und wusste nicht, was es anfangen sollte°, und in seiner Herzensangst sprang es in den Brunnen hinein, um die Spule zu holen. Es verlor die Besinnung°, und als es erwachte und wieder zu sich selber kam, war es auf einer schönen Wiese, wo die Sonne schien und viel tausend Blumen standen. Auf dieser Wiese ging es weiter und kam zu einem Backofen°, der war voller Brot; das Brot aber rief: ,,Ach, zieh mich raus, zieh mich raus, sonst verbrenn ich—ich bin schon längst ausgebacken°.'' Da trat es herzu und holte mit dem Brotschieber alles nacheinander heraus. Danach ging es weiter und kam zu einem Baum, der hing voll Äpfel und rief ihm zu: ,,Ach, schüttel mich, schüttel mich, wir Äpfel sind alle miteinander reif.'' Da schüttelte es den Baum, dass die Äpfel fielen, als regneten sie, und schüttelte, bis keiner mehr oben war; und als es alle auf einen Haufen° zusammengelegt hatte, ging es wieder weiter. Endlich kam es zu einem kleinen Haus, daraus guckte° eine alte Frau; weil sie aber so grosse Zähne hatte, ward[1] ihm angst, und es wollte fortlaufen. Die alte Frau aber rief ihm nach: ,,Was fürchtest° du dich, liebes Kind? Bleib bei mir; wenn du alle Arbeit im Hause ordentlich° tun willst, so soll dir's gut gehen. Du musst nur achtgeben°, dass du mein Bett gut machst und es fleissig aufschüttelst°, dass die Federn fliegen, dann schneit es in der Welt; ich bin die Frau Holle.'' Weil die Alte ihm so gut zusprach°, so fasste sich das Mädchen ein Herz, willigte ein und begab sich in ihren Dienst°. Es besorgte auch alles nach ihrer Zufriedenheit° und schüttelte ihr das Bett immer gewaltig auf, dass die Federn wie Schneeflocken umherflogen; dafür hatte es auch ein gut Leben bei ihr, kein böses Wort und alle Tage Gesottenes° und Gebratenes°. Nun war es eine Zeitlang bei der Frau Holle, da ward es traurig und wusste anfangs selbst nicht, was ihm fehlte; endlich merkte es, dass es Heimweh° war; ob es ihm hier gleich vieltausendmal besser ging als zu Haus, so hatte es doch ein Verlangen° dahin. Endlich sagte es zu ihr: ,,Ich habe den Jammer nach Haus gekriegt, und wenn es mir auch noch so gut hier unten geht, so kann ich doch nicht länger bleiben, ich muss wieder hinauf zu den Meinigen°.'' Die Frau Holle sagte: ,,Es gefällt mir, dass du wieder nach Haus verlangst, und weil du mir so treu gedient hast, so will ich dich selbst wieder hinaufbringen.'' Sie

s. bücken *to bend over*

weinen *to cry*
schelten *to scold*
unbarmherzig *merciless*

was es anfangen sollte *what she should do*

die Besinnung *consciousness*

der Backofen *oven*

ausgebacken *done*

der Haufen *pile*

gucken *to look*

s. fürchten *to fear*
ordentlich *thoroughly, properly*
achtgeben *to be careful*
aufschütteln *to shake out*

gut zusprechen *to persuade*
sie begab sich in ihren Dienst *she put herself in her service*
die Zufriedenheit *satisfaction*
Gesottenes *something boiled*
Gebratenes *something roasted*

das Heimweh *homesickness*

das Verlangen *longing*

die Meinigen *my own people*

[1] **Ward** is an old form of **wurde.**

nahm es darauf bei der Hand und führte es vor ein grosses Tor. Das Tor ward aufgetan, und wie das Mädchen gerade darunterstand, fiel ein gewaltiger Goldregen, und alles Gold blieb an ihm hängen, so dass es über und über davon bedeckt° war. „Das sollst du haben, weil du so fleissig gewesen bist", sprach die Frau Holle und gab ihm auch die Spule wieder, die ihm in den Brunnen gefallen war. Darauf ward das Tor verschlossen, und das Mädchen befand sich oben auf der Welt, nicht weit von seiner Mutter Haus, und als es in den Hof° kam, sass der Hahn auf dem Brunnen und rief:

„Kikeriki,
Unsere goldene Jungfrau° ist wieder hie."

Da ging es hinein zu seiner Mutter, und weil es so mit Gold bedeckt ankam, ward es von ihr und der Schwester gut aufgenommen°.

über und über bedeckt *covered all over*

der Hof *yard*

die Jungfrau *maiden*

gut aufgenommen *well-received*

Das Mädchen erzählte alles, was ihm begegnet war, und als die Mutter hörte, wie es zu dem grossen Reichtum° gekommen war, wollte sie der andern, hässlichen und faulen Tochter gerne dasselbe Glück verschaffen°. Sie musste sich an den Brunnen setzen und spinnen; und damit ihre Spule blutig ward, stach sie sich in die Finger und stiess sich die Hand in die Dornhecke°. Dann warf sie die Spule in den Brunnen und sprang selber hinein. Sie kam, wie die andere, auf die schöne Wiese und ging auf demselben Pfade weiter. Als sie zu dem Backofen gelangte°, schrie das Brot wieder: „Ach, zieh mich raus, zieh mich raus, sonst verbrenn ich, ich bin schon längst ausgebacken." Die Faule aber antwortete: „Da hätt ich Lust, mich schmutzig zu machen", und ging fort. Bald kam sie zu dem Apfelbaum, der rief: „Ach, schüttel mich, schüttel mich,

der Reichtum *riches*

verschaffen *to obtain*

die Dornhecke *thorny hedge*

gelangen zu *to reach*

wir Äpfel sind alle miteinander reif." Sie antwortete aber: „Du kommst mir recht°, es könnte mir einer auf den Kopf fallen", und ging damit weiter. Als sie vor der Frau Holle Haus kam, fürchtete sie sich nicht, weil sie von ihren grossen Zähnen schon gehört hatte, und verdingte° sich gleich zu ihr. Am ersten Tag tat sie sich Gewalt an°, war fleissig und folgte der Frau Holle, wenn sie ihr etwas sagte, denn sie dachte an das viele Gold, das sie ihr schenken würde; am zweiten Tag aber fing sie schon an zu faulenzen°, am dritten noch mehr, da wollte sie morgens gar nicht aufstehen. Sie machte auch der Frau Holle das Bett nicht, wie sich's gebührte°, und schüttelte es nicht, dass die Federn aufflogen. Das ward die Frau Holle bald müde und sagte ihr den Dienst auf°. Die Faule war das wohl zufrieden° und meinte, nun würde der Goldregen kommen; die Frau Holle führte sie auch zu dem Tor, als sie aber darunterstand, ward statt des Goldes ein grosser Kessel voll Pech° ausgeschüttet. „Das ist zur Belohnung° deiner Dienste", sagte die Frau Holle und schloss das Tor zu. Da kam die Faule heim, aber sie war ganz mit Pech bedeckt, und der Hahn auf dem Brunnen, als er sie sah, rief:

„Kikeriki,
Unsere schmutzige Jungfrau ist wieder hie."

Das Pech aber blieb fest an ihr hängen und wollte, solange sie lebte, nicht abgehen°.

BRÜDER GRIMM

du kommst mir recht *that's what you think*

s. verdingen *to go into service*

s. Gewalt antun *to make a great effort*

faulenzen *to take it easy*

wie sich's gebührte *the way it was supposed to be made*

den Dienst aufsagen *to give notice* **war das wohl zufrieden** *probably had no objection*

ein Kessel voll Pech *a pot full of tar*

zur Belohnung *as a reward*

abgehen *to come off*

Fragen zum Inhalt

1. Wie sehen die Töchter der Witwe aus, und welche von beiden hat diese lieber?
2. Was musste das arme Aschenputtel täglich tun?
3. Was für ein Unglück passierte eines Tages?
4. Was befahl die Mutter, und was tat das Mädchen daraufhin?
5. Was sah das Mädchen, als es wieder erwachte?
6. Was geschah, als das Aschenputtel zu einem Backofen kam?
7. Was tat sie, als sie zu einem Apfelbaum kam?
8. Warum bekam das Mädchen Angst, als es zu einem kleinen Haus kam?
9. Wer ist die Alte, und was für einen Auftrag gibt sie dem Mädchen?
10. Warum will das Mädchen nach einiger Zeit wieder nach Hause?
11. Wie belohnt Frau Holle das Aschenputtel?
12. Wie wird das Mädchen zu Hause empfangen?
13. Was für einen Plan macht jetzt die Mutter für ihre andere Tochter?
14. Wie spinnt diese Tochter am Brunnen, und wie wird ihre Spule blutig?
15. Was macht diese Tochter, als sie zu den Broten kommt? Und als sie zum Apfelbaum kommt?
16. Warum schickt Frau Holle das Mädchen wieder nach Hause, und wie belohnt sie die Faule?
17. Wie wird die Faule zu Hause empfangen?

Dornröschen

Vor Zeiten war ein König und eine Königin, die sprachen jeden Tag: „Ach, wenn wir doch ein Kind hätten!" und kriegten immer keins. Da trug sich zu, als die Königin einmal im Bade sass, dass ein Frosch aus dem Wasser ans Land kroch und zu ihr sprach: „Dein Wunsch wird erfüllt werden; ehe° ein Jahr vergeht, wirst du eine Tochter zur Welt bringen." Was der Frosch gesagt hatte, das geschah, und die Königin gebar ein Mädchen, das war so schön, dass der König vor Freude sich nicht zu lassen wusste° und ein grosses Fest anstellte. Er lud nicht bloss seine Verwandten, Freunde und Bekannten, sondern auch die weisen° Frauen dazu ein, damit sie dem Kind hold und gewogen° wären. Es waren ihrer dreizehn in seinem Reiche°; weil er aber nur zwölf goldene Teller hatte, von welchen sie essen sollten, so musste eine von ihnen daheim bleiben. Das Fest ward[1] mit aller Pracht° gefeiert, und als es zu Ende war, beschenkten die weisen Frauen das Kind mit ihren Wundergaben°: die eine mit Tugend°, die andere mit Schönheit, die dritte mit Reichtum, und so mit allem, was auf der Welt zu wünschen ist. Als elfe ihre Sprüche eben getan hatten, trat plötzlich die dreizehnte herein. Sie wollte sich dafür rächen°, dass sie nicht eingeladen war, und ohne jemand zu grüssen oder nur anzusehen, rief sie mit lauter Stimme: „Die Königstochter soll sich in ihrem fünfzehnten Jahr an einer Spindel stechen° und tot hinfallen." Und ohne ein Wort weiter zu sprechen, kehrte sie sich um und verliess den Saal°. Alle waren erschrocken°, da trat die zwölfte hervor, die ihren Wunsch noch übrig hatte°, und weil sie den bösen Spruch nicht aufheben°, sondern nur ihn mildern konnte, so sagte sie: „Es soll aber kein Tod° sein, sondern ein hundertjähriger tiefer Schlaf, in welchen die Königstochter fällt."

Der König, der sein liebes Kind vor dem Unglück° gern bewahren wollte, liess den Befehl ausgehen, dass alle Spindeln im ganzen Königreiche sollten verbrannt werden. An dem Mädchen aber wurden die Gaben der weisen Frauen sämtlich° erfüllt, denn es war so schön, sittsam°, freundlich und verständig°, dass es jedermann, der es ansah, liebhaben musste. Es geschah, dass an dem Tage, wo es gerade fünfzehn Jahre alt ward, der König und die Königin nicht zu Haus waren und das Mädchen ganz allein im Schloss zurückblieb. Da ging es allerorten° herum, besah Stuben° und Kammern, wie es Lust hatte, und kam endlich auch an einen alten Turm. Es stieg die enge Wendeltreppe° hinauf und gelangte zu einer kleinen Türe. In dem Schloss° steckte ein verrosteter Schlüssel. Und als es ihn umdrehte, sprang die Türe auf, und da sass

ehe *before*

vor . . . wusste *could not contain his joy*

weise *wise*

dem Kind hold und gewogen *well-disposed and kind to the child* **das Reich** *kingdom*

die Pracht *splendor*

die Wundergabe *endowment*

die Tugend *virtue*

s. rächen *to get revenge*

s. stechen *to prick oneself*

der Saal *hall, large room*

erschrocken *shocked*

übrig haben *to have left*

aufheben *to undo*

der Tod *death*

vor dem Unglück bewahren *to save her from this misfortune*

sämtlich *entirely*

sittsam *well-behaved* **verständig** *sensible*

allerorten *everywhere* **die Stube** *room*

die Wendeltreppe *winding staircase*

das Schloss *lock*

[1] **Ward** is an old form of **wurde.**

in einem kleinen Stübchen° eine alte Frau mit einer Spindel und spann emsig° ihren Flachs. „Guten Tag, du altes Mütterchen", sprach die Königstochter, „was machst du da?" – „Ich spinne", sagte die Alte und nickte° mit dem Kopf. „Was ist das für ein Ding, das so lustig herumspringt?" sprach das Mädchen, nahm die Spindel und wollte auch spinnen. Kaum hatte sie aber die Spindel angerührt°, so ging der Zauberspruch° in Erfüllung, und sie stach sich damit in den Finger.

In dem Augenblick aber, wo sie den Stich empfand°, fiel sie auf das Bett nieder, das da stand, und lag in einem tiefen Schlaf. Und dieser Schlaf verbreitete sich° über das ganze Schloss – der König und die Königin, die eben heimgekommen und in den Saal getreten waren, fingen an einzuschlafen und der ganze Hofstaat° mit ihnen. Da schliefen auch die Pferde im Stall, die Hunde im Hofe, die Tauben° auf dem Dache°, die Fliegen an der Wand, ja, das Feuer, das auf dem Herde° flackerte, ward still und schlief ein, und der Braten° hörte auf zu brutzeln°, und der Koch, der den Küchenjungen, weil er etwas versehen° hatte, in den Haaren ziehen wollte, liess ihn los und schlief. Und der Wind legte sich°, und auf den Bäumen vor dem Schloss regte sich kein Blättchen mehr.

Rings um das Schloss aber begann eine Dornenhecke zu wachsen, die jedes Jahr höher ward und endlich das ganze Schloss umzog° und darüber hinauswuchs, dass gar nichts mehr davon zu sehen war, selbst nicht die Fahne auf dem Dach. Es ging aber die Sage° in dem Land von dem schönen schlafenden Dornröschen, denn so ward die Königstochter genannt, also dass von Zeit zu Zeit Königssöhne kamen und durch die Hecke in das Schloss dringen° wollten. Es war ihnen aber nicht möglich, denn die Dornen, als hätten sie Hände, hielten fest zusammen, und die Jünglinge blieben darin hängen, konnten sich nicht wieder losmachen und starben eines jämmerlichen° Todes. Nach langen, langen Jahren kam wieder einmal ein Königssohn in das Land und hörte, wie ein alter Mann von der Dornhecke erzählte, es sollte ein Schloss dahinter stehen, in welchem eine wunderschöne Königstochter, Dornröschen genannt, schon seit hundert Jahren schliefe, und mit ihr schliefe der König und die Königin und der ganze Hofstaat. Er wusste auch von seinem Grossvater, dass schon viele Königssöhne gekommen wären und versucht hätten, durch die Dornenhecke zu dringen, aber sie wären darin hängengeblieben und eines traurigen Todes gestorben. Da sprach der Jüngling: „Ich fürchte mich nicht°, ich will hinaus und das schöne Dornröschen sehen." Der gute Alte mochte ihm abraten°, wie er wollte, er hörte nicht auf seine Worte.

Nun waren aber gerade die hundert Jahre verflossen°, und der Tag war gekommen, wo Dornröschen wieder erwachen sollte. Als der Königssohn sich der Dornenhecke näherte, waren es lauter°

das Stübchen *little room*
emsig *busily*
nicken *to nod*
anrühren *to touch* **der Zauberspruch** *magic spell*
empfinden *to feel*
s. verbreiten *to spread out*
der Hofstaat *royal household*
die Taube *pigeon* **das Dach** *roof* **der Herd** *fireplace*
der Braten *roast* **brutzeln** *to sizzle*
versehen *to do something wrong* **s. legen** *to quiet down*
umziehen *to surround*
die Sage *legend*
dringen *to make one's way through*
jämmerlich *miserable*
ich fürchte mich nicht *I'm not afraid* **abraten** *to dissuade*
verflossen *passed*
lauter *nothing but*

grosse, schöne Blumen, die taten sich von selbst auseinander° und liessen ihn unbeschädigt° hindurch, und hinter ihm taten sie sich wieder als eine Hecke zusammen. Im Schlosshof sah er die Pferde und scheckigen° Jagdhunde° liegen und schlafen, auf dem Dache sassen die Tauben und hatten das Köpfchen unter die Flügel gesteckt. Und als er ins Haus kam, schliefen die Fliegen an der Wand, der Koch in der Küche hielt noch die Hand, als wollte er den Jungen anpacken, und die Magd° sass vor dem schwarzen

s. auseinander tun *to part*
unbeschädigt *unharmed*

scheckig *spotted* **der Jagdhund** *hunting dog*

die Magd *maid, girl*

Huhn, das sollte gerupft° werden. Da ging er weiter und sah im Saale den ganzen Hofstaat liegen und schlafen, und oben bei dem Throne lag der König und die Königin. Da ging er noch weiter, und alles war so still, dass einer seinen Atem° hören konnte, und endlich kam er zu dem Turm und öffnete die Türe zu der kleinen Stube, in welcher Dornröschen schlief. Da lag es und war so schön, dass er die Augen nicht abwenden° konnte, und er bückte sich° und gab ihm einen Kuss. Wie er es mit dem Kuss berührt° hatte, schlug Dornröschen die Augen auf, erwachte und blickte ihn ganz freundlich an. Da gingen sie zusammen herab, und der König erwachte und die Königin und der ganze Hofstaat und sahen einander mit grossen Augen an. Und die Pferde im Hof standen auf und rüttelten sich, die Jagdhunde sprangen und wedelten°, die Tauben auf dem Dache zogen das Köpfchen unterm Flügel hervor, sahen umher und flogen ins Feld, die Fliegen an den Wänden krochen weiter, das Feuer in der Küche erhob sich, flackerte und kochte das Essen, der Braten fing an zu brutzeln, und der Koch gab dem Jungen eine Ohrfeige°, dass er schrie, und die Magd rupfte das Huhn fertig. Und da wurde die Hochzeit des Königssohns mit dem Dornröschen in aller Pracht gefeiert, und sie lebten vergnügt° bis an ihr Ende.

rupfen *to pluck*
der Atem *breath*
abwenden *to turn away*
s. bücken *to bend down*
berühren *to touch*
wedeln *to wag (its) tail*
die Ohrfeige *slap*
vergnügt *happily*

BRÜDER GRIMM

Fragen zum Inhalt

1. Was sprachen der König und die Königin jeden Tag?
2. Was geschah eines Tages, als die Königin im Bad sass?
3. Warum stellte der König ein grosses Fest an?
4. Wen lud der König ein? Warum lud er von den dreizehn weisen Frauen nur zwölf ein?
5. Was taten die weisen Frauen am Ende des Festes?
6. Was passierte, als die elfte eben ihre Sprüche getan hatte?
7. Was rief die dreizehnte weise Frau mit lauter Stimme?
8. Was tat daraufhin die zwölfte weise Frau?
9. Was befahl der König daraufhin?
10. Erfüllten sich die Sprüche der weisen Frauen, als das Mädchen aufwuchs?
11. Was machte das Mädchen eines Tages, als die Eltern nicht zu Hause waren?
12. Wem begegnete das Mädchen, und was sagte es? Was passierte daraufhin?
13. Was geschah jetzt mit allen Leuten am Königshof? Und mit dem Schloss?
14. Was für eine Sage verbreitete sich, und wer wollte in das Schloss eindringen? Was passierte mit ihnen?
15. Was hörte eines Tages wieder ein Königssohn von einem alten Mann?
16. Was passierte, als sich dieser Königssohn dem Schloss näherte? — Was sah der junge Mann?
17. Wann erwachte das Dornröschen aus ihrem langen Schlaf?
18. Was passierte daraufhin?

Die Ratten folgen dem Rattenfänger aus der Stadt.

Die Kinder zu Hameln[1]

Im Jahre 1284 liess sich zu Hameln ein wunderlicher° Mann sehen. Er hatte einen Rock° von vielfarbigem, buntem Tuch° an, weshalben er Bundting soll geheissen haben, und gab sich für einen Rattenfänger aus, indem er versprach, gegen ein gewisses Geld die Stadt von allen Mäusen und Ratten zu befreien. Die Bürger° wurden mit ihm einig und versicherten ihm einen bestimmten Lohn. Der Rattenfänger zog demnach ein Pfeifchen° heraus und pfiff, da kamen alsobald die Ratten und Mäuse aus allen Häusern hervorgekrochen und sammelten sich um ihn herum. Als er nun meinte, es wäre keine zurück, ging er hinaus und der ganze Haufe folgte ihm, und so führte er sie an die Weser; dort schürzte° er seine Kleider und trat in das Wasser, worauf ihm alle Tiere folgten und hineinstürzend ertranken°.

Nachdem die Bürger aber von ihrer Plage° befreit waren, reute° sie der versprochene Lohn und sie verweigerten° ihn dem Manne unter allerlei Ausflüchten°, so dass er zornig und erbittert wegging. Am 26. Juni auf Johannis und Pauli Tag[2], morgens früh sieben Uhr, erschien er wieder, jetzt in Gestalt eines Jägers° erschrecklichen Angesichts° mit einem roten wunderlichen Hut und liess seine Pfeife in den Gassen° hören. Alsbald kamen diesmal nicht Ratten und Mäuse, sondern Kinder, Knaben und Mägdlein vom vierten Jahr an, in grosser Anzahl gelaufen, worunter auch schon die erwachsene Tochter des Bürgermeisters° war. Der ganze Schwarm folgte ihm nach, und er führte sie hinaus in einen Berg, wo er mit ihnen verschwand. Dies hatte ein Kindermädchen° gesehen, welches mit einem Kind auf dem Arm von ferne nachgezogen war, danach umkehrte und das Gerücht° in die Stadt brachte. Die Eltern liefen haufenweise° vor alle Tore[3] und suchten mit betrübtem° Herzen ihre Kinder; die Mütter erhoben ein jämmerliches° Schreien und Weinen. Von Stund an wurden Boten° zu Wasser und Land an alle Orte herumgeschickt, zu erkundigen°, ob man die Kinder, oder auch nur etliche gesehen, aber alles vergeblich°. Es waren im ganzen hundert und dreissig verloren. Zwei sollen, wie einige sagen, sich verspätet und zurückgekommen sein, wovon aber das eine blind, das andere stumm° gewesen, also dass das blinde den Ort nicht hat zeigen können, aber wohl erzählen, wie sie dem Spielmann° gefolgt wären; das stumme aber den Ort gewiesen°, ob

wunderlich *strange*
der Rock *coat* **das Tuch** *cloth*
der Bürger *citizen*
das Pfeifchen *little pipe*
schürzen *to fasten up*
ertrinken *to drown*
die Plage *trouble*
s. reuen *to regret* **verweigern** *to refuse* **die Ausflucht** *excuse*
der Jäger *hunter*
erschrecklichen Angesichts *with a terrifying face*
die Gasse *small street*
der Bürgermeister *mayor*
das Kindermädchen *nanny*
das Gerücht *report*
haufenweise *in droves* **betrübt** *troubled* **jämmerlich** *pitiful*
der Bote *messenger*
erkundigen *to inquire*
vergeblich *in vain*
stumm *mute*
der Spielmann *minstrel*
weisen *to point out*

---

[1] **Hameln** (Hamlin) is a town on the river Weser in the State of Lower Saxony.

[2] The Catholic Church now celebrates the Johannistag, the name day of John the Baptist, on June 24 and the Paulstag, the name day of St. Paul, on June 29.

[3] Medieval cities and towns were surrounded by walls with large and small gates at various points.

Der Rattenfänger lockt die Kinder aus der Stadt heraus.

es gleich nichts gehört. Ein Knäblein war im Hemd mitgelaufen und kehrte um, seinen Rock zu holen, wodurch es dem Unglück° entgangen°; denn als es zurückkam, waren die andern schon in der Grube° eines Hügels, die noch gezeigt wird, verschwunden.

Die Strasse, wodurch die Kinder zum Tor hinausgegangen, hiess noch in der Mitte des 18. Jahrhunderts (wohl noch heute) die bungelose (trommel-tonlose, stille), weil kein Tanz darin gesche-

das Unglück *misfortune*
entgehen *to escape*
die Grube *cave*

hen, noch Saitenspiel° durfte gerührt werden. Ja, wenn eine Braut mit Musik zur Kirche gebracht ward, mussten die Spielleute über die Gasse hin stillschweigen°. Der Berg bei Hameln, wo die Kinder verschwanden, heisst der Poppenberg, wo links und rechts zwei Steine in Kreuzform sind aufgerichtet worden. Einige sagen, die Kinder wären in eine Höhle° geführt worden und in Siebenbürgen° wieder herausgekommen.

Die Bürger von Hameln haben die Begenbenheit° in ihr Stadtbuch einzeichnen lassen und pflegten in ihren Ausschreiben° nach dem Verlust ihrer Kinder Jahr und Tag zu zählen. Der 22. statt des 26. Juni ist im Stadtbuch angegeben. An dem Rathaus standen folgende Zeilen:

> Im Jahr 1284 na Christi gebort
> tho Hamel worden uthgevort
> hundert und dreissig Kinder dasülvest geborn
> durch einen Piper under den Köppen verlorn[4].

Im Jahr 1572 liess der Bürgermeister die Geschichte in die Kirchenfenster abbilden mit der nötigen Überschrift, welche grösstenteils unleserlich geworden. Auch ist eine Münze darauf geprägt°.

BRÜDER GRIMM

das Saitenspiel *music of stringed instruments*
stillschweigen *to be silent*
die Höhle *cave* **Siebenbürgen** *Transylvania*
die Begebenheit *incident*
das Ausschreiben *proclamation*
auch . . . geprägt *a coin was also minted in commemoration thereof*

Fragen zum Inhalt

1. Wer ist Bundting? Wann kam er nach Hameln, und als was gab er sich aus?
2. Worüber wurden die Bürger von Hameln mit Bundting einig?
3. Wie befreite Bundting die Stadt Hameln von allen Ratten und Mäusen?
4. Warum ging Bundting zornig und erbittert von Hameln fort?
5. Wer kam nun an einem 26. Juni in die Stadt, und was passierte, als der Jäger seine Pfeife in allen Gassen hören liess?
6. Welches Gerücht brachte das Kindermädchen in die Stadt?
7. Was machten die Eltern nun, um ihre Kinder zu finden?
8. Welche drei Kinder waren nicht verschwunden?
9. Was ist die „bungelose" Strasse und der Poppenberg?
10. Wie haben die Bürger von Hameln diese Begebenheit verewigt?

---

[4] This verse is written in Middle High German, the German spoken and written from the 11th to the 15th century in what is today central and southern Germany. The following is a translation into modern German:

> Im Jahr 1284 nach Christi Geburt
> zu Hameln wurden ausgeführt
> hundert und dreissig Kinder dort selbst geboren
> durch einen Pfeifer unter den Köpfen* verloren.

* *right out from under their noses.*

Gedichte, Lieder und Balladen

Wandrers Nachtlied

Der du von dem Himmel bist,
Alles Leid° und Schmerzen stillest,
Den, der doppelt elend° ist,
Doppelt mit Erquickung° füllest,
—Ach, ich bin des Treibens müde°,
Was soll all der Schmerz und Lust°?—
Süsser Friede°,
Komm, ach komm in meine Brust!

JOHANN WOLFGANG VON GOETHE
(1749-1832)

das Leid *suffering*
elend *miserable*
die Erquickung *invigoration*
des Treibens müde *tired of the hustle and bustle*
die Lust *joy, pleasure*
der Friede *peace*

Freudvoll
und leidvoll°,
gedankenvoll sein;
hangen
und bangen°
in schwebender Pein°,
himmelhoch jauchzend°,
zu Tode betrübt°;
glücklich allein
ist die Seele°, die liebt.

JOHANN WOLFGANG VON GOETHE

leidvoll *sorrowful*
bangen *to be anxious*
in schwebender Pein *in suspenseful torment*
jauchzend *rejoicing*
betrübt *depressed, dejected*
die Seele *soul*

Gott giebt die Nüsse aber er beisst sie nicht auf
Weimar d. 9 Octbr 1811 Goethe

Ein Gleiches°

Über allen Gipfeln
Ist Ruh;
In allen Wipfeln°
Spürest° du
Kaum einen Hauch°;
Die Vögelein schweigen° im Walde.
Warte nur, balde
Ruhest du auch.

JOHANN WOLFGANG VON GOETHE

ein Gleiches *the same (awaits you)*

der Wipfel *treetop*
spüren *to sense, feel*
der Hauch *breeze*
schweigen *to be silent*

Goethes Gartenhaus in Weimar

Erlkönig

Wer reitet so spät durch Nacht und Wind?
Es ist der Vater mit seinem Kind;
Er hat den Knaben wohl in dem Arm,
Er fasst ihn sicher, er hält ihn warm.—

Mein Sohn, was birgst° du so bang dein Gesicht?—
Siehst, Vater, du den Erlkönig nicht?
Den Erlenkönig mit Kron und Schweif°?—
Mein Sohn, es ist ein Nebelstreif°.—

„Du liebes Kind, komm, geh mit mir!
Gar schöne Spiele spiel ich mit dir;
Manch bunte Blumen sind an dem Strand;
Meine Mutter hat manch gülden Gewand°."

Mein Vater, mein Vater, und hörest du nicht,
Was Erlenkönig mir leise verspricht?—
Sei ruhig, bleibe ruhig, mein Kind!
In dürren° Blättern säuselt der Wind.—

bergen *to hide*

der Schweif *train*

der Nebelstreif(en) *patch of fog*

gülden Gewand *golden raiment*

dürr *dry*

„Willst, feiner Knabe, du mit mir gehn?
Meine Töchter sollen dich warten° schön;
Meine Töchter führen den nächtlichen Reihn°
Und wiegen und tanzen und singen dich ein°."

Mein Vater, mein Vater, und siehst du nicht dort
Erlkönigs Töchter am düstern° Ort?—
Mein Sohn, mein Sohn, ich seh es genau;
Es scheinen die alten Weiden° so grau.—

„Ich liebe dich, mich reizt° deine schöne Gestalt;
Und bist du nicht willig, so brauch ich Gewalt°."—
Mein Vater, mein Vater, jetzt fasst er mich an!
Erlkönig hat mir ein Leids getan°!—

Dem Vater grauset's°, er reitet geschwind,
Er hält in Armen das ächzende° Kind,
Erreicht den Hof mit Mühe und Not°;
In seinen Armen das Kind war tot.

JOHANN WOLFGANG VON GOETHE

warten *to take care of*
der Reih(e)n *round dance*
einwiegen *to rock to sleep*
düster *dark*
die Weide *willow tree*
reizen *to entice*
die Gewalt *force*
ein Leid(s) tun *to harm*
ihm grauset's *he's terrified*
ächzend *groaning*
mit Mühe und Not *with great difficulty*

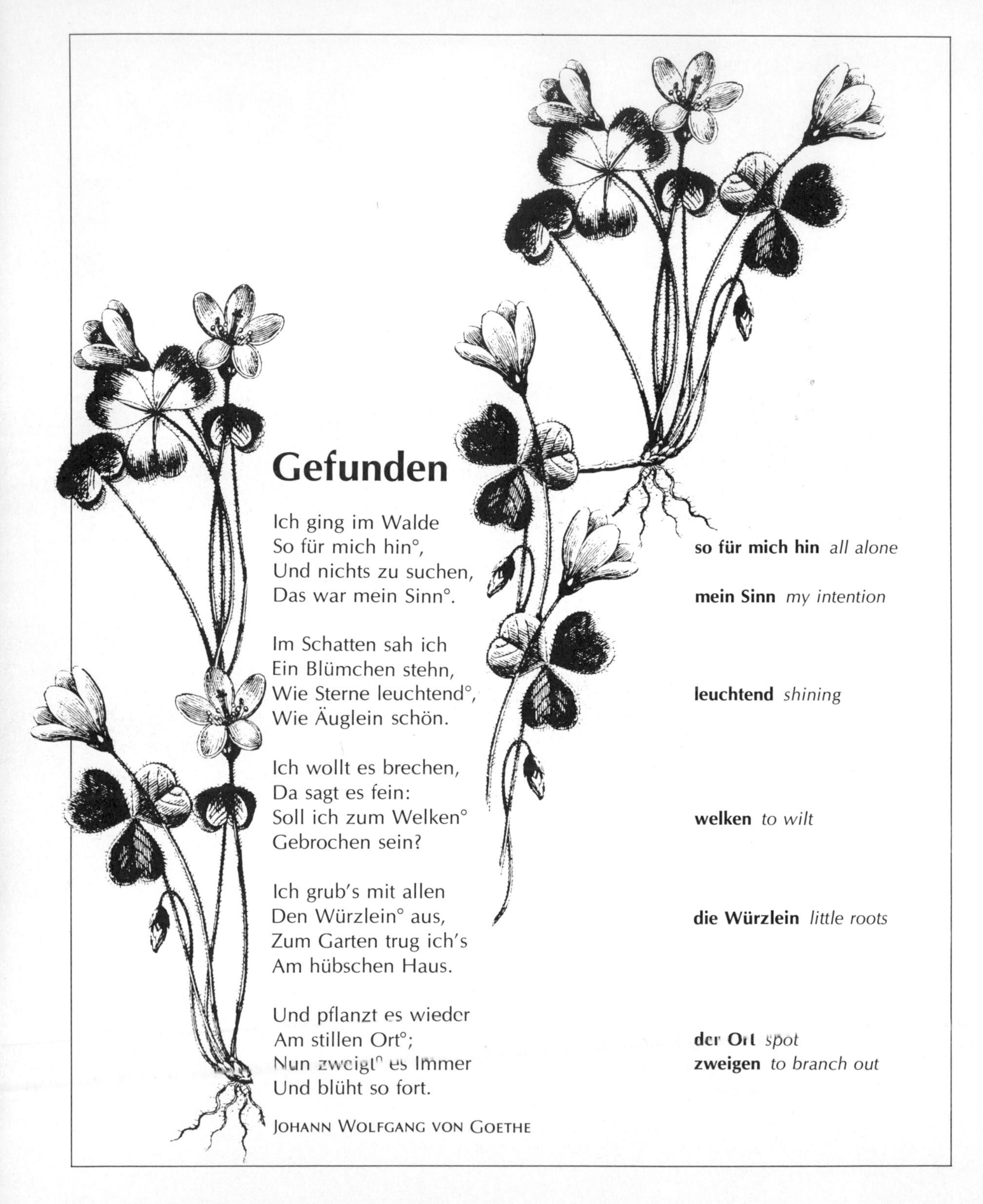

Gefunden

Ich ging im Walde
So für mich hin°,
Und nichts zu suchen,
Das war mein Sinn°.

Im Schatten sah ich
Ein Blümchen stehn,
Wie Sterne leuchtend°,
Wie Äuglein schön.

Ich wollt es brechen,
Da sagt es fein:
Soll ich zum Welken°
Gebrochen sein?

Ich grub's mit allen
Den Würzlein° aus,
Zum Garten trug ich's
Am hübschen Haus.

Und pflanzt es wieder
Am stillen Ort°;
Nun zweigt° es immer
Und blüht so fort.

JOHANN WOLFGANG VON GOETHE

so für mich hin *all alone*

mein Sinn *my intention*

leuchtend *shining*

welken *to wilt*

die Würzlein *little roots*

der Ort *spot*
zweigen *to branch out*

Heidenröslein

Sah ein Knab° ein Röslein° stehn,
Röslein auf der Heiden°,
War so jung und morgenschön,
Lief er schnell, es nah zu sehn,
Sah's mit vielen Freuden°.
Röslein, Röslein, Röslein rot,
Röslein auf der Heiden.

Knabe sprach: Ich breche dich,
Röslein auf der Heiden!
Röslein sprach: Ich steche dich,
Dass du ewig° denkst an mich,
Und ich will's nicht leiden°.
Röslein, Röslein, Röslein rot,
Röslein auf der Heiden.

Und der wilde Knabe brach
's Röslein auf der Heiden;
Röslein wehrte sich und stach,
Half ihm doch kein Weh und Ach°,
Musst es eben leiden.
Röslein, Röslein, Röslein rot,
Röslein auf der Heiden.

JOHANN WOLFGANG VON GOETHE

der Knab(e) *youth, boy* **das Röslein** *little rose* **die Heide** *health* **die Freude** *pleasure, joy* **ewig** *eternally* **leiden** *to suffer, endure* **Weh und Ach** *cry of pain*

Der Wirtin° Töchterlein

Es zogen drei Burschen° wohl über den Rhein,
Bei einer Frau Wirtin, da kehrten sie ein.

„Frau Wirtin! hat sie gut Bier und Wein?
Wo hat sie ihr schönes Töchterlein?"

„ Mein Bier und Wein ist frisch und klar,
Mein Töchterlein liegt auf der Totenbahr°."

Und als sie traten zur Kammer hinein,
Da lag sie in einem schwarzen Schrein°.

Der erste, der schlug den Schleier° zurück
Und schaute sie an mit traurigem Blick:

„Ach! lebtest du noch, du schöne Maid!
Ich würde dich lieben von dieser Zeit."

Der zweite deckte den Schleier zu
Und kehrte sich ab und weinte dazu:

„Ach! dass du liegst auf der Totenbahr!
Ich hab dich geliebet so manches Jahr."

Der dritte hub ihn wieder sogleich
Und küsste sie an den Mund so bleich°:

„Dich liebt ich immer, dich lieb ich noch heut
Und werde dich lieben in Ewigkeit°."

LUDWIG UHLAND (*1787-1862*)

die Wirtin *innkeeper*
der Bursche *youth, fellow*
die Totenbahr(e) *death bed*
der Schrein *coffin*
der Schleier *veil*
bleich *pale*
in Ewigkeit *to the end of time*

Der gute Kamerad

Ich hatt einen Kameraden,
Einen bessern findst du nit.
Die Trommel schlug zum Streite°,
Er ging an meiner Seite
In gleichem Schritt und Tritt°.

Eine Kugel° kam geflogen,
Gilt's mir° oder gilt es dir?
Ihn hat es weggerissen,
Er liegt mir vor den Füssen,
Als wär's ein Stück von mir.

Will mir die Hand noch reichen,
Derweil ich eben lad°:
„Kann dir die Hand nicht geben,
Bleib du im ew'gen° Leben
Mein guter Kamerad!"

LUDWIG UHLAND

Die . . . Streite *the drum called to battle*
in Schritt und Tritt *in step*
die Kugel *bullet*
gilt's mir? *is it meant for me?*
laden *to load (a gun)*
ewig *eternal*

Das zerbrochene Ringlein

In einem kühlen Grunde°
Da geht ein Mühlenrad°,
Mein' Liebste ist verschwunden,
Die dort gewohnet hat.

Sie hat mir Treu versprochen°,
Gab mir ein'n Ring dabei,
Sie hat die Treu gebrochen,
Mein Ringlein sprang entzwei.

Ich möcht als Spielmann° reisen
Weit in die Welt hinaus
Und singen meine Weisen
Und gehn von Haus zu Haus.

Ich möcht als Reiter fliegen
Wohl in die blut'ge Schlacht°,
Um stille Feuer liegen
Im Feld bei dunkler Nacht.

Hör ich das Mühlrad gehen:
Ich weiss nicht, was ich will—
Ich möcht am liebsten sterben°,
Da wär's auf einmal still!

JOSEPH VON EICHENDORFF
(1788-1857)

der Grund *spot*
das Mühlenrad *mill-wheel*
die Treu versprechen *to promise to be true*
der Spielmann *minstrel*
die blut'ge Schlacht *the bloody battle*
sterben *to die*

Der frohe° Wandersmann

Wem Gott will rechte Gunst erweisen°,
Den schickt er in die weite Welt;
Dem will er seine Wunder weisen
In Berg und Wald und Strom und Feld.

Die Trägen°, die zu Hause liegen,
Erquicket° nicht das Morgenrot;
Sie wissen nur von Kinderwiegen°,
Von Sorgen, Last° und Not um Brot.

Die Bächlein° von den Bergen springen,
Die Lerchen° schwirren hoch vor Lust,
Was sollt' ich mit ihnen singen
Aus voller Kehl'° und frischer Brust?

Den lieben Gott lass' ich nur walten°;
Der Bächlein, Lerchen, Wald und Feld
Und Erd' und Himmel will erhalten°,
Hat auch mein' Sach' aufs best' bestellt°!

JOSEPH VON EICHENDORFF

froh *happy* **rechte Gunst erweisen** *to grant a special favor* **die Trägen** *the lazy ones* **erquicken** *to refresh* **die Kinderwiege** *cradle* **die Last** *burden* **das Bächlein** *little brook* **die Lerche** *lark* **aus voller Kehl'** *heartily* **walten** *to rule* **erhalten** *to preserve* **hat . . . bestellt** *has taken care of my things (my life) in the best way*

Weihnachten

Markt und Strassen stehn verlassen,
Still erleuchtet° jedes Haus,
Sinnend geh' ich durch die Gassen°,
Alles sieht so festlich aus.

An den Fenstern haben Frauen
Buntes Spielzeug fromm° geschmückt,
Tausend Kindlein stehn und schauen,
Sind so wunderstill beglückt°.

Und ich wandre aus den Mauern
Bis hinaus ins freie Feld,
Hehres Glänzen, heilges Schauern°!
Wie so weit und still die Welt!

Sterne hoch die Kreise schlingen°,
Aus des Schnees Einsamkeit°
Steigts wie wunderbares Singen —
O du gnadenreiche° Zeit!

JOSEPH VON EICHENDORFF

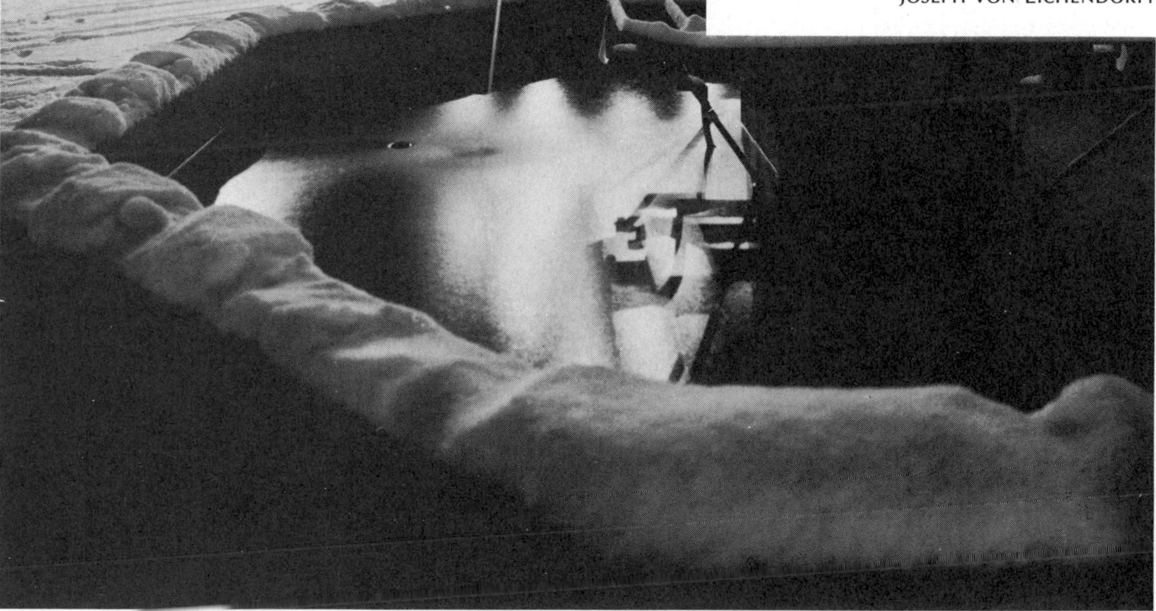

---

erleuchtet *lit up* **die Gasse** *small street* **fromm** *religiously* **beglückt** *happy* **hehres . . . Schauern** *majestic brilliance, sacred awe* **Kreise schlingen** *to make circles* **die Einsamkeit** *loneliness* **gnadenreich** *merciful, full of grace*

Schläft ein Lied in allen Dingen,
Die da träumen° fort und fort,
Und die Welt hebt an zu singen,
Triffst du nur das Zauberwort°.

JOSEPH VON EICHENDORFF

träumen *to dream*
das Zauberwort *magic word*

Mondnacht

Es war, als hätt' der Himmel
Die Erde still geküsst,
Dass sie im Blütenschimmer°
Von ihm nun träumen müsst'.

Die Luft ging durch die Felder,
Die Ähren° wogten° sacht°,
Es rauschten leis die Wälder,
So sternklar war die Nacht.

Und meine Seele° spannte
Weit ihre Flügel aus°,
Flog durch die stillen Lande,
Als flöge sie nach Haus.

JOSEPH VON EICHENDORFF

der Blütenschimmer *shimmer of blossoms*
die Ähren (pl) *ears of grain* wogen *to sway* sacht *gently*
die Seele *soul*
ausspannen *to spread out*

Im wunderschönen Monat Mai,
als alle Knospen° sprangen,
da ist in meinem Herzen
die Liebe aufgegangen°.

Im wunderschönen Monat Mai,
als alle Vögel sangen,
da hab ich ihr gestanden°
mein Sehnen und Verlangen°.

HEINRICH HEINE
(*1797-1856*)

Ein Jüngling liebt ein Mädchen

Ein Jüngling liebt ein Mädchen,
Die hat einen andern erwählt°;
Der andre liebt eine andre,
Und hat sich mit dieser vermählt°.

Das Mädchen heiratet aus Ärger°
Den ersten besten Mann,
Der ihr in den Weg gelaufen°;
Der Jüngling ist übel dran°.

Es ist eine alte Geschichte,
Doch bleibt sie immer neu;
Und wem sie just passieret,
Dem bricht das Herz entzwei.

HEINRICH HEINE

die Knospe *bud* **aufgehen** *to blossom* **gestehen** *to admit* **das Sehnen und Verlangen** *longing and desire* **erwählen** *to choose* **s. vermählen mit** *to marry* **der Ärger** *anger* **den . . . gelaufen** *the first man to come along* **ist übel dran** *is in a sad fix*

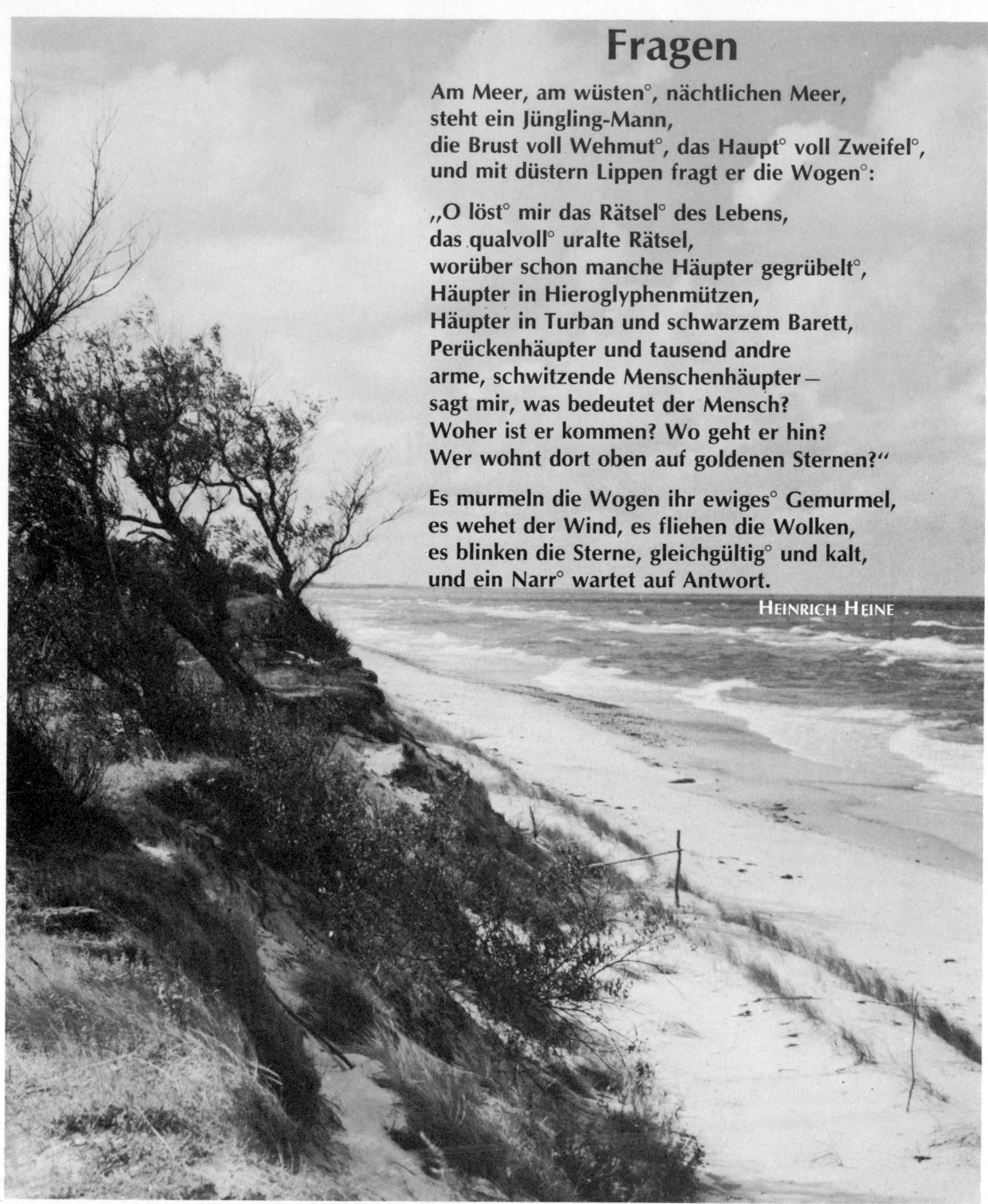

Fragen

Am Meer, am wüsten°, nächtlichen Meer,
steht ein Jüngling-Mann,
die Brust voll Wehmut°, das Haupt° voll Zweifel°,
und mit düstern Lippen fragt er die Wogen°:

„O löst° mir das Rätsel° des Lebens,
das qualvoll° uralte Rätsel,
worüber schon manche Häupter gegrübelt°,
Häupter in Hieroglyphenmützen,
Häupter in Turban und schwarzem Barett,
Perückenhäupter und tausend andre
arme, schwitzende Menschenhäupter –
sagt mir, was bedeutet der Mensch?
Woher ist er kommen? Wo geht er hin?
Wer wohnt dort oben auf goldenen Sternen?"

Es murmeln die Wogen ihr ewiges° Gemurmel,
es wehet der Wind, es fliehen die Wolken,
es blinken die Sterne, gleichgültig° und kalt,
und ein Narr° wartet auf Antwort.

HEINRICH HEINE

wüst *desolate* **die Wehmut** *sadness* **das Haupt** *head* **der Zweifel** *doubt* **die Wogen** (pl) *waves* **lösen** *to solve* **das Rätsel** *riddle* **qualvoll** *painful* **grübeln über** *to ponder over* **ewig** *eternal* **gleichgültig** *indifferent* **der Narr** *fool*

Das Lied der Deutschen[1]

Deutschland, Deutschland über alles,
Über alles in der Welt,
Wenn es stets zu Schutz und Trutze°
Brüderlich zusammenhält;
Von der Maas bis an die Memel,
Von der Etsch bis an den Belt[2]:
Deutschland, Deutschland über alles,
Über alles in der Welt!

zu Schutz und Trutze *in defense and in offense*

Deutsche Frauen, deutsche Treue°,
Deutscher Wein und deutscher Sang
Sollen in der Welt behalten
Ihren alten, schönen Klang,
Uns zu edler Tat begeistern°
Unser ganzes Leben lang:
Deutsche Frauen, deutsche Treue,
Deutscher Wein und deutscher Sang!

die Treue *loyalty*

uns . . . begeistern *to inspire us to do noble deeds*

Einigkeit° und Recht° und Freiheit
Für das deutsche Vaterland!
Danach lasst uns alle streben°
Brüderlich mit Herz und Hand!
Einigkeit und Recht und Freiheit
Sind des Glückes Unterpfand°:
Blüh° im Glanze° dieses Glückes,
Blühe, deutsches Vaterland!

A. H. Hoffmann von Fallersleben
(1798-1874)

die Einigkeit *unity* das Recht *justice*

streben nach *to strive for*

des Glückes Unterpfand *the guarantee of happiness*

blühen *to blossom, flourish*

der Glanz *radiance*

---

[1] The text of the song was written in 1841 by the German poet August Heinrich Hoffmann von Fallersleben (1798-1874). At that time Germany was still split up into more than 30 small states which were loosely united since 1815 in the *Deutscher Bund* (German Federation). Hoffmann von Fallersleben who was a poet, linguist and historian of literature also wrote a number of other well-known songs. In 1922 the first President of the German Republic, the Social Democrat Friedrich Ebert, officially introduced the *Deutschland-Lied* as the National Anthem. In May 1952 the third stanza of the *Deutschland-Lied* was proclaimed the official anthem of the Federal Republic of Germany by President Theodor Heuss. The melody of the *Deutschland-Lied* was composed by Joseph Haydn (1732-1809), the famous composer of many symphonies, operas and oratorios. The melody is that of the old Austrian Kaiserhymn (Imperial Anthem) which was played for the first time on February 12, 1797.

[2] **Die Maas,** the Meuse, is a river rising in France and flowing through Belgium and the Netherlands (close to the German border) to the North Sea. **Die Memel,** the Niemen, is a river rising in Russia and flowing into what was formerly East Prussia. **Die Etsch,** the Adige, is a river in a part of northern Italy that was formerly South Tirol. **Der Belt,** the Little Belt, is a strait in Denmark north of Germany.

Schmidt-Rottluff: Häuser bei Nacht (1912)

Die Stadt

Am grauen Strand, am grauen Meer
Und seitab liegt die Stadt;
Der Nebel° drückt die Dächer schwer,
Und durch die Stille braust das Meer
Eintönig° um die Stadt.

Es rauscht kein Wald, es schlägt° im Mai
Kein Vogel ohne Unterlass°;
Die Wandergans° mit hartem Schrei
Nur fliegt in Herbstesnacht vorbei,
Am Strande weht das Gras.

Doch hängt mein ganzes Herz an dir,
Du graue Stadt am Meer;
Der Jugend Zauber° für und für
Ruht lächelnd doch auf dir, auf dir,
Du graue Stadt am Meer.

THEODOR STORM *(1817-1888)*

---

der Nebel *fog* **eintönig** *monotonously* **schlagen** *to sing* **ohne Unterlass** *constantly* **die Wandergans** *wild goose* **der Jugend Zauber** *the magic of (my) youth*

Würd es mir fehlen, würd ichs vermissen?

Adolph von Menzel: Pestsäule im Wiener Graben

Heute früh, nach gut durchschlafener Nacht,
Bin ich wieder aufgewacht.
Ich setzte mich an den Frühstückstisch,
Der Kaffee war warm, die Semmel war frisch,
Ich habe die Morgenzeitung gelesen
(Es sind wieder Avancements° gewesen).
Ich trat ans Fenster, ich sah hinunter,
Es trabte° wieder, es klingelte munter°,
Eine Schürze° (beim Schlachter°) hing über dem Stuhle,
Kleine Mädchen gingen nach der Schule—
Alles war freundlich, alles war nett,
Aber wenn ich weiter geschlafen hätt
Und tät von alledem nichts wissen,
Würd es mir fehlen, würd ichs vermissen?

THEODOR FONTANE (*1819-1898*)

das Avancement *notice of promotion*
traben *to trot* **munter** *merrily*
die Schürze *apron* **der Schlachter** *butcher*

Ein kleines Lied

Ein kleines Lied! Wie gehts nur an°,
Dass man so lieb es haben kann,
Was liegt darin? Erzähle!

Es liegt darin ein wenig Klang°
Ein wenig Wohllaut° und Gesang,
Und eine ganze Seele°.

MARIE VON EBNER-ESCHENBACH
(*1830-1916*)

Ernst Barlach: Der singende Mann (Bronze, 1928)

---

angehen *to begin* **der Klang** *sound, ring* **der Wohllaut** *harmony* **die Seele** *soul*

Der Arbeitsmann

Wir haben ein Bett, wir haben ein Kind, mein Weib°!
Wir haben auch Arbeit, und gar zu zweit°,
Und haben die Sonne und Regen und Wind,
Und uns fehlt° nur eine Kleinigkeit,
Um so frei zu sein, wie die Vögel sind:
Nur Zeit.

Wenn wir sonntags durch die Felder gehn, mein Kind,
Und über den Ähren° weit und breit
Das blaue Schwalbenvolk° blitzen° sehn,
O, dann fehlt uns nicht das bisschen Kleid,
Um so schön zu sein, wie die Vögel sind:
Nur Zeit.

Nur Zeit! wir wittern° Gewitterwind, wir Volk.
Nur eine kleine Ewigkeit°;
Uns fehlt ja nichts, mein Weib, mein Kind,
Als all das, was durch uns gedeiht°,
Um so kühn° zu sein, wie die Vögel sind.
Nur Zeit.

RICHARD DEHMEL
(1863-1920)

---

das Weib *woman, wife* **gar zu zweit** *even both of us* **fehlen** *to be lacking* **die Ähren** (pl) *ears of grain* **das Schwalbenvolk** *swallows* **blitzen** *to flash, sparkle* **wittern** *to sense, smell* **die Ewigkeit** *eternity* **gedeihen** *to thrive* **kühn** *brave, daring*

Herbsttag

Herr: es ist Zeit. Der Sommer war sehr gross.
Leg deinen Schatten auf die Sonnenuhren,
und auf den Fluren° lass die Winde los.

Befiehl° den letzten Früchten voll° zu sein;
gib ihnen noch zwei südlichere Tage,
dränge sie zur Vollendung° hin° und jage°
die letzte Süsse in den schweren Wein.

Wer jetzt kein Haus hat, baut sich keines mehr.
Wer jetzt allein ist, wird es lange bleiben,
wird wachen°, lesen, lange Briefe schreiben
und wird in den Alleen° hin und her
unruhig wandern, wenn die Blätter treiben°.

RAINER MARIA RILKE
(*1875-1926*)

---

die Fluren (pl) *plains* **befehlen** *to command* **voll** *ripe* **die Vollendung** *ripeness* **hindrängen** *to push* **jagen** *to chase* **wachen** *to be awake* **die Allee** *avenue* **wenn die Blätter treiben** *when the leaves blow*

Der Panther

Im Jardin° des Plantes, Paris

Sein Blick ist vom Vorübergehn der Stäbe°
so müd geworden, dass er nichts mehr hält.
Ihm ist, als ob es tausend Stäbe gäbe
und hinter tausend Stäben keine Welt.

Der weiche Gang° geschmeidig° starker Schritte,
der sich im allerkleinsten Kreise° dreht,
ist wie ein Tanz von Kraft° um eine Mitte,
in der betäubt° ein grosser Wille steht.

Nur manchmal schiebt der Vorhang der Pupille
sich lautlos auf—. Dann geht ein Bild hinein,
geht durch der Glieder angespannte Stille°—
und hört im Herzen auf zu sein.

RAINER MARIA RILKE

le jardin *garden*

der Stab *bar*

der Gang *walk* **geschmeidig** *supple*
der Kreis *circle*
die Kraft *strength*
betäubt *numb*

durch . . . Stille *through the tense stillness of its limbs*

Paul Klee: Roter Luftballon (1922)

Du musst das Leben nicht verstehen,
Dann wird es werden wie ein Fest.
Und lass dir jeden Tag geschehen,
So wie ein Kind im Weitergehen
Von jedem Wehen
Sich viele Blüten° schenken lässt.

Sie aufzusammeln° und zu sparen,
Das kommt dem Kind nicht in den Sinn°.
Es löst sie leise aus den Haaren,
Drin sie so gern gefangen° waren,
Und hält den lieben jungen Jahren
Nach neuen seine Hände hin.

RAINER MARIA RILKE

die Blüte *blossom*

aufsammeln *to gather up*
in den Sinn kommen *to occur to*
gefangen *caught*

Emil Nolde: Windmühle am Strand (1929)

Ich lebe mein Leben in wachsenden Ringen,
die sich über die Dinge ziehn.
Ich werde den letzten vielleicht nicht vollbringen°,
aber versuchen will ich ihn.

Ich kreise° um Gott, um den uralten° Turm,
und ich kreise jahrtausendelang;
und ich weiss noch nicht: bin ich ein Falke°, ein Sturm
oder ein grosser Gesang.

RAINER MARIA RILKE

vollbringen *to complete*

kreisen *to circle* **uralt** *age-old*

der Falke *falcon*

Die Weise von Liebe und Tod des Cornets Christoph Rilke

(Ausschnitte) anno 1663

In the year 1663 a young cornet or standard-bearer, Christoph Rilke from Langenau, died in a battle against the Turks. He was fighting for Kaiser Leopold (1658-1703) in an Austrian cavalry regiment in the company of Baron von Pirovano. The poet Rainer Maria Rilke discovered a short report of this incident and was so inspired by it that, it is said, he wrote "Die Weise von Liebe und Tod des Cornets Christoph Rilke" in one night.

Reiten, reiten, reiten, durch den Tag, durch die Nacht, durch den Tag. Reiten, reiten, reiten.

Und der Mut° ist so müde geworden und die Sehnsucht° so gross. Es gibt keine Berge mehr, kaum einen Baum. Nichts wagt aufzustehen. Fremde Hütten hocken durstig an versumpften Brunnen°. Nirgends ein Turm. Und immer das gleiche Bild. Man hat zwei Augen zuviel. Nur in der Nacht manchmal glaubt man den Weg zu kennen. Vielleicht kehren wir nächtens immer wieder das Stück zurück, das wir in der fremden Sonne mühsam° gewonnen haben? Es kann sein. Die Sonne ist schwer, wie bei uns tief im Sommer. Aber wir haben im Sommer Abschied genommen. Die Kleider der Frauen leuchteten lang aus dem Grün. Und nun reiten wir lang'. Es muss also Herbst sein. Wenigstens dort, wo traurige Frauen von uns wissen.

Jemand erzählt von seiner Mutter. Ein Deutscher offenbar°. Laut und langsam setzt er seine Worte. Wie ein Mädchen, das Blumen bindet, nachdenklich° Blume um Blume probt und noch nicht weiss, was aus dem Ganzen wird—: so fügt er seine Worte. Zu Lust? Zu Leide? Alle lauschen°.

Da sind alle einander nah, diese Herren, die aus Frankreich kommen und aus Burgund, aus den Niederlanden, aus Kärntens[1]

der Mut *spirit* **die Sehnsucht** *longing*

versumpfte Brunnen *stagnant wells*

mühsam *with difficulty*

offenbar *apparently*

nachdenklich *lost in thought*

lauschen *to listen*

---

[1] **Kärnten,** *Carinthia, is one of the nine states of Austria.*

Tälern, von den böhmischen Burgen und vom Kaiser Leopold[2]. Denn was der Eine erzählt, das haben auch sie erfahren und gerade so. Als ob es nur eine Mutter gäbe . . . . .

Wachtfeuer. Man sitzt rundumher und wartet. Wartet, dass einer singt. Aber man ist so müde. Das rote Licht ist schwer. Es liegt auf den staubigen Schuhn. Es kriecht bis an die Knie, es schaut in die gefalteten Hände hinein. Es hat keine Flügel. Die Gesichter sind dunkel. Dennoch leuchten eine Weile die Augen des kleinen Franzosen mit eigenem Licht. Er hat eine kleine Rose geküsst, und nun darf sie weiterwelken° an seiner Brust. Der von Langenau hat es gesehen, weil er nicht schlafen kann. Er denkt: Ich habe keine Rose, keine.

welken *to wilt*

Dann singt er. Und das ist ein altes trauriges Lied, das zu Hause die Mädchen auf den Feldern singen, im Herbst, wenn die Ernten° zu Ende gehen.

die Ernte *harvest*

Einmal, am Morgen, ist ein Reiter da, und dann ein zweiter, vier, zehn. Ganz in Eisen°, gross. Dann tausend dahinter: das Heer°.

Man muss sich trennen°.

„Kehrt glücklich heim, Herr Marquis.“ —

„Die Maria schützt Euch[3], Herr Junker[4].“

das Eisen *iron*
das Heer *army*
s. trennen *to part*

[2] **Kaiser Leopold I** (1658-1703) was Emperor of the Holy Roman Empire.

[3] **Die Maria** refers to the Virgin Mary.

[4] **Junker** were young German nobles, members of the Prussian landed aristocracy.

Und sie können nicht voneinander. Sie sind Freunde auf einmal, Brüder. Haben einander mehr zu vertrauen°; denn sie wissen schon so viel Einer vom Andern. Sie zögern°. Und ist Hast

vertrauen *to trust; to confide*
zögern *to hesitate*

und Hufschlag um sie. Da streift der Marquis den grossen rechten Handschuh ab. Er holt die kleine Rose hervor, nimmt ihr ein Blatt°. Als ob man eine Hostie° bricht. ,,Das wird Euch beschirmen°. Lebt

das Blatt *petal*
die Hostie *host (Communion wafer)* **beschirmen** *to protect*

wohl." Der von Langenau staunt. Lange schaut er dem Franzosen nach. Dann schiebt er das fremde Blatt unter den Waffenrock°. Und es treibt auf und ab auf den Wellen° seines Herzens. Hornruf. Er reitet zum Heer, der Junker. Er lächelt traurig: ihn schützt eine fremde° Frau.

Der von Langenau schreibt einen Brief, ganz in Gedanken. Langsam malt er mit grossen, ernsten, aufrechten° Lettern:

der Waffenrock *tunic*
die Wellen *undulation, beats*
fremd *unknown*
aufrecht *straight*

„Meine gute Mutter,
seid stolz: Ich trage die Fahne,
seid ohne Sorge°: Ich trage die Fahne,
habt mich lieb°: Ich trage die Fahne—"

seid ohne Sorge *don't worry*
liebhaben *to love*

Dann steckt er den Brief zu sich in den Waffenrock, an der heimlichsten° Stelle, neben das Rosenblatt. Und denkt: Er wird bald duften davon. Und denkt: Vielleicht findet ihn einmal Einer . . . Und denkt . . .; denn der Feind° ist nah.—

heimlichst *most secret*
der Feind *enemy*

Ist das der Morgen? Sind das Vögel? Alles ist hell, aber es ist kein Tag. Alles ist laut, aber es sind nicht Vogelstimmen. Das sind Balken°, die leuchten. Das sind die Fenster, die schrein, rot, in die Feinde hinein, die draussen stehn im flackernden Land, schrein: Brand°.

Er läuft um die Wette° mit brennenden Gängen°, durch Türen, die ihn glühend umdrängen, über Treppen, die ihn versengen, bricht er aus aus dem rasenden Bau. Auf seinen Armen trägt er die Fahne wie eine weisse, bewusstlose° Frau. Und er findet ein Pferd, und es ist wie ein Schrei: über alles dahin und an allem vorbei, auch an den Seinen°.

Der von Langenau ist tief im Feind, aber ganz allein. Der Schrecken° hat um ihn einen Raum gemacht, und er hält, mitten drin, unter seiner langsam verlodernden° Fahne.

Der Waffenrock ist im Schlosse verbrannt, der Brief und das Rosenblatt einer fremden Frau. –

Im nächsten Frühjahr (es kam traurig und kalt) ritt ein Kurier des Freiherrn von Pirovano langsam in Langenau ein. Dort hat er eine alte Frau weinen° sehen.

der Balken *beam*

Brand *fire*

um die Wette laufen *to run a race* **der Gang** *corridor*

bewusstlos *unconscious*

die Seinen *his own people*

der Schrecken *fright*

verlodernd *smoldering*

weinen *to cry*

Rainer Maria Rilke

Fragen zum Inhalt

1. Wie sieht die Landschaft aus, durch die die Truppe reitet?
2. Warum hören alle dem einen Deutschen zu, als er von seiner Mutter erzählt?
3. Wieso verstehen die Männer einander, obwohl sie aus verschiedenen Ländern kommen?
4. Was küsst der kleine Franzose und warum wohl?
5. Was gibt der Franzose dem Herrn von Langenau, bevor er wegreitet? Welche Bedeutung hat das?
6. Was schreibt Herr von Langenau seiner Mutter, und was denkt er dabei?
7. Was ist mit dem Junker geschehen?

Im Nebel°

Seltsam°, im Nebel zu wandern!
Einsam° ist jeder Busch und Stein,
kein Baum sieht den andern,
jeder ist allein.

Voll von Freunden war mir die Welt,
als noch mein Leben licht° war;
nun, da der Nebel fällt,
ist keiner mehr sichtbar°.

Wahrlich, keiner ist weise,
der nicht das Dunkel kennt,
das unentrinnbar° und leise
von allen ihn trennt°.

Seltsam, im Nebel zu wandern!
Leben ist Einsamsein.
Kein Mensch kennt den andern,
Jeder ist allein.

Hermann Hesse
(1877-1962)

---

der Nebel *fog* **seltsam** *strange* **einsam** *lonely, isolated* **licht** *bright* **sichtbar** *visible* **unentrinnbar** *inescapably* **trennen** *to part*

Segelschiffe

Sie haben das mächtige° Meer unterm Bauch°
Und über sich Wolken und Sterne.
Sie lassen sich fahren vom himmlischen Hauch°
Mit Herrenblick° in die Ferne.

Sie schaukeln kokett° in des Schicksals° Hand
Wie trunkene Schmetterlinge.
Aber sie tragen von Land zu Land
Fürsorglich° wertvolle Dinge.

Wie das im Winde liegt und sich wiegt°,
Tauwebüberspannt° durch die Wogen,
Da ist eine Kunst, die friedlich siegt,
Und ihr Fleiss ist nicht verlogen°.

Es rauscht wie Freiheit. Es riecht wie Welt.—
Natur gewordene Planken
Sind Segelschiffe.—Ihr Anblick erhellt
und weitet unsre Gedanken°.

JOACHIM RINGELNATZ (*1883-1934*)

mächtig *powerful* **der Bauch** *hull*

der Hauch *breeze*

mit Herrenblick *with majestic mien*

kokett *coquettishly* **das Schicksal** *fate*

fürsorglich *carefully*

s. wiegen *to rock*

tauwebüberspannt *covered with riggings*

verlogen sein *to be a lie*

Ihr . . . Gedanken *the sight of them brightens and broadens our thoughts*

Lob des Lernens°

Lerne das Einfachste! Für die
Deren Zeit gekommen ist
Ist es nie zu spät!
Lerne das Abc! Es genügt nicht°, aber
Lerne es! Lass es dich nicht verdriessen°!
Fang an! Du musst alles wissen!
Du musst die Führung übernehmen.

Lerne, Mann im Asyl°!
Lerne, Mann im Gefängnis°!
Lerne, Frau in der Küche!
Lerne, Sechzigjährige!
Du musst die Führung übernehmen.
Suche die Schule auf, Obdachloser°!
Verschaffe dir Wissen, Frierender!
Hungriger, greif nach dem Buch: es ist eine Waffe.°
Du musst die Führung übernehmen.

Scheue° dich nicht zu fragen, Genosse°!
Lass dir nichts einreden
Sieh selber nach!
Was du nicht selber weisst
Weisst du nicht.

Prüfe° die Rechnung
Du musst sie bezahlen.
Lege den Finger auf jeden Posten°.
Frage: wie kommt er hierher?
Du musst die Führung übernehmen.

Bertolt Brecht
(1898-1956)

Lob des Lernens *in praise of learning*

es genügt nicht *it's not enough*

Lass . . . verdriessen! *Don't let it discourage you!*

im Asyl *in exile*

im Gefängnis *in jail*

der Obdachlose *homeless person*

die Waffe *weapon*

s. scheuen *to be afraid, avoid*

der Genosse *comrade*

prüfen *check*

der Posten *item, amount*

Der Radwechsel°

Ich sitze am Strassenhang.
Der Fahrer wechselt das Rad.
Ich bin nicht gern, wo ich herkomme.
Ich bin nicht gern, wo ich hinfahre.
Warum sehe ich den Radwechsel
Mit Ungeduld°?

Bertolt Brecht

der Radwechsel *changing a tire*

die Ungeduld *impatience*

Der Rauch°

Das kleine Haus unter Bäumen am See
Vom Dach steigt Rauch.
Fehlte er
Wie trostlos° dann wären
Haus, Bäume und See.

BERTOLT BRECHT

der Rauch *smoke* **trostlos** *desolate, cheerless*

Die Entwicklung der Menschheit

Einst haben die Kerls° auf den Bäumen gehockt°,
behaart und mit böser Visage.
Dann hat man sie aus dem Urwald° gelockt°
und die Welt asphaltiert und aufgestockt,
bis zur dreissigsten Etage°.

Da sassen sie nun, den Flöhen entflohn°,
in zentralgeheizten Räumen.
Da sitzen sie nun am Telefon.
Und es herrscht noch genau derselbe Ton
wie seinerzeit auf den Bäumen.

Sie hören weit. Sie sehen fern.
Sie sind mit dem Weltall° in Fühlung°.
Sie putzen die Zähne. Sie atmen modern.
Die Erde ist ein gebildeter° Stern
mit sehr viel Wasserspülung°.

Sie schiessen die Briefschaften durch ein Rohr°.
Sie jagen° und züchten Mikroben.
Sie versehn° die Natur mit allem Komfort.
Sie fliegen steil in den Himmel empor
und bleiben zwei Wochen oben.

Was ihre Verdauung° übriglässt,
das verarbeiten sie zu Watte°.
Sie spalten Atome. Sie heilen Inzest.
Und sie stellen durch Stiluntersuchungen° fest,
dass Cäsar Plattfüsse° hatte.

So haben sie mit dem Kopf und dem Mund
den Fortschritt° der Menschheit geschaffen.
Doch davon mal abgesehen° und
bei Lichte betrachtet° sind sie im Grund
noch immer die alten Affen.

Erich Kästner
(*1899-1974*)

der Kerl *guy* **hocken** *to squat*
der Urwald *jungle* **locken** *to lure*
die Etage *floor*
den Flöhen entflohn *having fled from the fleas*
das Weltall *universe* **in Fühlung** *in touch*
gebildet *educated*
die Wasserspülung *plumbing*
das Rohr *tube*
jagen *to hunt*
verseh(e)n *to supply*
die Verdauung *digestion*
das . . . Watte *they turn it into watts (of electricity)*
die Untersuchung *analysis*
die Plattfüsse *flat feet*
der Fortschritt *progress*
abgesehen davon *all that aside*
bei Lichte betrachtet *looked at in the light*

Das Eisenbahngleichnis°

Wir sitzen alle im gleichen Zug
und reisen quer° durch die Zeit.
Wir sehen hinaus. Wir sahen genug.
Wir fahren alle im gleichen Zug.
Und keiner weiss, wie weit.

Ein Nachbar schläft. Ein andrer klagt.
Der Dritte redet viel.
Stationen werden angesagt°.
Der Zug, der durch die Jahre jagt°,
kommt niemals an sein Ziel°.

Wir packen aus. Wir packen ein.
Wir finden keinen Sinn°.
Wo werden wir wohl morgen sein?
Der Schaffner schaut zur Tür herein
und lächelt vor sich hin°.

Auch er weiss nicht, wohin er will.
Er schweigt° und geht hinaus.
Da heult die Zugsirene schrill!
Der Zug fährt langsam und hält still.
Die Toten steigen aus.

Ein Kind steigt aus. Die Mutter schreit.
Die Toten stehen stumm°
am Bahnsteig der Vergangenheit°.
Der Zug fährt weiter, er jagt durch die Zeit.
Und niemand weiss, warum.

Die 1. Klasse ist fast leer.
Ein dicker Mensch sitzt stolz
im roten Plüsch und atmet schwer.
Er ist allein und spürt° das sehr.
Die Mehrheit° sitzt auf Holz.

Wir reisen alle im gleichen Zug
zur Gegenwart in spe°.
Wir sehen hinaus. Wir sahen genug.
Wir sitzen alle im gleichen Zug.
Und viele im falschen Coupé°.

ERICH KÄSTNER

das Eisenbahngleichnis *train parable*
quer *crosswise*
angesagt *called out*
jagen *to chase*
das Ziel *destination*
der Sinn *sense, direction*
vor sich hin *to himself*
schweigen *to be silent*
stumm *silently*
die Vergangenheit *past*
spüren *to sense, feel*
die Mehrheit *majority*
zur Gegenwart in spe *to a future present*
das Coupé *compartment*

Paul

Neunzehnhundertsiebzehn
an einem Tag unter Null geboren,

rannte er wild über den Kinderspielplatz,
fiel, und rannte weiter,

den Ball werfend über den Schulhof,
fiel, und rannte weiter,

das Gewehr im Arm über das Übungsgelände°,
fiel, und rannte weiter

an einem Tag unter Null
in ein russisches Sperrfeuer°

und fiel.

RAINER BRAMBACH (*1917*)

das Übungsgelände *training ground*

das Sperrfeuer *crossfire*

Alle Tage

Der Krieg° wird nicht mehr erklärt,
sondern fortgesetzt. Das Unerhörte°
ist alltäglich geworden. Der Held°
bleibt bei den Kämpfen fern. Der Schwache
ist in die Feuerzonen gerückt°.
Die Uniform des Tages ist die Geduld°,
die Auszeichnung° der armselige° Stern
der Hoffnung über dem Herzen.

Er wird verliehen°,
wenn nichts mehr geschieht,
wenn das Trommelfeuer verstummt°,
wenn der Feind° unsichtbar geworden ist
und der Schatten ewiger Rüstung°
den Himmel bedeckt.

Er wird verliehen für die Flucht von den Fahnen,
für die Tapferkeit° vor dem Freund,
für den Verrat unwürdiger Geheimnisse°
und die Nichtachtung°
jeglichen Befehls°.

INGEBORG BACHMANN (*1926*)

der Krieg *war*
das Unerhörte *the unheard of*
der Held *hero*

rücken *to move*
die Geduld *patience*
die Auszeichnung *decoration of honor* **armselig** *pitiful*

verleihen *to award*

verstummen *to become silent*
der Feind *enemy*
ewiger Rüstung *of never-ending armament*

die Tapferkeit *bravery*
für . . . Geheimnisse *for the devulging of unworthy secrets*
die Nichtachtung *disregard*
jeglichen Befehls *of every command*

Kurt Schwitters: Bergfriedhof (1919)

Deutsch-Englisches Wörterverzeichnis

A

der **Aasgeruch** *animal smell*
ab *forth;* ab und zu *now and then;* auf und ab *back and forth*
abbekommen *to get, come away with*
das **Abbild, -er** *copy*
abbilden *to depict*
abbringen: s. abbringen lassen *to let o.s. be talked out of*
abdrehen *to turn off*
der **Abend, -e** *evening;* eines Abends *one evening*
abends *in the evening, at night;* samstag abends *on Saturday nights*
die **Abendschule, -n** *night school*
abenteuerlich *adventurous*
aber (particle); *however; but*
der **Aberglaube, -n** *superstition*
abermals *again*
abfahren *to leave*
abgehen *to leave (school); to come off*
abgesehen von *aside from*
abhold *averse to*
s. **abkehren** *to turn away*
ablehnen *to decline, refuse*
abliefern *to deliver*
abnehmen: einem etwas abnehmen *to relieve a person of s. th.*
s. **abnützen** *to wear out*
das **Abonnement, -s** *commutation ticket*
abraten *to dissuade*
abreisen *to depart*
abreissen *to tear off*
der **Absatz, ⸚e** *paragraph, section*
abschätzend *sizing up disparagingly*
der **Abschied** *farewell, departure, leave-taking;* Abschied nehmen *to bid farewell*
abschliessen *to lock*
der **Abschnitt, -e** *section, part*
abschreiben *to copy*
abschütteln *to shake off*
absetzen *to set down*
absichtlich *intentional*
der **Abstand, ⸚e** *interval*
abstreifen *to pull off*
abtreiben *to carry*
abwaschen *to wash off*
abwenden *to turn away*
das **Ach: Weh und Ach** *cry of pain*
die **Achsel, -n** *shoulder*
achselzuckend *shrugging one's shoulders*
achten *to heed, regard*
achtgeben *to be careful*
der **Achtjährige, -n** *eight-year-old*
achtlos *not paying attention, carelessly*
ächzend *groaning*
die **Adresse, -n** *address*
der **Affe, -n** *monkey*
Afrika *Africa*
ahnen *to sense; to suspect*
ahnungslos *unsuspecting*
ahnungsvoll *ominous, apprehensive*
die **Ähre, -n** *ear of grain*
die **Akademie, -n** *academy*
der **Akt, -e** *act*
die **Aktentasche, -n** *briefcase*
der **Alkohol** *alcohol*
das **All** *universe*
alle *all, everything;* vor allem *above all, in front of everyone;* alle halbe Stunden *every half hour;* alle Tage *every day, daily*
alledem *all of that;* von alledem *about all of that*
die **Allee, -n** *avenue*
allein *alone;* nicht allein *not only*
allemal: ein für allemal *once and for all*
allerdings *nevertheless; to be sure*
allerkleinst– *smallest, very small*
allerlei *all kinds of*
allerorten *everywhere*
allerschlimmst–: am allerschlimmsten *worst of all*
alles *everything; all; everyone's;* über alles dahin *past everyone and everything*
allesamt *one and all*
alliiert *allied*
allmählich *gradually*
alltäglich *everyday, commonplace*
allzu *all too*
das **Alphabet** *alphabet*
als *as; than; when;* nichts als *nothing but*
alsbald *forthwith, right away*
also *therefore; really now;* also gut *well then, ok*
alsobald *forthwith, right away*
alt *old*
der **Alte, -n** *elderly person*
die **Alte, -n** *old woman*
das **Alter** *age*
das **Altersheim, -e** *old-age home*
das **Amerika** *America*
an *on*
anbehalten *to keep on (continue wearing)*
anbieten *to offer*
der **Anblick, -e** *sight, view;* bei dem Anblick *at the sight (of)*
anblicken *to look at*
andauernd *constantly*
ander–: ein anderer *another, a different one;* der andre *the other one;* am andern Tag *the next day*
andere *others*
anderes *other things;* nichts anderes *nothing else;* was anderes *something else*
ändern *to change*
anders *different(ly)*
anderswohin *somewhere else*
andre *other*
anfahren *to snap (at)*
der **Anfang, ⸚e** *beginning;* am Anfang *in the beginning*
anfangen *to start, begin*
anfangs *in the beginning*
anfassen *to take hold of*
angeben *to list, put down, enter*
das **Angeborene** *what one is born with*
das **Angebot, -e** *offering*
angeekelt *disgusted*
angefahren kommen *to ride, drive up*
angehen *to begin, start;* es geht mich nichts an *it's none of my business;* geht dich das etwa nichts an? *do you mean to tell me that doesn't concern you?*
angehörend *belonging to*
angekleidet *dressed;* dick angekleidet *dressed warmly*
die **Angelegenheit, -en** *affair, situation*
angemessen *appropriate*
angenehm *pleasant*
angesehen *respected*
das **Angesicht, -er** *face*
angesichts: angesichts deren *on the strength of that*

angespannt *tense*
angezogen *dressed;* schön angezogen *well dressed*
die **Angst** *fear;* Angst bekommen *to get alarmed;* Angst haben *to be afraid;* einem angst werden *to become afraid*
anhaben *to have on*
anhalten *to stop; to hold;* den Atem anhalten *to hold one's breath*
anheben *to begin*
anhören *to listen*
die **Anklage, -n** *accusation*
ankommen *to arrive;* es kommt darauf an *it matters, it depends on*
anlachen *to laugh at*
die **Anlage, -n** *natural ability*
annehmen *to assume*
anno *in the year*
anpacken *to grab*
anreden *to address*
anrüchig *shady*
anrucken *to start moving*
der **Anruf, -e** *(telephone) call*
anrufen *to call up*
anrühren *to touch*
ansagen *to announce, call out*
s. **anschaffen** *to acquire*
die **Anschaffung, -en** *purchase, acquisition*
anschauen *to look at, watch*
der **Anschein** *look, appearance;* den Anschein erwecken *to look as if, give the impression*
der **Anschlag, ⸚e** *attempt*
der **Anschluss, ⸚e** *connection*
die **Anschlussdose, -n** *phone jack*
anschreien *to yell at*
ansehen *to look at*
das **Ansehen: s. ein Ansehen geben** *to put on airs*
ansehnlich *dignified*
die **Ansicht, -en** *picture, view; opinion*
ansprechbar *approachable*
der **Anspruch, ⸚e** *claim, demand; right (to s.th.);* in Anspruch genommen *to be busy, occupied with*
die **Anstalt, -en** *institution*
anständig *decent*
anstarren *to stare at*
anstossen *to push, knock*
die **Antwort, -en** *answer*
antworten *to answer*
das **Antwortzeichen, -** *answer signal*
der **Anwalt, ⸚e** *lawyer*
anwenden *to apply, put to use*
die **Anzahl** *number, quantity;* in grosser Anzahl *in great numbers*
anzischen *to hiss at*
der **Anzug, ⸚e** *suit*
anzünden *to light*
der **Apfel, ⸚** *apple*
der **Apfelbaum, ⸚e** *apple tree*
der **Aphorismus, Aphorismen** *aphorism*
der **Apparat, -e** *telephone; radio*
applaudieren *to applaud*
die **Arbeit, -en** *work; test*
arbeiten *to work*
der **Arbeitsmann, ⸚er** *workman*
der **Arbeitsnachweis, -e** *work slip*
der **Ärger** *anger; annoyance*
ärgerlich *annoyed, irritated; annoying*
ärgern *to anger, make mad, annoy*
arglos *naive, unsuspecting*
arm *poor*
der **Arm, -e** *arm;* am Arm nehmen *to take by the arm;* in dem Arm *in his arms*
der **Ärmel, -** *sleeve*
armselig *pitiful*
die **Ärmste** *poor thing*
der **Arrest** *detention*
die **Art, -en** *type, kind*
der **Artikel, -** *article*
der **Artist, -en** *artist*
der **Arzt, ⸚e** *doctor*
die **Arztkosten** (pl) *doctor's fees*
ärztlich *medical*
der **Aschenbecher, -** *ashtray*
das **Aschenputtel, -** *maid*
Asien *Asia*
asphaltieren *to asphalt, pave*
das **Asyl, -e** *refuge, sanctuary;* im Asyl *in exile*
der **Atem** *breath*
der **Äther: durch den Äther** *over the air*
das **Atmen** *breathing*
das **Atom, -e** *atom*
auch *also;* auch deine Eltern nicht *not your parents either;* auch schon *already*
auf *on; in; into; at; to; towards; on top of; after;* auf, ab *back and forth;* auf die Kirche zu *towards, in the direction of the church;* auf seine Frage *in answer to his question;* auf und ab *back and forth; up and down;* auf unseren jungen Soldaten *to our young soldier*
aufatmend *breathing a sigh of relief*
aufblicken *to look up*
aufeinanderpressen *to press together*
auffahren *to jump up*
auffallen *to be noticeable*
auffangen *to receive (radio transmissions)*
auffliegen *to fly up*
auffordern *to challenge; to order*
aufgeben *to give up*
aufgehen *to come up; to open; to blossom; to rise, expand*
aufgeregt *excited; upset*
aufgespeichert *stored up*
aufgewühlt *stirred up*
aufgreifen *to pick up, grab*
aufhängen *to hang up*
aufheben *to pick up; to undo, lift*
aufhetzen *to get excited, worked up*
aufhören *to stop, cease*
auflaufen auf *to run onto*
auflegen: eine Platte auflegen *to put on a record*
auflesen *to pick up*
aufleuchten *to light up*
aufmerken *to pay attention*
aufmerksam *attentive.*
aufmunternd *encouragingly*
aufnehmen *to receive*
aufnotieren *to jot down*
aufpassen *to pay attention, watch out*
aufrecht *straight*
aufregen *to upset, set off;* sich aufregen über *to get upset about*
die **Aufregung, -en** *stir, excitement*
aufreissen *to tear open*
aufrichten *to erect*
aufsagen: den Dienst aufsagen *to give notice*
aufsammeln *to gather up*
aufschieben *to push open*
aufschlagen *to open; to pound (heart)*
aufschluchzen *to give a sob*
aufschrecken *to startle*
die **Aufschrift, -en** *sign, lettering*
aufschütteln *to shake out*
aufspringen *to spring open; to jump up*
aufstecken *to let pass; to put onto*
aufstehen *to get up; to stand up*
aufstocken *to stack up, put floor upon floor (of buildings)*
aufstossen *to burp*
aufsuchen *to seek out, go and find*
der **Auftrag, ⸚e** *assignment; order;* im Auftrag *at the request of*
auftun *to open*
aufwachen *to wake up*
der **Aufwand** *expense;* einen gesunden Aufwand treiben *to live in style*

die **Aufwendung** *expenditure*
das **Auge, -n** *eye;* die Augen aufschlagen *to open one's eyes*
der **Augenblick, -e** *moment;* im Augenblick *at the moment*
das **Augenpaar, -e** *pair of eyes*
der **Augenzeuge, -n** *eye–witness*
das **Äuglein, -** *little eye*
aus *from; out, out of; over, finished*
ausbrechen *to break out*
ausbreiten *to spread out*
ausdenken: nicht auszudenken *inconceivable*
der **Ausdruck, ⸚e** *expression;* etwas Ausdruck geben *to express s. th.;* zum Ausdruck bringen *to give expression to*
die **Ausdrucksweise, -n** *expression*
s. **auseinandertun** *to part*
ausfallen *to go dead; to turn out*
die **Ausflucht, ⸚e** *excuse*
ausführen: einen Trick ausführen *to perform a trick*
ausführlich *detailed, extensive*
ausgebacken *done*
ausgeben *to give out, spend*
s. **ausgeben für** *to claim to be*
ausgefüllt sein *filled*
ausgehen: gut ausgehen *to end well*
ausgelaugt *puffy*
ausgeliefert sein *to be at the mercy of*
ausgenommen *except*
ausgerechnet *just, of all (people, things)*
ausgeschlagen *lined*
ausgesprochen *unmistakeably*
ausgraben *to dig up*
aushalten *to last; to endure*
der **Aushangkasten, ⸚** *glass box containing a menu*
auskehren *to sweep out*
die **Auskunft, ⸚e** *information*
das **Ausland** *foreign country;* ins Ausland *to go to a foreign country*
ausmachen: es hat ihr nichts ausgemacht *it didn't matter at all to her*
die **Ausnahme, -n** *exception*
auspacken *to unpack*
ausprobieren *to try out*
ausräumen *to clear away*
ausrechnen *to figure out*
ausreichend *sufficient*
das **Ausrufszeichen, -** *exclamation mark*
s. **ausruhen** *to rest, relax*
aussagen *to say, pronounce*
ausschalten *to turn off*
ausschimpfen *to scold*
die **Ausschöpfung** *realization*
das **Ausschreiben, -** *proclamation*
ausschütten *to pour out*
aussehen *to look, appear*
das **Aussehen** *appearance*
aussen *outside, outwardly*
ausser *aside from;* ausser sich sein *to be beside oneself*
ausserdem *besides*
aussergewöhnlich *unusual(ly)*
ausserhalb *outside of*
äusserst *extremely*
aussetzen *to stop (for a while)*
ausspannen *to spread out*
aussprechen *to express*
der **Ausspruch, ⸚e** *declaration, statement*
aussteigen *to get, climb out*
ausstrecken *to extend, reach out*
aussuchen *to pick out*
die **Ausweispapiere** (pl) *identification papers*
auswendig *by heart;* auswendig lernen *to memorize*
die **Auszeichnung, -en** *honor, distinction; decoration of honor*
das **Auto, -s** *car*
die **Autorate, -n** *car payment*
das **Avancement, -s** *notice of promotion*

B

die **Backe, -n** *cheek*
das **Bächlein, -** *little stream*
backen *to bake*
die **Bäckerin, -nen** *baker, lady in the bakery*
der **Backofen, ⸚** *oven*
das **Bad, ⸚er** *bath*
die **Bahn, -en** *train*
der **Bahnpolizist, -en** *railroad policeman*
der **Bahnsteig, -e** *(train) platform*
die **Bahnverbindung, -en** *train connection*
bald(e) *soon; almost*
der **Balken, -** *beam*
der **Balkon, -s** *balcony*
der **Ball, ⸚e** *ball*
das **Band, ⸚er** *conveyor belt, assembly line*
der **Bandabschnitt, -e** *section of the assembly line*
das **Bandmass, -e** *tape measure*
bang(e) *worried, frightened, afraid*
bangen *to be very worried*
die **Bank, ⸚e** *school desk; bench*
bar *cash*
das **Barett, -e** *beret*
barmherzig *merciful*
der **Basar, -e** *bazaar*
basteln *to pursue hobbies, do crafts*
der **Bastler, -** *person who likes to work at hobbies*
das **Bataillon, -e** *battalion*
der **Bau, -ten** *building*
der **Bauch, ⸚e** *stomach; hull (of a ship)*
bauen *to build*
der **Bauer, -n** *farmer*
die **Bäuerin, -nen** *farmwoman*
das **Baujahr, -e** *year of construction*
der **Baum, ⸚e** *tree*
bayerisch *Bavarian*
beachten *to notice, heed*
der **Beamte, -n** *official*
beängstigend *frightful*
beantragen *to propose*
beben *to tremble*
der **Bedacht** *care, forethought;* mit Bedacht *deliberately, with forethought*
bedächtig *deliberate; thoughtful*
s. **bedanken** *to thank*
bedauern *to be sorry*
bedecken *to cover, conceal*
bedenken *to think, consider*
bedeuten *to mean, signify*
bedienen *to operate (equipment)*
die **Bedingung, -en** *condition*
der **Befehl, -e** *order, command;* einen Befehl ausgehen lassen *to issue a command*
befehlen *to order, command*
s. **befinden** *to be found; to find o.s.*
befreien (von) *to free (from); to rid of*
befriedigt *satisfied, content*
s. **begeben** *to go, to make one's way to;* s. in den Dienst begeben *to go to work for, to put o.s. in s.o.'s service*
die **Begebenheit, -en** *incident*
begegnen *to meet*
begehen *to commit*
begehrt *in demand*
begeistern zu *to inspire to*
s. **begeistern für** *to become enthusiastic about*
die **Begeisterung** *delight; enthusiasm*
beginnen *to begin*
begleiten *to accompany*
die **Begleitung: in ihrer Begleitung** *accompanying her*
beglückt *happy*
begreifen *to comprehend, un-*

derstand; realize
begrüssen *to greet*
behaart *hairy*
behalten *to keep; hold*
beharren *to insist*
beharrlich *persistently*
behaupten *to say, maintain*
behüten *to protect*
behutsam *gently, carefully*
bei *by, at, with;* bei dir *with you;* bei ihr *at her house;* bei mir *at my place;* bei sich denken *to think to o.s.;* bei sich haben *to have along;* bei uns *among us;* sie hatte nichts bei sich als *she had nothing with her except*
beide *both, the two of them;* die beiden anderen *the other two*
beiderseitig *on both sides*
beieinander *together*
beifällig *approving*
beiläufig *casually*
das **Bein, -e** *leg*
beinahe *almost*
beiseite *aside*
beiseiteraffen *to push aside*
das **Beispiel, -e** *example;* zum Beispiel *for example*
bekannt *known*
der **Bekannte, -n** *acquaintance*
das **Bekannte** that which is familiar; das lange Bekannte *all the things you know*
der **Bekanntenkreis, -e** *circle of acquaintances*
bekanntlich *as everyone knows*
die **Bekanntschaft** *friends and acquaintances*
s. **beklagen** *to complain*
beklommen *uneasily, apprehensively*
bekommen *to get, receive*
bekümmert *distressed, troubled*
beleben *to prove*
beleuchten *to illuminate;* er wird on allen Seiten beleuchtet *all the (stage) lights are on him*
die **Belohnung, -en** *reward*
belügen *to deceive, lie to*
belustigt *amused*
bemerken *to notice*
bemerkenswert *noteworthy*
die **Bemerkung, -en** *comment*
bemitleiden *to pity*
bemühen *to trouble*
benachbart *neighboring*
s. **benehmen** *to behave*
benützen *to use*
das **Benzin** *gasoline*
beobachten *to observe, watch*
bequem *easy, easy–going*
s. **berauschen an** *to be enraptured with*
die **Berechnung, -en** *calculation*
bereit *ready;* bereit sein *to be prepared to*
bereithalten *to have ready*
bereits *already*
die **Bereitschaft** *readiness, willingness*
bereitwillig *readily*
der **Berg, -e** *mountain*
bergen *to hide*
der **Bericht, -e** *report*
berichten *to report*
die **Berlinerin, -nen** *girl or woman from Berlin*
berstend *bursting*
der **Beruf, -e** *occupation, profession;* einem Beruf nachgehen *to pursue an occupation;* im freien Beruf *doing freelance work*
die **Berufsschulklasse, -n** *vocational school class*
s. **beruhigen** *to calm down*
berühmt *famous*
berühren *to touch*
das **Besatzungsmitglied, -er** *crew member*
der **Bescheid: Bescheid wissen über** *to know all about*
bescheiden *humble, modest*
die **Bescheinigung, -en** *receipt*
beschenken *to bestow, give as a gift*
beschimpfen *to scold*
beschirmen *to protect*
beschliessen *to decide*
beschlossen *decided on, arranged*
beschreiben *to describe*
beschütten *to spill onto*
beschwichtigen *to calm down, soothe*
beschwörend *imploringly*
besehen *to look at, over*
besetzt *occupied*
besichtigen *to view, look over*
besiegen *to defeat, conquer*
s. **besinnen auf** *to call to mind*
die **Besinnung** *consciousness*
besitzen *to own, possess*
besonder– *special*
besonders *especially;* was Besonderes? *anything special?*
besorgen *to do, carry out*
besprechen *to talk over, discuss*
besser (als) *better (than)*
die **Besserung, -en** *recovery*
best– *best;* am besten *the best (way)*
bestaunen *to marvel at*
bestecken *to pin up all over*
bestehen aus *to consist of*
bestehen in *to lie in, be found in, exist*
bestellen *to order;* aufs best' bestellt *taken care of in the best way*
bestimmt *surely;* ganz bestimmt *for sure*
bestürmen *to rush to*
der **Besuch, -e** *visit;* zu Besuch sein *to be visiting*
besuchen *to visit; to attend*
betäubt *numb*
s. **beteiligen an** *to take part in*
die **Beteuerung, -en** *declaration*
betonen *to stress, emphasize*
betrachten *to view, examine; to look at, observe*
beträchtlich *substantial*
der **Betrag, ⸗e** *amount, sum*
betreten *to step into; to enter*
betreten *defeated; embarrassed*
der **Betrieb, -e** *company, business; activity;* im Betrieb *at work*
betrübt *troubled, distressed, depressed*
der **Betrug** *fraud*
betrunken *drunk*
das **Bett, -en** *bed;* s. ins Bett legen *to go to bed*
die **Bettelei** *begging*
betteln *to beg*
bevor *before*
bewahren *to keep;* bewahren vor *to save, protect from*
bewährt *proven*
bewegen *to move*
bewegt *animated, agitated*
die **Bewegung, -en** *movement, motion;* in Bewegung *in motion*
beweisen *to prove*
bewohnen *to live in, occupy*
bewundern *to admire*
bewusstlos *unconscious*
bezahlen *to pay*
beziehen: Prügel beziehen *to get beaten up*
die **Biederkeit** *(middle–class) honesty, integrity*
biegen *to bend*
das **Bier, -e** *beer*
der **Bierdeckel, -** *(cardboard) coaster*
der **Bierfahrer, -** *man delivering beer*
das **Biest, -er** *beast, creature*
bieten *to offer*
s. **bieten lassen** *to put up with*
das **Bild, -er** *picture*
bilden *to form*
das **Bildnis, -se** *image, picture; preconceived notion*
die **Bildung** *education*
billig *cheap*

binden *to bind, tie*
der **Biologe, -n** *biologist*
bis *to, up to; until;* bis zu *up to*
bisher *until now*
bisschen: ein bisschen *a little*
bitte *please;* bitte schön *you're welcome*
die **Bitte, -n** *request*
bitten (um) *to ask (for)*
blank *shiny*
blasen *to blow*
das **Blasen** *blowing*
blass *pale*
das **Blatt, ⸚er** *leaf; petal; sheet of paper*
das **Blättchen, -** *little leaf*
blau *blue*
das **Blech** *rubbish*
bleiben *to stay, remain*
bleich *pale*
der **Bleistift, -e** *pencil*
der **Blick, -e** *look, glance*
blind *blind*
blindlings *blindly*
blinken *to twinkle, sparkle*
blinzeln *to wink*
der **Blitz, -e** *flash; lightning;* Blitze schleudern *to flash knowing looks*
blitzen *to flash, sparkle*
blöd *stupid*
der **Blödsinn** *nonsense*
blödsinnig *crazy*
blond *blond*
blondiert *bleached*
bloss *just;* man höre bloss *just listen to*
blühen *to bloom, flourish*
das **Blümchen, -** *little flower*
die **Blume, -n** *flower*
der **Blumenkiosk, -e** *flower stand*
das **Blut** *blood*
die **Blüte, -n** *blossom*
bluten *to bleed*
der **Blütenschimmer** *shimmer of blossoms*
blutig *bloody*
der **Boden, ⸚** *ground; floor;* zu Boden fallen *to fall down, to fall to the ground*
der **Bogen, -** *sheet (of paper); curve;* einen Bogen machen um *to avoid*
böhmisch *Bohemian*
die **Bombe, -n** *bomb*
das **Boot, -e** *boat*
Bord: an Bord *on board*
die **Bordfunkanlage, -n** *ship's radio set*
böse *angry, mad; nasty, bad;* Böses *bad (things)*
die **Bosheit, -en** *spiteful, nasty action*
der **Bote, -n** *messenger*
der **Brand, ⸚e** *fire*
der **Braten, -** *roast*
brauchen *to need; to use; to take (time)*
brauen *to brew*
braun *brown*
brausen *to roar, rage*
die **Braut, ⸚e** *bride*
das **Brautgemach, ⸚er** *bridal chamber*
die **Brautjungfer, -n** *bridesmaid, bridal attendant*
die **Brautnacht, ⸚e** *wedding night*
der **Brautzug, ⸚e** *wedding procession*
brechen *to break; to pick, pluck*
breit *wide;* weit und breit *far and wide*
die **Bremse, -n** *brake, curb*
bremsen *to curb, brake*
brennen *to burn*
der **Brief, -e** *letter*
die **Briefschaften** (pl) *correspondence*
die **Brieftasche, -n** *wallet*
der **Briefträger, -** *letter carrier*
bringen *to bring*
das **Brot, -e** *bread*
das **Brötchen, -** *roll*
der **Brotschieber, -** *long–handled shovel used by bakers to take bread, etc. in and out of the oven*
die **Brücke, -n** *bridge*
der **Bruder, ⸚** *brother*
brüderlich *brotherly, friendly*
brüllen *to roar, shout, yell*
der **Brunnen, -** *well; fountain*
die **Brust, ⸚e** *breast, chest, heart;* aus frischer Brust *happily*
brutzeln *to sizzle*
das **Buch, ⸚er** *book*
die **Büchse, -n** *can*
der **Buchstabe, -n** *letter (of the alphabet)*
s. **bücken** *to bend down*
die **Bude, -n** *little room*
die **Bühne, -n** *stage*
der **Bühnenarbeiter, -** *stagehand*
die **Bundesbahn** *federal railroad*
bungelos *silent, soundless*
bunt *colorful*
die **Burg, -en** *castle, fortress*
der **Bürger, -** *citizen*
bürgerlich *civil; middle–class, bourgeois*
der **Bürgermeister, -** *mayor*
Burgund *Burgundy*
das **Büro, -s** *office*
das **Bürofräulein, -** *office girl*
der **Bursche, -n** *youth, fellow, guy*
der **Bus, -se** *bus*
der **Busausflug, ⸚e** *bus trip*
der **Busch, ⸚e** *bush*
der **Busfahrer, -** *bus driver*
die **Butter** *butter*
das **Butterbrot, -e** *bread–and–butter sandwich*

C

das **Café, -s** *café*
Cäsar = Caesar
der **Character** *character*
der **Chor, ⸚e** *chorus*
die **Chordame, -n** *lady in the chorus*
das **Chorsingen** *singing in a chorus*
chronisch *chronic*
die **Clique, -n** *clique*
die **Contessa** *countess*
der **Cornet** *cornet, standard bearer*
das **Coupé, -s** *(train) compartment*

D

da *there; since; thereupon*
dabei *while doing so; at the same time*
dabeisein *to be present*
das **Dach, ⸚er** *roof*
die **Dachkammer, -n** *attic room*
dagegen *on the other hand*
daheim *home, at home*
daher *therefore*
dahin *there; for, to that place;* bis dahin *until then*
dahinter *behind (them) (it)*
damals *then, at that time*
die **Dame, -n** *lady*
damit *so that; with it; with that*
die **Dämmerung** *twilight*
dampfend *steaming*
das **Dampfschiff, -e** *steam ship*
danach *after that*
dankbar *thankful, grateful*
danke *thank you*
dann *then*
darauf *later, after that; on it; then*
darauffolgend *following*
daraufhin *as a result*
daraus *out of it*
darin *therein*
darstellen *to present*
darüberstülpen *to put on top (of it)*
darum *therefore, for that reason*
darunterstehen *to stand beneath*
dass *that*

dastehen *to stand there*
die **Dauer** *length of time;* auf die Dauer *permanently*
dauern *to last; to take (time)*
dauernd *constant(ly), continuous*
davon: eine davon *one of them*
davonfahren *to drive, ride off, away*
davor *in front of it*
dazu *in addition*
dazukommen: es kommt Arbeit dazu *work is going to be added*
dazulernen *to learn in addition to what one already knows*
dazwischen *in between*
die **Debatte, -n** *debate*
das **Deck, -s** *deck*
die **Decke, -n** *blanket*
decken: den Tisch decken *to set the table*
defilieren *to march past*
demnach *according to that*
die **Demonstration, -en** *demonstration*
die **Denkart** *way of thinking*
denken *to think;* denken (an) *to think (of, about);* ich denk' nicht daran! *I wouldn't dream of it!*
das **Denken** *thinking, thought*
denn *because, for;* was ist denn? *what's the matter?*
dennoch *still, in spite of everything*
derart *such*
derjenige *whoever*
derselbe *the same*
derweil *while*
desgleichen *the same*
deshalb *therefore*
deswegen *that's why, for that reason*
deuten *to indicate*
deutlich *clear*
deutsch *German*
der **Deutsche, -n** *German (person)*
das **Deutschland** *Germany*
dicht *close*
das **Dichten** *writing (poetry, fiction, etc.)*
der **Dichter, -** *poet*
dick *thick; fat*
die **Dieberei, -en** *theft*
dienen *to serve*
der **Dienst, -e** *service;* den Dienst aufsagen *to give notice*
die **Dienststelle, -n** *department*
dies– *this*
diesbezüglich *pertinent*
dieser (-e, -es) *this, this one*
dieselbe *the same*
diesmal *this time*
das **Ding, -e** *thing*
diplomatisch *diplomatic*

der **Direktor, -en** *director, manager, executive*
diskutieren *to discuss*
dividieren *to divide*
doch (particle); *yes indeed; yes on the contrary; but yes;* oder vielleicht doch? *or maybe there's something to it after all?*
Donnerwetter! *for heaven's sake!*
doppelt *doubly*
das **Dorfgasthaus, ⸚er** *village pub, inn*
das **Dorfwirtshaus, ⸚er** *village pub, inn*
der **Dorn, ⸚er** *thorn*
die **Dornenhecke, -n** *thorn hedge*
das **Dornröschen** *Sleeping Beauty*
der **Dorsch, -e** *cod*
dort *there, over there*
dorthin *there*
das **Döschen, -** *little jar*
dösen *to doze*
der **Draht, ⸚e** *wire*
der **Drang, ⸚e** *urge*
s. **drängen** *to push, force one's way*
dransetzen *to add, attach*
drausgewachsen *out–grown*
draussen *outside*
drehen *to turn;* s. im Kreise drehen *to circle, turn round and round*
der **Drehknopf, ⸚e** *knob*
die **Drehorgel, -n** *barrel organ*
dreimal *three times*
dreissig *thirty*
dreizehn *thirteen*
drin *in which, wherein, in there*
dringen *to make one's way through;* dringen an *to reach*
dringend *urgent*
drinnen *inside*
dritt– *third*
der **dritte** *the third one*
der **Dritte, -n** *the third one*
drittenmal: zum drittenmal *for the third time*
dröhnen *to resound; boom*
drüben *over there*
drücken *to press, press (upon)*
drum: uns geht es drum *our object is to*
der **Duft, ⸚e** *fragrance*
duften *to smell fragrant*
dumm *dumb, stupid;* dummes Zeug! *nonsense!*
der **Dumme, -n** *dumb, stupid person*
der **Dummkopf, ⸚e** *dope, jerk*
das **Dümmste** *the dumbest thing*
dumpf *dull, muffled*
dunkel *dark;* im Dunkeln *in the dark*

die **Dunkelheit** *darkness*
durch *through*
durchaus *absolutely;* durchaus nicht *not by any means*
durchbohren *to pierce*
durcheinander *all at once, confusedly*
das **Durcheinander** *confusion*
durcheinanderwirbeln *to whirl around*
durchgeben *to give, pass on, to send through;* durchgeben lassen *to let pass*
durchgedreht *overwrought*
durchgerissen *torn;* mitten durchgerissen *torn through the middle*
durchmachen *to go through*
durchqueren *to cross*
durchschlafen *to sleep through;* nach gut durchschlafener Nacht *after a good night's sleep*
s. **durchschlagen** *to make it*
der **Durchschnitt, -e** *average*
durchsetzen *to succeed*
durchweg *thoroughly, without exception*
dürfen *to be permitted, allowed to*
dürr *dry*
durstig *thirsty*
düster *dark; sad, gloomy*

E

eben *just; just now*
ebenfalls *likewise, also*
ebensogut wie *just as good as*
echt *genuine, real*
die **Ecke, -n** *corner;* aus allen Ecken *from everywhere*
edel *noble*
der **Edle, -n** *nobleman*
ehe *before*
die **Ehe, -n** *marriage*
die **Ehefrau, -en** *wife*
ehemalig *former*
eher *earlier*
die **Ehre, -n** *honor;* auf Ehre *word of honor*
die **Ehrfurcht** *respect*
ehrgeizig *ambitious*
die **Eiche, -n** *oak tree*
eifersüchtig *jealous*
eigen– *own; one's own, unique*
eigentlich *actually*
die **Eigentümerin, -nen** *owner*
eilen *to hurry*
ein *a, an; one*
einander *one another, each other*
einarbeiten *to train, break in*
die **Einarbeitung** *training*

einbiegen *to turn into (a street, etc.)*
einbringen *to bring in*
einbüssen *to lose*
der **Eindruck, ¨e** *impression;* den Eindruck erwecken, vermitteln *to create an impression*
einer: Einer vom Andern *one from another*
einfach *easy, simple; simply*
das **Einfachste** *the simplest thing*
der **Einfall, ¨e** *idea*
einfallen: was fällt Ihnen ein? *what do you think you're doing?*
der **Einfluss, ¨e** *influence*
der **Eingang, ¨e** *entrance*
eingedrückt *pushed in*
eingefasst *set*
eingehen *to come in;* eingehen auf *to explore, go into;* eingehen in *to enter in(to)*
eingesehen *to be seen*
eingestehen *to admit*
eingestellt auf *tuned in to*
eingiessen *to pour*
einig: s. einig sein *to be in agreement*
einige *some, several*
s. **einigen über** *to agree upon*
die **Einigkeit** *unity*
einjagen: einen Schrecken einjagen *to scare*
einkehren *to stop in*
einladen *to invite*
s. **einlassen auf** *to engage in*
einlaufen *to come in, arrive; to break in (new shoes, etc.)*
einmal *once; suddenly;* auf einmal *suddenly;* erst einmal *first of all;* es war einmal *once upon a time;* noch einmal *again*
s. **einmischen** *to interfere*
einpacken *to pack up*
einreden *to persuade, talk into;* auf jemanden einreden *to reason with, persuade;* s. einreden lassen *to let o.s. be talked into*
einreichen *to submit*
einreiten *to ride in(to)*
die **Einrichtung, -en** *set–up*
einsam *lonely, isolated*
die **Einsamkeit** *loneliness, solitude*
das **Einsamsein** *loneliness, being alone*
einsammeln *to collect*
einsaugen *to take in, absorb*
einschalten *to turn on, tune in*
einschätzen *to size up*
s. **einschenken** *to pour for o.s.*
einschlafen *to fall asleep*
einschlagen: das hat eingeschlagen *that made an impression*
einschränken *to restrict, confine*
einsilbig werden *to become silent*
einsparen *to save*
der **Einspruch, ¨e** *objection*
einst *once, at one time*
einstellen *to put away*
die **Einstellung** *halt, stoppage*
eintönig *monotonously*
die **Eintönigkeit** *monotony*
der **Eintrag, ¨e** *entry*
eintragen *to bring in, yield*
eintreten *to enter*
einverstanden: einverstanden sein mit *to agree with*
einwiegen *to rock to sleep*
einwilligen *to consent, agree*
einzeichnen *to inscribe*
einzeln *individual;* jeder einzelne *every single one*
einzig *only, one, single*
das **Eis** *ice*
der **Eisberg, -e** *iceberg*
die **Eisdiele, -n** *ice cream parlor*
das **Eisen** *iron*
das **Eisenbahngleichnis, -se** *train parable*
das **Eismeer** *Arctic Ocean*
die **Eitelkeit** *vanity*
elegant *elegant*
elend *miserable*
das **Elend** *misery*
elterlich *parental*
die **Eltern** (pl) *parents*
empfangen *to receive*
der **Empfänger, -** *receiver*
empfehlen *to recommend*
empfinden *to feel*
die **Empfindung, -en** *sensation, feeling*
emporfliegen *to fly up, upward*
empört *shocked, furious*
emporwachsen *to rise up*
emsig *busily*
das **Ende, -n** *end, finish;* am Ende *in the end;* bis an ihr Ende *to the end of their days;* zu Ende gehen *to be over*
enden *to end*
endgültig *for once and for all*
endlich *finally*
die **Energie** *energy*
eng *narrow*
der **Engel, -** *angel*
englisch *English*
die **Englischstunde, -n** *English class*
entdecken *to discover*
entfaltet *unfolded*
die **Entfaltung, -en** *unfolding; stage of development*
entfliehen *to run away from, flee from*
entgegendringen *to come, surge toward*
entgegensprudeln *to gush forth*
entgegenstarren *to stare at*
entgegnen *to answer, reply*
entgehen *to escape*
entheben *to excuse, release from*
entlanggehen *to go along, walk the length of*
entlarven *to expose*
s. **entledigen** *to empty o.s., relieve o.s.*
entnehmen *to gather, conclude; to take out*
s. **entpuppen** *to turn out to be*
entschlossen *decisive*
s. **entschuldigen** *to excuse o.s.*
die **Entschuldigung: um Entschuldigung bitten** *to ask one's pardon, forgiveness;* Entschuldigung! *excuse me!*
entsetzlich *horrible, terrible*
entstehen *to emerge, come into being*
enttäuscht *disappointed*
die **Enttäuschung, -en** *disappointment*
entweder: entweder . . . oder *either . . . or*
entwerfen *to plan, design*
entwickeln *to develop*
die **Entwicklung, -en** *development*
der **Entwicklungshelfer, -** *volunteer in a developing country*
entzweibrechen *to break in two*
entzweireissen *to tear in two*
entzweispringen *to break in two*
der **Epidemiekranke, -n** *victim of an epidemic*
erbaulich *devotional, religious*
erbeuten *to take as booty*
erbeutet *captured*
erbittert *embittered*
erblicken *to see, view*
der **Erdboden** *earth, soil;* vom Erdboden verschwinden *to disappear from the face of the earth*
die **Erde** *ground; earth; dirt*
das **Ereignis, -se** *event;* ein freudiges Ereignis *a blessed event*
erfahren *to learn, find out*
erfahren *experienced*
erfassbar *comprehensible*
erfassen *to take hold of*
erfinden *to invent*
der **Erfolg, -e** *result; success*
erfolgreich *successful*
erfordern *to require*
erfreuen *to make happy*
erfüllen *to fulfill*
die **Erfüllung, -en** *fulfillment;* in Erfüllung gehen *to come true, be fulfilled*

ergänzen *to complete*
das **Ergebnis, -se** *result*
erhalten *to get, receive; to preserve*
erheben *to lift up;* das Feuer erhob sich *the fire started up;* s. erheben *to spring up, arise; to stand up, rise up*
erhebend *impressive, uplifting*
erhellen *to brighten*
erinnern an *to remind of;* s. erinnern *to remember, reminisce*
erkennen *to recognize*
erklären *to explain; to declare, say*
die **Erklärung, -en** *explanation*
erkunden *to find out;* s. erkundigen *to ask, inquire;* s. erkundigen nach *to inquire about*
erlauben *to allow;* s. erlauben *to take the liberty*
erleichtert *relieved*
erleuchtet *lit up*
der **Erlkönig** *elf–king*
erlogen *made up, false*
erloschen *extinguished*
erlösen *to liberate, set free*
ermahnen *to warn*
ermöglichen *to make possible*
ermutigen *to encourage*
erneut *all over again, anew*
ernst *serious*
der **Ernst: im Ernst** *seriously*
ernsthaft *serious, grave*
ernstlich *really, seriously*
die **Ernte, -n** *harvest*
ernten *to harvest*
erquicken *to refresh*
die **Erquickung** *invigoration*
erregend *stimulating*
erregt *agitated*
erreichen *to achieve, reach*
erringen *to win*
erschaffen *to create*
erscheinen *to appear; to seem*
erschlagen *to conquer, defeat; to kill*
s. **erschöpfen** *to exhaust o.s.*
erschrecken *to be frightened*
erschrecklich *terrifying*
erschrocken *shocked*
erschüttern *to shake*
ersehen *to see, gather (from)*
erst *only; just;* erst einmal *first of all*
erst– *first;* am Ersten *on the first (of the month);* der erste *the first one;* der erste beste *the first one to come along;* fürs erste *as a start*
erstarrt *complacent, stagnant, comfortable*
das **Erstarrtsein** *stagnation, comfortableness*
erstaunen *to surprise, amaze, to be amazed*
das **Erstaunen** *amazement, surprise*
erstaunt *amazed, surprised*
erstens *first of all*
ersticken *to suffocate*
ertappen *to catch*
ertönen *to sound, be heard*
ertragen *to endure, to put up with*
ertragreich *productive*
ertrinken *to drown*
erwachen *to wake up, awaken*
erwachsen *grown*
der **Erwachsene, -n** *adult, grown–up*
erwählen *to choose*
erwarten *to expect*
die **Erwartung, -en** *expectation*
erwecken *to awaken;* den Eindruck erwecken *to create the impression*
erweisen *to grant;* s. erweisen *to prove*
erwerben *to acquire; to earn*
erwidern *to answer, reply*
das **Erworbene** *what one acquires, achieves*
erwürgen *to strangle*
erzählen *to say, tell*
das **Erzeugnis, -se** *product*
der **Erzherzog, ⸚e** *archduke*
der **Erzieher, -** *educator, teacher*
es *it*
essen *to eat*
das **Essen, -** *meal*
essigsauer: essigsaure Tonerde *witch hazel*
die **Etage, -n** *floor (of a building)*
das **Etikett, -e** *label*
etliche *some*
das **Etui, -s** *case*
etwa *approximately; perhaps*
etwas *something;* so etwas *something like*
Europa *Europe*
evakuieren *to evacuate*
ewig *always, eternal(ly); endless; forever, never–ending*
die **Ewigkeit** *eternity;* in Ewigkeit *to the end of time*
die **Existenz** *existence*
der **Experte, -n** *expert*
die **Explosion, -en** *explosion*

F

fabelhaft *fantastic*
die **Fabrik, -en** *factory;* in die Fabrik gehen *to work in a factory*
das **Fach, ⸚er** *compartment*
die **Fachleute** (pl) *experts*
fähig *capable*
die **Fähigkeit, -en** *ability*
die **Fahne, -n** *flag*
die **Fahrbahn, -en** *traffic lane*
fahren *to drive, go, travel;* fahren (mit) *to ride, drive (by, with); go; sail;* s. fahren lassen *to be driven by*
der **Fahrer, -** *driver*
die **Fahrt, -en** *trip, voyage*
das **Fahrzeug, -e** *vehicle*
der **Falke, -n** *falcon*
der **Fall, ⸚e** *case;* für diesen Fall *in this case*
fallen *to fall; to die in a war;* es fällt ihm leicht *it's easy for him*
fallenlassen *to drop, let fall*
fällig *due*
falls *in case*
falsch *false; wrong*
die **Familie, -n** *family*
der **Fang, ⸚e** *catch*
fangen *to catch*
das **Fangschiff, -e** *(whaling) ship*
die **Farbe, -n** *color; paint*
färben *to color*
farbig *colorful; in color*
das **Fass, ⸚er** *barrel*
die **Fassade, -n** *façade, front*
fassen *to grasp, hold, take hold of*
fassungslos *speechless, aghast*
fast *almost*
faul *bad; lazy*
die **Faule, -n** *lazy one*
faulenzen *to take it easy*
die **Faulheit** *laziness*
die **Feder, -n** *feather*
die **Fee, -n** *fairy*
fegen *to sweep*
fehl: fehl am Platze *out of place*
fehlen *to be missing, lacking; absent;* es hätte nicht viel gefehlt *it wouldn't have taken much more;* was fehlt ihm? *what's the matter with him?;* würd es mir fehlen *would I need it?;* fehlen an *to be lacking in;* es fehlen lassen an *to be wanting in, lacking*
das **Fehlen** *absence*
der **Fehler, -** *mistake;* einen Fehler begehen *to make a mistake*
die **Feier, -n** *celebration;* zur Feier des Tages *in honor of the occasion*
feiern *to honor; to celebrate;* ein Fest feiern *to have a party, celebration*

der **Feigling, -e** *coward*
fein *fine; delicate; gentle*
der **Feind, -e** *enemy*
die **Feindseligkeit, -en** *hostility*
feixen *to grin*
das **Feld, -er** *field*
das **Fell, -e** *coat (of an animal)*
das **Fenster, -** *window*
fern *distant, far*
fernbleiben *to stay away*
die **Ferne: in der Ferne** *in the distance;* in die Ferne *to faraway places*
fernsehen *to watch TV*
das **Fernsehen, -** *television;* im Fernsehen kommen *to be on TV*
fertig *tired; finished;* fertig rupfen *to finish plucking*
der **Fertigmacher, -** *worker*
fertigwerden mit *to finish with; to cope with*
der **Fesselballon, -s** *hot–air balloon*
fesseln *to bind, chain*
fest *firm, permanent, definite;* ein fester Freund *a steady boy–friend*
das **Fest, -e** *celebration, party;* ein Fest anstellen *to have a party*
festbinden *to tie up*
festbohren *to drill into, to pierce*
festlich *festive*
feststellen *to determine*
das **Festzelt, -e** *big tent at a folk festival*
das **Feuer, -** *fire*
die **Feuerzone, -n** *line of fire*
fieberhaft *feverishly*
der **Filmmanager, -** *film distributor*
finden *to find, discover*
findig *clever*
der **Finger, -** *finger*
finster *dark*
die **Finsternis** *darkness*
die **Firma, Firmen** *firm*
fix– *fixed, firm;* eine fixe Idee *a fixed idea*
flach *flat*
der **Flachs** *flax*
flackern *to flicker*
die **Flakbatterie, -n** *battery of anti-aircraft guns*
flammen *to sparkle*
die **Flasche, -n** *bottle*
das **Fläschchen, -** *little bottle*
die **Fledermaus, ¨e** *bat*
der **Flegel, -** *rascal*
der **Fleiss** *diligence, hard work*
fleissig *diligent, hard–working*
flicken *to patch, mend*
die **Fliege, -n** *fly*
fliegen *to fly*
das **Fliegergeschwader, -** *plane squadron*
fliehen *to flee*
fliessend *flowing*
der **Floh, ¨e** *flea*
die **Flucht: die Flucht von den Fahnen** *desertion*
das **Fluchtgepäck** *suitcase with essentials in case of emergency*
der **Flüchtling, -e** *refugee*
der **Flügel, -** *wing*
die **Fluren** (pl) *plains*
flüstern *to whisper*
die **Flutkatastrophe, -n** *flood disaster*
die **Folge, -n** *consequence*
folgen *to follow*
förmlich *literally; almost*
fort *gone; away; on;* fort und fort *on and on;* und so ging's fort *and so it went on*
fortblühen *to continue to bloom*
fortfahren *to continue*
fortgehen *to go away, leave*
das **Fortkommen, -** *livelihood*
fortlaufen *to run away*
forträumen *to clear away*
fortrennen *to run away*
der **Fortschritt, -e** *progress*
fortsetzen *to continue*
fortziehen *to pull away*
die **Frage, -n** *question;* Fragen stellen *to ask questions*
fragen (nach) *to ask (about)*
fraglich *questionable, doubtful*
das **Frankreich** *France*
der **Franzose, -n** *Frenchman*
französisch *French;* auf französisch *in French*
die **Frau, -en** *woman; wife*
das **Fräulein, -** *young lady*
frei *free;* unter freiem Himmel *under the open sky, in the open air*
die **Freiheit, -en** *freedom*
der **Freiherr, -en** *baron*
freilich *surely*
die **Frequenz, -en** *frequency*
fremd *foreign; strange; unknown;* er war mir fremd *he was a stranger to me*
das **Fresspaket, -e** *package of goodies*
die **Freude, -n** *joy, pleasure;* eine Freude machen *to give (s.o.) pleasure;* Freude haben *to take pleasure*
freudig *happily, joyfully*
freudvoll *joyful*
s. **freuen** *to be happy*
der **Freund, -e** *friend; boyfriend*
der **Freundeskreis, -e** *circle of friends*
die **Freundin, -nen** *girlfriend*
freundlich *friendly*
die **Freundschaft, -en** *friendship*
der **Friede** *peace*
der **Friedfertige, -n** *peaceable person*
die **Friedfertigkeit** *peaceableness*
friedlich *peaceful*
der **Frierende, -n** *freezing person*
frisch *fresh*
frischgebügelt *freshly pressed, ironed*
der **Friseur, -e** *barber, hairdresser*
der **Friseurladen, ¨** *barber shop*
die **Friseuse, -n** *hairdresser*
der **Frisiersalon, -s** *beauty parlor*
froh *happy*
fromm *pious, religious*
der **Frosch, ¨e** *frog*
die **Frucht, ¨e** *fruit*
früh *early;* heute früh *early this morning*
das **Frühjahr, -e** *spring*
der **Frühling, -e** *spring*
der **Frühstückstisch, -e** *breakfast table*
der **Fuchs, ¨e** *fox*
fuchteln *to wave about*
fügen *to add (to s.th.);* s. fügen *to resign o.s.*
fühlen *to feel;* s. wohl fühlen *to feel comfortable*
die **Fühlung: in Fühlung sein mit** *to be in touch with*
führen (an) *to lead (to);* einen Reihen führen *to do a round dance*
die **Führung** *leadership, command*
füllen *to fill*
fünf *five*
fünfhundert *five hundred*
fünfstellig *having five digits*
fünftausend *five thousand*
fünfundzwanzig *twenty–five*
fünfzehn *fifteen*
die **Funkanlage, -n** *radio set*
der **Funke, -n** *spark*
funken (nach) *to radio (to)*
der **Funker, -** *radio operator*
die **Funkerlaubnis, -** *license to operate a ham radio*
die **Funkkabine, -n** *radio room*
die **Funknachricht, -en** *radio report, news*
der **Funkspruch, ¨e** *radio message;* einen Funkspruch entgegennehmen *to take a radio message*
funktionieren *to function*
für *for;* für und für *for ever and ever;* Nacht für Nacht *night after night*
furchtbar *terribly*
fürchten (um) *to fear; to be afraid (for), worry about;* s.

fürchten vor *to be afraid of*
fürchterlich *terrible*
fürsorglich *carefully*
der **Fuss, ⸚e** *foot;* vor den Füssen *at my feet;* zu Fuss gehen *to walk*
das **Futur** *future*

G

die **Gabe, -n** *gift, endowment*
die **Gage, -n** *(artists') fee*
gähnen *to gape*
gammeln *to loaf, bum around*
der **Gamsbart** *chamois brush*
der **Gang, ⸚e** *corridor, hall; walk*
die **Gans, ⸚e** *goose;* eine dumme Gans *silly goose*
ganz *complete(ly), altogether; whole;* aus dem Ganzen *out of the whole thing;* ganz und gar *completely*
gar *at all; even; very;* gar keiner *no one at all;* gar nicht *not at all;* gar nichts *nothing at all*
die **Garage, -n** *garage*
die **Garderobe, -n** *dressing room*
der **Garten, ⸚** *garden*
die **Gartenecke, -n** *corner of the garden*
die **Gasse, -n** *small street*
der **Gast, ⸚e** *guest*
die **Gastfreundlichkeit** *hospitality*
die **Gaststube, -n** *bar, restaurant*
die **Gastwirtschaft, -en** *restaurant*
gebären *to bear*
das **Gebäude, -** *building*
geben *to give;* es gibt *there is, there are;* ob es so etwas gab? *if there really was something like that?*
das **Gebiet, -e** *area*
gebildet *educated*
das **Gebirge** *mountains*
gebogen *curved*
gebrannt sein *burned, branded*
gebraten *roasted*
gebrauchen *to use*
gebrochen *broken*
s. **gebühren** *to be fitting or proper*
der **Geburtstag, -e** *birthday;* zum Geburtstag *for (his) birthday*
die **Geburtstagsfeier, -n** *birthday celebration*
das **Gedächtnis, -se** *memory*
gedämpft *hushed*
der **Gedanke, -n** *thought; idea;* in Gedanken *absent-mindedly*
die **Gedankenfreiheit** *freedom of thought*
gedankenvoll *thoughtful*
gedeckt *set (table)*
gedeihen *to thrive*
das **Gedicht, -e** *poem*
das **Gedränge** *dilemma, mess;* s. in ein Gedränge einlassen *to get o.s. involved in a dilemma*
die **Geduld** *patience*
geduldig *patient*
die **Gefahr, -en** *danger*
gefährlich *dangerous*
gefallen *to be pleasing;* es gefällt mir *I like it, it pleases me*
s. **gefallen lassen** *to put up with s.th.*
gefaltet *folded*
gefangen *caught*
der **Gefangene, -n** *prisoner*
das **Gefängnis, -se** *prison*
das **Gefühl, -e** *feeling*
die **Gefühlsäusserung, -en** *expression of a feeling*
gefurcht *furrowed*
gegen *in return for; against*
gegeneinander *against each other*
die **Gegend, -en** *area*
der **Gegensatz, ⸚e** *opposition*
gegenseitig *mutual;* wir sind uns gegenseitig im Weg *we're in each other's way*
der **Gegenstand, ⸚e** *object*
das **Gegenteil, -e** *opposite;* im Gegenteil *on the contrary*
gegenüberliegend *facing, opposite*
gegenüberstehen *to face*
die **Gegenwart** *present*
geheim *secret*
das **Geheimnis, -se** *secret*
geheimnisvoll *mysterious*
gehen *to go; to walk;* es ging um meine Existenz *my existence was at stake;* wir sind ihr aus dem Weg gegangen *we avoided, her, we stayed out of her way*
das **Gehirn, -e** *brain*
die **Gehirnerschütterung, -en** *concussion*
gehorchen *to obey*
gehören (zu) *to belong (to)*
das **Gehörte** *what (he) hears*
der **Gehsteig, -e** *sidewalk*
geifernd *driveling*
der **Geist** *mind*
gekannt *known*
gekleidet *dressed*
gelähmt *paralyzed*
gelangen zu *to reach*
das **Geld** *money*
die **Gelegenheit, -en** *occasion*
die **Geliebte, -n** *love, sweetheart*
gelingen *to be successful*
gelten *to stand, hold true;* gelten als *to be considered as;* gelten lassen *to accept, allow;* jemandem gelten *to be meant, intended for s.o.*
die **Gemahlin, -nen** *wife*
das **Gemälde, -** *painting*
die **Gemeinheit, -en** *base, low deed*
das **Gemurmel** *murmuring, muttering*
die **Gemüsefrau, -en** *greengrocer*
gemütlich *relaxed, slow*
genau *closely; exact, precise;* genauer gesagt *to be more exact*
das **Genie, -s** *genius*
s. **genieren** *to feel awkward, embarrassed*
geniessen *to enjoy; to have the benefit of*
geniesserisch *appreciative*
der **Genosse, -n** *comrade*
die **Genossin, -nen** *partner, companion*
genug *enough*
genügen *to be enough*
genügend *enough*
die **Genugtuung** *satisfaction*
gequält *tortured*
gerade *just, of all things; exact; even*
geradezu *downright*
das **Gerät, -e** *radio*
geraten: ausser sich geraten *to fly into a rage*
die **Geräumigkeit** *spaciousness*
das **Geräusch, -e** *noise, sound*
gerecht *justified*
gereizt *irritably*
das **Gericht, -e** *court;* Gericht halten *to hold court*
gering *little;* das Geringste *the least bit*
gern *gladly*
der **Geruch, ⸚e** *smell, odor*
das **Gerücht, -e** *report; rumor*
gesamt *entire*
der **Gesang** *song, music*
das **Geschäft, -e** *business; deal;* s. in ein Geschäft einlassen *to enter into a deal*
geschäftig *busily*
der **Geschäftsfreund, -e** *business acquaintance, friend*
geschehen *to happen*
gescheit *smart;* du bist nicht gescheit! *you're out of your mind!*
das **Geschenk, -e** *present, gift*
der **Geschenkvorschlag, ⸚e** *gift suggestion*
die **Geschichte, -n** *history; story*
geschickt *skillful, clever*
das **Geschlecht, -er** *ancestry*

geschmeidig *supple*
geschoren *shaved*
das **Geschwätz** *chatter*
geschwind *quick, fast*
die **Gesellenprüfung, -en** *exam to qualify as a journeyman*
die **Gesellschaft, -en** *company;* Gesellschaft leisten *to keep (s.o.) company*
das **Gesetz, -e** *law*
gesetzt *sedate*
das **Gesicht, -er** *face*
der **Gesichtszug, ⸚e** *facial feature*
gesotten *boiled, simmered*
das **Gespenst, -er** *ghost*
gespickt *filled, dotted with*
das **Gespräch, -e** *conversation*
gesprengt *burst, broken*
die **Gestalt, -en** *form, figure;* Gestalt gewinnen *to take shape*
gestatten *to allow;* gestatten Sie *allow me*
gestattet *permitted*
gestehen *to admit*
das **Gestell, -e** *rack*
gestern *yesterday*
gestreift *streaky*
das **Gesumm** *humming, buzzing*
gesund *healthy*
die **Gesundheit** *health*
gesundheitsschädlich *harmful to one's health*
das **Getöse** *noise*
die **Getränkekarte, -n** *wine list*
getrost *safely*
gewahren *to perceive, discover*
die **Gewalt** *force, power;* in die Gewalt bekommen *to have in one's power;* s. Gewalt antun *to make a great effort*
gewaltig *powerful;* gewaltig aufschütteln *to shake out very well*
das **Gewand, ⸚er** *garment, raiment*
das **Gewehr, -e** *rifle*
gewichtig *important, momentous*
gewiegt *smart*
gewillt sein *to be willing to*
das **Gewimmel** *crowd, swarm*
gewinnen *to win;* das Stück gewinnen *to gain ground*
das **Gewirr** *jumble, confusion*
gewiss *certain, sure, for sure*
das **Gewissen, -** *conscience*
gewissenhaft *conscientious*
gewissermassen *to a certain extent*
der **Gewitterwind** *storm winds*
gewogen *kind*
s. **gewöhnen an** *to get used to*
gewohnheitsmässig *routinely*
gewöhnlich *ordinary*
gewohnt *usual, familiar;* das Gewohnte *the familiar (things)*
gewöhnt *used to, accustomed to*
das **Gezänk** *quarreling*
geziert *primly, affectedly*
der **Gipfel, -** *summit, peak*
die **Gitarre, -n** *guitar*
das **Gitter, -** *bars, fence*
der **Glanz** *radiance*
glänzen *to shine, glisten*
das **Glänzen** *brilliance*
glänzend *magnificent; sparkling, shiny*
das **Glas, ⸚er** *glass*
das **Glashaus, ⸚er** *glass house*
die **Glasscheibe, -n** *window pane*
die **Glasscherbe, -n** *piece of broken glass*
glatt *plain, outright; smooth, uncomplicated*
glauben(an) *to believe (in)*
der **Glauben, -** *faith, religion*
glaubhaft *credible*
gleich *same; right away; though;* ein Gleiches *the same (awaits you)*
gleichgültig *indifferent*
gleiten *to glide*
das **Glied, -er** *member, limb*
die **Glocke, -n** *bell*
das **Glück** *luck; happiness;* Glück haben *to be lucky;* zum Glück *luckily*
glücklich *happy, happily*
die **Glühbirne, -n** *light bulb*
glühen vor *to burn with*
glühend *glowing*
gnadenreich *merciful, full of grace*
gnädig: gnädige Frau *dear lady*
das **Gold** *gold*
golden *golden*
goldgierig *greedy for gold*
der **Goldregen, -** *shower of gold*
der **Gott, ⸚er** *god, God;* Gott sei Dank *thank God;* was weiss Gott *God only knows*
das **Gottesgericht** *judgment of God*
der **Grad, -e** *degree;* in gewissem Grad *to a certain degree*
die **Gralserzählung** *story of the Holy Grail*
das **Gras** *grass*
grässlich *dreadful*
gratulieren *to congratulate*
grau *grey*
graugrün *gray–green*
grausen: ihm grauset's *he's terrified*
greifen nach *to reach, grab for*
grenzenlos *boundless*
der **Griff, -e** *motion, movement*
grindlig *mangy*
grinsen *to grin*
das **Grinsen** *grinning;* lass das Grinsen *stop grinning*
grob *rough*
gross *large, big; tall; great*
der **Grossalarm** *red alert;* Grossalarm geben *to put out a red alert*
grossartig *wonderful*
der **Grossonkel, -** *great–uncle*
grösstenteils *for the most part*
der **Grossvater, ⸚** *grandfather*
die **Grosszügigkeit** *generosity*
die **Grube, -n** *cave*
grübeln über *to ponder over*
grün *green;* das Grün *green color*
der **Grund, ⸚e** *reason; spot;* im Grunde *after all, basically;* im Grunde genommen *actually*
der **Grundsatz, ⸚e** *basic principle*
die **Gruppe, -n** *group*
der **Gruss, ⸚e** *greeting*
grüssen *to greet*
gucken *to look*
gülden = golden *golden*
die **Gunst** *favor; good will;* rechte Gunst *a special favor;* zu jemandes Gunsten *to s.o.'s advantage, in s.o.'s favor*
gut *good; well; OK;* also gut *well then, OK;* kurz und gut *in short;* schon gut *it's alright*
die **Güte** *kindness*
gutgehen *to go well, be fine*
gutverdienend *well paid*

H

das **Haar, -e** *hair*
haben *to have*
der **Hafen, ⸚** *harbor*
die **Hafenstadt, ⸚e** *port city*
haften *to be responsible (for); to stick*
der **Hahn, ⸚e** *rooster*
der **Haken, -** *hook*
halb *half, halfway;* halb acht *7:30*
halbdunkel *semi–darkness*
halblaut *softly, in an undertone*
die **Hälfte** *half*
der **Hallenabschnitt, -e** *section of the floor, working area*
Hallo! *hello*
der **Hals, ⸚e** *neck;* s. Hals über Kopf verlieben *to fall head over heels in love;* sie fliegt ihm um den Hals *she throws her arms around his neck;* um den Hals fliegen *to throw one's arms around s.o.'s neck*

das **Halsband, ⸚er** *necklace*
halt! *stop!*
halten *to hold; continue to work; to stop; to keep;* halten für *to consider;* halten von *to think of*
haltmachen *to stop*
die **Hammelswade, -n** *leg of lamb*
die **Hand, ⸚e** *hand*
der **Handel** *deal, transaction*
s. **handeln um** *to be about*
das **Handeln** *action, behavior*
das **Handgelenk, -e** *wrist*
der **Handgriff, -e** *movement, motion*
die **Handlung, -en** *plot*
der **Handscheinwerfer, -** *small searchlight*
die **Handschellen** *handcuffs*
der **Handschuh, -e** *glove*
die **Handtasche, -n** *handbag*
hangen *to hang, be hanging;* Hangen und Bangen *great anxiety*
hängen *to hang;* hängen an *to cling to, be attached to*
hängenbleiben *to stick, get caught*
hart *hard, severe*
härten *to harden*
Harzer *from the Harz Mountains*
der **Hase, -n** *rabbit*
die **Haspel, -n** *spool*
hassen *to hate*
hässlich *ugly*
die **Hast** *haste;* Hast und Hufschlag *haste and hoof beats*
hastend *hurrying, rushing*
der **Hauch, -e** *breeze*
hauchen *to breathe; to whisper*
hauen *to hit*
der **Haufe, -n** *bunch*
der **Haufen, -** *pile;* der übrige Haufen *the rest of the bunch;* über den Haufen werfen *to throw to the wind*
häufen *to pile up, accumulate;* s. häufen *to pile up*
haufenweise *in droves*
das **Haupt, ⸚er** *head*
der **Hauptbahnhof, ⸚e** *main railroad station*
die **Hauptsache, -n** *main thing*
das **Haus, ⸚er** *house;* nach Hause *home;* zu Hause *at home*
die **Hausarbeit, -en** *homework*
die **Häuserfront, -en** *house front*
die **Hausfrau, -en** *housewife; lady of the house*
häuslich *domestic*
der **Hausschlüssel, -** *house key*
die **Hausschneiderin, -nen** *dress-maker*

die **Haustür, -en** *front door*
die **Haut, ⸚e** *skin*
der **Hebel, -** *lever*
heben *to lift*
die **Hecke, -n** *hedge*
das **Heer, -e** *army*
der **Hefeteig, -e** *yeast dough*
das **Heft, -e** *notebook*
heftig *heavy, severely*
hehr *sublime, majestic*
die **Heide, -n** *heath*
das **Heidengeld: ein Heidengeld** *an awful lot of money*
heil *intact*
heilen *to heal, cure*
heilig *holy, sacred*
die **Heimat** *home; homeland*
der **Heimatroman, -e** see fn p 64
heimgehen *to go home*
heimholen *to bring home*
heimkehren *to return home*
heimkommen *to come home*
heimlich *secret(ly)*
heimschicken *to send home*
heimwärts *homeward;* heimwärts ziehen *to head toward home*
der **Heimweg, -e** *way home*
das **Heimweh** *homesickness*
heiraten *to marry*
heiser *hoarse*
heissen *to be named, called; to mean;* ich heisse *my name is*
der **Held, -en** *hero*
der **Heldentod** *hero's death*
helfen *to help;* s. helfen *to find a way out*
hell *light, bright*
hellbraun *light brown*
das **Hemd, -en** *shirt*
herabgehen *to go down*
herabhängen *to hang down*
herankommen *to approach*
heraufholen: hol sie wieder herauf *get it and bring it back up again*
s. **herausfinden** *to find one's way out of*
herausholen *to take out*
herauskommen *to get out*
herauslecken *to lick out*
herausrutschen *to slip out*
s. **herausstellen** *to come to light*
herausziehen *to pull out*
herbeirufen *to call, send for*
der **Herbst, -e** *fall*
die **Herbstnacht, ⸚e** *fall night*
der **Herbsttag, -e** *autumn day*
der **Herd, -e** *fireplace*
hereinbrechen über *to overtake*
hereinbringen *to bring in*
hereinkommen *to come in*
hereinlegen *to fool, take in*

hereinschauen *to look in*
hereintreten *to enter, step into*
herfallen über *to attack, assault*
hergeben *to hand over, give*
hergehen: es ging noch gemütlicher her *things were slower, more relaxed*
herkommen *to come from*
hernach *thereafter, after this*
der **Herr, -en** *Mr., man, gentleman, lord;* mein Herr *dear sir*
der **Herrenblick, -e** *majestic mien*
herrlich *beautiful, lovely; wonderful*
die **Herrlichkeit, -en** *wonder, marvel*
die **Herrschaften (pl): Guten Abend die Herrschaften** *good evening, folks*
herrschen *to rule, prevail*
herumerzählen *to tell everyone*
herumfliegen *to fly around*
herumfragen *to ask around*
herumgehen *to go around; to pass, go by*
herumkritisieren an *to find fault with everything*
s. **herumsammeln um** *to gather around*
herumschicken *to send around*
herumschlendern *to stroll around*
s. **herumsprechen** *to go around (talk)*
herumspringen *to jump around*
herumstochern *to poke around*
herumtrippeln *to hop around*
herumvagabundieren *to bum around*
herumwieseln *to sneak around*
hervorholen *to pull out*
hervorkriechen *to crawl out*
hervorspringen *to jump out*
hervorstossen *to spit out; to utter*
hervortreten *to step forward*
hervorziehen *to pull out*
das **Herz, -en** *heart;* s. ein Herz fassen *to take heart, gather up one's courage;* ums Herz *in (their) heart(s)*
die **Herzensangst** *anguish*
herzutreten *to step up to*
das **Herzweh** *heartache*
heulen *to cry; scream, wail;* zum Heulen *pretty bad*
heute *today*
hie (hier) *here*
hier *here*
hierauf *after that*
hierherkommen *to come here;* wie kommt es hierher? *how did it get here?*

die **Hieroglyphenmütze, -n** *crown worn by Egyptian pharaohs*
die **Hilfe** *help*
der **Hilferuf, -e** *call for help*
hilflos *helpless*
der **Himmel, -** *sky; heaven;* um Himmels willen *for heaven's sake*
himmelhoch *skyhigh;* himmelhoch jauchzend, zu Tode betrübt *one moment exulting, the next quite cast down*
himmlisch *heavenly*
hin: hin und her *back and forth;* hin und wieder *now and then;* nach langem Hin und Her *after much back and forth;* so für mich hin *all alone*
hinabfallen *to fall down (into)*
hinabschicken *to send down*
hinauf *up to*
hinaufbringen *to bring up (to)*
hinaufführen: führen Sie ihn bitte hinauf *please show him up (to my dressing room)*
hinaufjagen *to chase up*
hinaufsehen *to look up*
hinaufsteigen *to climb up (to)*
hinaus *out into*
hinausführen *to lead out*
hinausgehen *to go out*
hinauslaufen *to run out*
hinausschmeissen *to throw out*
hinaussehen *to look out*
hinaustreiben *to drive out*
hinauswachsen *to grow beyond*
hinauswollen *to want to go out*
hinausziehen *to go out*
hindenken: wo denken Sie hin? *what can you be thinking of?*
hindrängen *to push toward*
hindurchlassen *to let through*
hinein *in, into*
hineinfahren *to drive into*
hineinführen *to show, lead in*
hineingehen *to go in, into; to fit in*
hineinklemmen *to stick, catch*
hineinschauen *to look into*
hineinstecken *to stick in, into*
hineinstürzen *to fall in*
hineinsehen *to project onto;* das Wesen, das die andern in uns hineinsehen *the being that others see in us*
hinfahren *to go there; to go, drive to*
hinfallen *to fall down*
hingehen *to go to, forth*
hingekritzelt *scribbled down*
hingucken *to look at*
hinhalten *to hold out to*
hinsagen: vor sich hinsagen *to say to o.s.*
hinschauen *to look at, toward*
hinschieben *to push toward*
s. **hinsetzen** *to sit down*
s. **hinstellen** *to stand, place o.s.*
hinten: von hinten *from the back*
hinter *behind; beyond*
hintereinander *in succession*
das **Hinterhaus, ⸚er** *rear quarters of a house;* here: *secret quarters*
hinterlassen *to leave behind*
hinüberspringen *to jump over (to), run over to*
hinüberziehen *to fly over*
hinunterfallen *to fall down*
hinunterfegen *to race down*
hinuntergehen *to go down*
hinuntersehen *to look down*
hinuntersteigen *to climb down*
hinweinen *to cry to*
hinzueilen *to rush to*
hinzufügen *to add*
hinzusetzen *to add*
hinzuzählen *to take into account; to add*
der **Hippie, -s** *hippie*
hoch *high*
hochklappen *to turn, pull up*
die **Hochschule, -n** *college;* die Technische Hochschule *polytechnical college*
höchst *highly, most, very*
höchst– *highest*
höchstens *at most*
die **Hochzeit, -en** *wedding;* Hochzeit halten *to marry*
hocken *to crouch, squat*
der **Hocker, -** *stool*
der **Hof, ⸚e** *yard; courtyard*
hoffen *to hope;* hoffen wir *let's hope so;* ich will es hoffen *I should hope so*
die **Hoffnung, -en** *hope*
hoffnungsvoll *hopeful, optimistic*
die **Höflichkeit** *politeness*
der **Hofstaat, -en** *royal household*
hoh– *high*
die **Höhe, -n** *height;* in die Höhe *in the air;* in die Höhe gehen *to rise, go up*
höher: der höhere Schüler *gymnasium student*
die **Höhle, -n** *cave*
höhnisch *scornful(ly)*
hold *well disposed (toward)*
holen *to get, fetch;* s. holen *to pick up*
höllisch *terribly, awfully*
das **Holz** *wood*
hörbar *audible*
hören *to hear;* hören auf *to listen to, heed;* hör mal! *listen!*
der **Hörer, -** *headphone, earphone; receiver*
das **Horn, ⸚er** *horn*
der **Hornruf, -e** *bugle call*
die **Hose, -n** *pants*
der **Hosenboden, ⸚** *seat of one's pants*
die **Hosentasche, -n** *pants' pocket*
die **Hostie, -n** *host (consecrated wafer used in Communion)*
hübsch *pretty*
der **Hufschlag, ⸚e** *hoof beat;* Hast und Hufschlag *haste and hoof beats*
der **Hügel, -** *hillside*
das **Huhn, ⸚er** *chicken*
die **Hülle, -n** *wrapper*
der **Humor** *humor*
der **Hund, -e** *dog*
hundert *hundred*
hundertjährig *hundred–year*
der **Hundertmarkschein, -e** *hundred–mark bill*
der **Hunger** *hunger;* Hunger haben *to be hungry*
hungernd *starving*
der **Hungrige, -n** *hungry person*
hüpfen *to hop*
der **Hut, ⸚e** *hat*
die **Hütte, -n** *hut, cottage*
die **Hyäne, -n** *hyena*
die **Hygiene** *hygiene*

I

das **Ideal, -e** *ideal*
die **Idee, -n** *idea;* Ich bin nicht auf die Idee gekommen *the thought never crossed my mind*
ihrerseits *for her part*
der **Illusionsakt, -e** *disappearing act*
immer *always; more and more;* immer noch *still;* immer wieder *again and again*
immerhin *after all; nevertheless*
imponieren *to impress*
in *in*
die **Inbrunst** *fervor*
indem *in that*
ineinander *inside each other*
der **Ingenieur, -e** *engineer*
innen *inside, inwardly*
die **Innenstadt, ⸚e** *downtown, city center*
inner– *inner, inward;* das innere Auge *the mind's eye*
das **Innerliche: alles Innerlichen** *all (one's) insides*
innewohnen *to be inherent in*
der **Insasse, -n** *occupant*
insgeheim *secretly*

die **Intelligenz** *intelligence*
interessant *interesting*
das **Interessante** *the interesting thing, part*
interessieren *to interest;* s. interessieren für *to be interested in*
international *international*
das **Internatsgeld** *money for boarding school*
die **Invasion, -en** *invasion*
der **Inzest** *incest*
inzwischen *in the meantime*
irgend: irgend so ein *some kind of*
irgendein *any one (or other)*
irgendwann *some time (or other)*
irgendwas *something or other*
irgendwelche *some*
irgendwer *somebody or other*
irgendwie *somehow, somehow or other*
irren *to err, make a mistake*

J

ja *yes; indeed*
die **Jacke, -n** *jacket*
die **Jackentasche, -n** *jacket pocket*
der **Jagdhund, -e** *hunting dog*
jagen *to hunt; to chase; to race*
das **Jagdrevier, -e** *hunting ground*
der **Jäger, -** *hunter*
das **Jahr, -e** *year*
das **Jahrhundert, -e** *century;* im vorigen Jahrhundert *in the last century*
jahrtausendelang *for thousands of years*
der **Jammer** *misery, despair;* den Jammer kriegen *to become sad, miserable*
jammern *to moan; wail, whine, complain*
jämmerlich *miserable; pitiful*
der **Japaner, -** *person from Japan*
die **Japanerin, -nen** *Japanese girl or woman*
jauchzend *rejoicing*
jawohl *yes indeed*
je *ever;* oh je! *oh dear;* je (höher) . . . um so (mehr) *the higher . . . the more;* näher denn je *closer than ever*
die **Jeans** (pl) *jeans*
jed– *each, every;* ein jeder *each one;* jeder *each one*
jedenfalls *in any case*
jeder *everyone, each*
jedermann *anyone; everybody*
jedesmal *every time*
jedoch *however*
jeglich *every*
jemals *ever*
jemand *someone*
jener *that*
jetzt *now*
das **Jubiläum, -äen** *anniversary*
jucken *to itch*
die **Jugend** *youth*
jung *young*
der **Junge, -n** *boy*
die **Jungen** (pl) *the young ones*
der **Jünger, -** *disciple*
die **Jungfer, -n** *maiden*
die **Jungfrau, -en** *maiden*
der **Jüngling, -e** *youth, young man*
jungverheiratet *newly married*
der **Juni** *June*
der **Junker, -** *young nobleman*
just *just, just now*
der **Juwelier, -e** *jeweler*

K

die **Kabine, -n** *cabin*
die **Kabinenmöbel** (pl) *cabin furniture*
die **Kabinentür, -en** *cabin door*
der **Kaffee, -s** *coffee;* Kaffee kochen *to make coffee*
der **Käfig, -e** *cage*
kahl *bald, bare*
der **Kahlkopf, ⸚e** *bald head;* einen Kahlkopf scheren *to shave s.o.'s head bald*
der **Kahn, ⸚e** *small boat*
der **Kaiser, -** *emperor*
kalt *cold*
das **Kamel, -e** *camel*
die **Kamera, -s** *camera*
der **Kamerad, -en** *pal, buddy*
der **Kamm, ⸚e** *comb;* einen Kamm durch die Haare fahren *to put a comb through one's hair*
die **Kammer, -n** *small room, chamber*
der **Kampf, ⸚e** *struggle, fight, battle*
kämpfen *to fight*
der **Kämpfer, -** *fighter*
die **Kanalküste** *coast of the channel*
der **Kanari, -s** *canary*
das **Kaninchen, -** *rabbit*
die **Kanne, -n** *(coffee) pot*
kannibalisch *awful, terrific*
der **Kanonendonner** *thunder of cannons*
die **Kante: auf die hohe Kante legen** *to save for a rainy day*
der **Kapellmeister, -** *orchestra conductor*
der **Kapitän, -e** *captain*
das **Kapitel, -** *chapter*
kaputt *broken*
kaputtmachen *to ruin, wreck*
Kärnten *Carynthia*
die **Karte, -n** *menu, list; card*
die **Kartoffel, -n** *potato*
das **Kartoffelkraut** *potato plant*
die **Kasse, -n** *cash register*
die **Kassette, -n** *case*
die **Kassiererin, -nen** *cashier*
der **Katalogpreis, -e** *list price*
die **Katastrophe, -n** *catastrophe*
das **Katheder, -** *teacher's desk*
die **Katze, -n** *cat;* die Katze im Sack kaufen *to buy a pig in a poke*
kauen *to chew*
kauend *chewing*
kaufen *to buy*
kaufkräftig *moneyed*
kaum *hardly, barely*
die **Kehle, -n** *throat;* aus voller Kehle *heartily*
kein *not a*
keiner *none, no one*
der **Keller, -** *basement, cellar*
kennen *to know, be acquainted with*
kennenlernen *to get to know, make the acquaintance of*
die **Kenntnis: zur Kenntnis nehmen** *to acknowledge*
die **Kenntnisse** (pl) *knowledge*
der **Kerl, -e** *fellow, guy;* ein ganz netter Kerl *a real nice guy;* ein prima Kerl *a terrific guy*
der **Kessel, -** *pot*
die **Kette, -n** *chain*
keuchen *to pant, gasp*
keuchend *panting*
kicherig *giggly*
kikeriki *cock–a–doodle–do*
der **Kilometerzähler, -** *odometer*
das **Kind, -er** *child*
das **Kindermädchen, -** *nanny*
der **Kinderspielplatz, ⸚e** *playground*
die **Kinderwiege, -n** *cradle*
die **Kindheit** *childhood*
kindisch *childish*
das **Kindlein, -** *small child*
kindlich *childlike; innocent*
das **Kinn, -e** *chin*
die **Kirche, -n** *church*
das **Kirchenfenster, -** *church window*
die **Kirmes** *fair*
der **Kirmesplatz, ⸚e** *carnival grounds*
der **Kittel, -** *(work) jacket*
die **Klage, -n** *complaint;* eine Klage einreichen *to make a charge*
klagen *to complain*
klagend *complainingly*
der **Klang, ⸚e** *sound, ring; repute*

klappernd *clattering*
klar *clear*
klarmachen *to clarify*
die **Klasse, -n** *class;* 1. Klasse *first class*
die **Klassenarbeit, -en** *test*
die **Klassenbeste, -n** *best student in the class*
das **Klassenbuch, ⸚er** *class ledger*
die **Klassenhiebe** *beating (by class-mates)*
klatschen *to clap*
kleben *to sock, punch*
das **Kleeblatt, ⸚er** *clover leaf*
das **Kleid, -er** *dress; garment;* (pl) *clothing*
kleidsam *becoming*
die **Kleidung** *clothing*
klein *little, small*
die **Kleinigkeit, -en** *bit (to eat), a little something; small thing*
kleinkriegen: lass dich nicht kleinkriegen! *don't let them get the best of you!*
kleinlich *petty*
klettern *to climb*
der **Klingelknopf, ⸚e** *doorbell*
klingeln *to ring*
die **Klinke, -n** *handle*
klingen *to ring, sound*
klirren *to clink, clatter*
das **Klirren** *clattering*
klopfen *to knock; to tap;* es klopft *there is a knock;* jemandem auf die Schulter klopfen *to pat, slap someone on the back*
klopfend *beating*
die **Kluft, ⸚e** *gap, crack*
klug *smart*
der **Kluge, -n** *smart, clever person*
die **Klügere, -n** *the smarter one*
die **Klugheit** *intelligence, brains*
der **Knabe, -n** *boy*
das **Knäblein, -** *little boy*
das **Knacken** *crack, snap*
das **Knallen** *explosion*
knallend *loud, resounding*
der **Knecht, -e** *servant, slave*
knicken *to break, bend*
das **Knie, -** *knee*
die **Kniehose, -n** *knickers*
der **Knopf, ⸚e** *knob*
die **Knopse, -n** *bud*
der **Knotenstock, ⸚e** *knotty stick*
der **Knuff, ⸚e** *cuff, slap*
knurren *to grumble*
der **Koch, ⸚e** *cook*
kochen *to cook;* Kaffee kochen *to make coffee*
der **Koffer, -** *suitcase*
der **Kognak, -s** *cognac*
kokett *coquettishly*
die **Kolbenweite** *piston diameter*
das **Kollier, -s** *necklace*
der **Komfort** *comfort, luxury*
komisch *funny; strange*
kommen (auf) *to come (to, upon);* zu sich kommen *to recover one's senses;* kommen an *to arrive at*
kompliziert *complicated*
der **Kompromiss, -e** *compromise*
die **Konferenz, -en** *conference*
der **Konfirmationsanzug, ⸚e** *suit worn for one's Confirmation*
der **König, -e** *king*
die **Königin, -nen** *queen*
das **Königsreich, -e** *kingdom*
der **Königssohn, ⸚e** *king's son, prince*
die **Königstochter, ⸚** *king's daughter, princess*
können *can, to be able to*
das **Können** *ability*
konstruiert *constructed*
das **Konto, -s** *bank account*
kontrollieren *to check*
kontrolliert *controlled*
konzentriert *concentrated*
der **Kopf, ⸚e** *head;* den Kopf verdrehen *to turn s.o.'s head;* du bist nicht auf den Kopf gefallen! *you're not stupid!;* durch den Kopf gehen lassen *to think about, think over;* s. die Köpfe einschlagen *to beat each other's head in*
das **Köpfchen, -** *little head*
der **Kopfhörer, -** *earphone, head-phone*
das **Kopfweh** *headache*
der **Korridor, -e** *hallway*
korrigieren *to correct*
kostbar *valuable*
kosten *to cost*
krabbeln *to grope, fumble*
das **Krachen** *crash*
die **Kraft, ⸚e** *force, strength, power;* (pl) *energy*
kräftig *hard, powerful, strong*
der **Kragen, -** *collar*
krähen *to crow*
die **Kralle, -n** *claw*
kramen *to rummage in*
krampfhaft *frantically*
der **Kran, ⸚e** *crane*
krank *sick*
der **Kranke, -n** *patient, sick person*
das **Krankenhaus, ⸚er** *hospital*
die **Krankenschwester, -n** *nurse*
die **Krankheit, -en** *sickness*
kratzen *to scratch*
der **Kreis, -e** *circle;* Kreise schlingen *to make circles;* s. im Kreise drehen *to circle, turn round and round*
kreischen *to scrape*
kreisen (um) *to circle (around)*
die **Kreisstadt, ⸚e** *county seat*
das **Kreuz, -e** *small of the back*
die **Kreuzform: in Kreuzform** *in the form of a cross*
kriechen *to crawl, creep*
der **Krieg, -e** *war*
kriegen *to get*
der **Kriegsplan, ⸚e** *plan of attack*
die **Krim** *Crimea*
kriminaltechnisch *criminal*
kritisch *critical*
das **Kroko: aus Kroko** *from croco-dile skin*
die **Krone, -n** *crown*
die **Küche, -n** *kitchen*
der **Kuchen, -** *cake*
der **Küchenjunge, -n** *kitchen boy*
die **Küchentür, -en** *kitchen door, door to the kitchen*
die **Kugel, -n** *bullet*
kühl *cool*
die **Kühle** *coolness*
der **Kühler, -** *cooler*
kühn *brave, daring*
s. **kümmern um** *to concern o.s. about*
der **Kumpel, -** *buddy, pal*
der **Kunde, -n** *customer*
die **Kundin, -nen** *customer*
die **Kundschaft** *customer(s)*
die **Kunst, ⸚e** *art; skill;* die schönen Künste *fine arts*
der **Künstler, -** *artist*
der **Kurier, -e** *courier*
der **Kurs, -e** *course*
kurz *short; in short;* kurz darauf *shortly thereafter;* kurz und gut *in short;* vor kurzem *recently*
die **Kürze** *shortness, brevity;* in der Kürze liegt die Würze *brevity is the soul of wit*
kurzentschlossen *without hesitation*
kurzfristig *immediate, on short notice*
kürzlich *recently*
kuschen *to knuckle under*
der **Kuss, ⸚e** *kiss*
küssen *to kiss*
die **Küste, -n** *coast*
die **Küstenstation, -en** *coastal station*

L

lächeln *to smile*
lachen *to laugh*
das **Lachen** *laughter*
lächerlich *ridiculous*

der **Lack** *varnish, lacquer*
laden *to load (a gun)*
der **Laden, ¨** *store*
der **Laderaum, ¨e** *hold (of a ship)*
der **Laffe, -n** *fop, dandy*
die **Lage, -n** *situation*
lallend *speaking thickly, drunkenly*
das **Lämpchen, -** *little light*
das **Land, ¨er** *land, country, countryside*
der **Landmann, ¨er** *farmer; person from the country*
lang *long; for a long time; tall;* so lang' *as long as*
die **Länge** *length;* in die Länge ziehen *to drag out*
die **Langeweile** *boredom*
der **Langhaarige, -n** *person with long hair*
langsam *slow*
längst *for a long time; all along*
langweilig *boring*
der **Lärm** *noise*
lärmend *noisily*
lassen *to let; to leave; to stop; to have (s.th. done);* lass das! *stop that!* sich sehen lassen *to appear*
die **Last, -en** *burden; weight*
lasten auf *to weigh upon*
lästig *annoying*
der **Lateiner, -** *Roman*
die **Laube, -n** *arbor*
laufen *to run; proceed*
lauschen *to listen; to overhear*
laut *loud; out loud*
der **Laut, -e** *sound*
lauter *mere, nothing but;* sie platzt vor lauter Ideen *she's just bursting with ideas*
lautlos *silent, soundless*
der **Lautsprecher, -** *loudspeaker*
leben *to live*
das **Leben, -** *life;* am Leben sein *to be alive;* dein Leben lang *all your life;* etwas Lebendes *s.th. living, a living thing;* jemandem das Leben schenken *to spare s.o.'s life; to give birth;* niemals im Leben *never in my life;* um ihr Leben *for the life of her*
lebendig *alive; lively*
das **Lebendige** *life; the living*
die **Lebenskunst** *art of living*
der **Lebensmut** *courage, optimism*
der **Lebensunterhalt, -e** *livelihood*
lechzen nach *to pant for*
das **Leder** *leather*
ledern *leather* (adj.)
leer *empty*
legen *to lay, put;* s. legen *to quiet down*
die **Legitimation** *credentials*
lehnen *to lean;* s. lehnen an *to lean against*
der **Lehnstuhl, ¨e** *arm chair, easy chair*
lehren *to teach*
der **Lehrer, -** *teacher*
die **Lehrerin, -nen** *teacher*
der **Lehrling, -e** *apprentice*
der **Lehrmeister, -** *master, teacher*
der **Leib, -er** *body*
leiblich: mit leiblichen Augen *with one's own eyes*
leicht *light; easy; slightly*
leid: leid tun *to be sorry*
das **Leid, -en** *suffering;* ein Leid tun *to harm;* Leid klagen *to tell (her) troubles;* zu Leide *s.th. sad*
leiden *to suffer, endure*
leidenschaftlich *passionate(ly)*
leidvoll *sorrowful*
die **Leinwand, ¨e** *canvas*
leise *soft, quiet*
leisten: Gesellschaft leisten *to keep (s.o.) company;* s. leisten *to afford*
die **Leitung, -en** *cord; cable;* eine lange Leitung haben *to be slow (to understand s.th.)*
der **Lenz: ein Lenz** *a lark*
die **Lerche, -n** *lark*
lernen *to learn*
das **Lernen** *learning*
lesen *to read*
der **Leser, -** *reader*
die **Letter, -n** *letter (of the alphabet)*
letzt– *last*
leuchten *to shine, glow, radiate*
leuchtend *radiant, glowing, shining*
die **Leuchtschrift** *illuminated letters*
der **Leuchtturm, ¨e** *lighthouse*
leugnen *to deny*
die **Leute** (pl) *people*
licht *bright*
das **Licht, -er** *light;* bei Lichte betrachtet *looked at in the light*
der **Lichtkreis, -e** *circle of light*
lieb *dear, good, sweet, kind;* lieb haben *to be fond of, love;* liebes Kind *dear child;* wenn ihr das Leben lieb wäre *if she valued her life*
die **Liebe, -n** *love*
lieben *to love*
das **Lieben** *loving*
der **Liebende, -n** *loved one*
lieber *rather;* es ist mir lieber so *I prefer it that way;* lieber haben *to prefer*
die **Liebesgeschichte, -n** *love story*
liebhaben *to love*
die **Lieblichkeit** *sweetness*
lieblos *unloving, cold*
liebst–: am liebsten *preferably*
die **Liebste, -n** *sweetheart*
das **Lied, -er** *song*
die **Lieferung, -en** *delivery*
liegen *to lie;* liegen an *to be the fault of, to lie with;* an uns liegt es gewiss nicht *it certainly isn't our fault;* liegen auf *to lie upon, on*
die **Linie, -n** *line*
link– *left*
links *on the left*
die **Lippe, -n** *lip*
das **Lob** *praise*
das **Loch, ¨er** *hole*
locken *to lure*
der **Lohn, ¨e** *reward; payment*
die **Lohntüte, -n** *pay envelope*
die **Lokomotive, -n** *locomotive*
die **Lokomotivenfahrt, -en** *ride on a locomotive*
los: los! *come on, let's go!;* los sein *to be going on*
losbrechen *to break loose*
löschen *to put out, extinguish*
lose *loose*
lösen *to solve; to loosen, undo*
losheulen *to start crying*
loslassen *to let go; to let loose*
s. **losmachen** *to get loose*
die **Lösung, -en** *solution*
loswerden *to shake, get rid of*
die **Luft, ¨e** *air, breeze;* Luft machen *to give vent to;* nach Luft verlangen *to gasp for air*
die **Lüge, -n** *lie*
lügen *to lie*
die **Lust** *joy, pleasure;* Lust haben *to feel like;* vor Lust *with joy;* zu Lust *s.th. happy*
lustig *funny; merrily;* etwas Lustiges *something funny;* s. lustig machen über *to make fun of*

M

machen *to make; to do; to go;* es macht nicht viel *it doesn't matter much;* sich an die Arbeit machen *to get to work*
s. **machen lassen: es lässt sich machen** *it's possible, it can be done*
mächtig *powerful;* sie regte sich mächtig *she got all stirred up*
machtlos *powerless*
das **Mädchen, -** *girl*
das **Mädel, -** *girl* (dialect)

die **Magd, ¨e** *girl, maid*
das **Mägdlein, -** *girl*
der **Magen, ¨** *stomach*
mager *thin*
die **Mahlzeit, -en** *meal*
der **Mai** *May*
die **Maid, -en** *maiden*
das **Mainufer, -** *shore of the Main River*
majestätisch *majestical(ly)*
das **Mal, -e** *time;* mit einem Male *all at once*
mal: nur mal *just;* nimm doch mal *just take*
malen *to draw; paint*
der **Maler, -** *painter*
malerisch *artistic*
man *one, you, people* (in general)
manch *many a;* manch– *many, many a*
manches *much*
manchmal *sometimes*
mangelhaft *unsatisfactory*
der **Mann, -en** *man, vassel, servant to a knight*
der **Mann, ¨er** *man; husband*
das **Männchen, -** *little man, dwarf*
mannigfarbig *multicolored*
das **Männlein, -** *little man*
die **Mannschaft, -en** *crew*
der **Mantel, ¨** *coat*
die **Mappe, -n** *briefcase*
die **Mark, -** *mark* (German monetary unit)
der **Markt, ¨e** *marketplace*
die **Marmelade, -n** *jam, marmelade*
marokkanisch *Moroccan*
der **Marquis, -** *title of a nobleman ranking below a duke and above an earl or a count*
die **Masche, -n** *soft job*
die **Maschine, -n** *engine*
der **Maschinenschlosser, -** *engine–fitter, mechanic*
die **Maschinenschlosserei, -en** *machine shop*
die **Maske, -n** *mask, disguise*
die **Masse, -n** *quantity, heap*
massiv: massiv werden *to be blunt*
masslos *boundless*
der **Mathematiklehrer, -** *math teacher*
die **Mathematikstunde, -n** *math class*
mathematisch *mathematical*
die **Mauer, -n** *wall*
das **Maul, ¨er** *snout*
die **Maus, ¨e** *mouse*
mechanisch *mechanical*
die **Medaille, -n** *medal*
der **Medizinstudent, -en** *medical student*

das **Meer, -e** *sea, ocean*
mehr *more; anymore;* nicht mehr *no longer*
mehrere *several*
die **Mehrheit** *majority*
mehrmals *often*
meinen *to say, think, be of the opinion*
meinethalb *for all I care*
die **Meinigen** (pl) *my own people*
die **Meinung, -en** *opinion;* der Meinung sein *to be of the opinion;* nach seiner Meinung *in his opinion*
meist– *most;* die meisten *most of them*
meistens *usually, most of the time*
der **Meister, -** *master; master of a trade*
die **Meisterdiebin, -nen** *master thief*
die **Meisterin, -nen** *master*
s. **melden** *to answer (the telephone); to report on*
die **Meldung, -en** *message, announcement; report*
die **Menge, -n** *large amount;* eine Menge Geld *a lot of money*
der **Mensch, -en** *person; human being;* kein Mensch *not a soul;* Mensch! *boy!, for heaven's sake!*
das **Menschenbild, -er** *human image*
das **Menschenhaupt, ¨er** *human head*
der **Menschenkenner, -** *person who is a good judge of human nature*
die **Menschheit** *humanity*
merken (an) *to notice, tell (by); realize*
merklich *noticeably*
merkwürdig *strange, peculiar*
messen *to measure; to eye, size up*
der **Meter, -** *meter*
der **Mief** *stale air*
mies *bad*
die **Miete, -n** *rent*
mieten *to rent*
das **Mietshaus, ¨er** *apartment house*
die **Mikrobe, -n** *microbe*
die **Milch** *milk*
die **Milchfrau, -en** *lady in the dairy store*
mildern *to soften, make milder*
das **Militär** *military, armed forces*
mindestens *at least;* am mindesten *the least*
der **Ministerpräsident, -en** *Prime Minister*
die **Minute, -n** *minute;* in dieser Minute *at this moment*

mischen *to mix, shuffle*
misslingen *to fail*
das **Misstrauen, -** *distrust*
misstrauisch *distrustful*
mit *with; along;* mit vierzehn *at fourteen*
mitbringen *to bring along*
miteinander *with each other;* alle miteinander *all of us*
das **Mitgefühl** *pity*
mithaben *to have along*
mithören *to hear*
mitkommen *to come along*
mitlaufen *to go, run along with*
das **Mitleid** *pity, sympathy*
das **Mitleiden** *pity;* Mitleiden haben mit *to take pity*
mitmachen *to participate*
mitmarschieren *to march along with*
mitschreiben *to write, take down*
mitstampfen *to tap along*
der **Mittag** *midday, noon;* über Mittag *at lunchtime*
die **Mitte** *middle, center;* in ihrer Mitte *among them*
das **Mittel** *means*
mitteilen *to tell, inform*
das **Mittelalter** *Middle Ages*
der **Mittelpunkt, -e** *center of attention*
mitten in (drin) *in the middle of*
die **Mitternacht** *midnight*
die **Mittlere Reife** see fn p 66
die **Mode, -n** *fashion, style;* Mode sein *to be the style*
das **Modejournal, -e** *fashion magazine*
modern *modern*
mögen *to like*
möglich *possible*
der **Moment, -e** *moment*
der **Monat, -e** *month*
monatelang *for months*
monatlich *a month, monthly*
der **Mond, -e** *moon*
mondlos *moonless*
die **Mondnacht, ¨e** *moonlit night*
die **Montage, -n** *assembly*
die **Morallehne, -n** *moral support*
morgen *tomorrow;* morgen früh *tomorrow morning*
der **Morgen, -** *morning*
das **Morgenrot** *dawn*
morgens *in the morning*
morgenschön *as beautiful as the morning dew*
die **Morgenzeitung, -en** *morning paper*
das **Morsealphabet** *Morse alphabet*
die **Morsetaste, -n** *key for sending Morse code*

das **Morsezeichen** *Morse code*
das **Motorrad, ⸚er** *motorcycle*
der **Muckser, -** *move, stirring*
müde *tired*
die **Müdigkeit** *weariness*
die **Mühe** *trouble;* mit Mühe und Not *with great difficulty*
das **Mühlenrad, ⸚er** *mill wheel*
mühsam *with difficulty*
der **Müller, -** *miller*
die **Müllerin, -nen** *miller's wife or daughter*
die **Müllerstochter, ⸚** *miller's daughter*
multiplizieren *to multiply*
der **Mund, ⸚er** *mouth;* den Mund reichlich vollnehmen *to bite off more than you can chew*
mündlich *oral*
der **Mundwinkel, -** *corner of the mouth*
munter *merrily, cheerfully*
die **Münze, -n** *coin*
murmeln *to murmur, mutter*
die **Muschel, -n** *earpiece*
die **Musik** *music*
müssen *must, have to*
mustern *to size up*
die **Musterungskommission, -en** *draft board*
der **Mut** *courage; spirit;* Mut haben zu *to have the courage to*
die **Mutter, ⸚** *mother*
das **Mütterchen, -** *old woman*
die **Mütze, -n** *cap*

N

na? *well then?*
nach *after; according to;* nach neuen *anew*
der **Nachbar, -n** *neighbor*
die **Nachbarschaft, -en** *neighborhood*
das **Nachbild, -er** *imitation*
nachbilden *to copy, imitate*
nachdem *after*
nachdenklich *lost in thought*
nachdrücklich *emphatically*
nacheinander *one after the other*
nachfolgen *to follow*
nachgehen *to pursue*
nachher *later, afterwards*
nachlassen *to give up, in; to let up*
der **Nachmittag, -e** *afternoon*
nachrennen *to chase, run after*
die **Nachricht, -en** *news, report*
nachschauen *to look, watch after, follow with one's eyes*
nachsehen *to look, check; make sure; to follow with one's eyes;* sieh selber nach *look for yourself*
die **Nachsicht** *hindsight*
nächst– *next*
das **Nächste** *the closest thing*
der **Nächste, -n** *the nearest one*
die **Nächste, -n** *the closest (one)*
die **Nacht, ⸚e** *night;* in der Nacht *during the night;* in derselben Nacht *that same night*
nächtens *during the night*
nächtlich *nighttime, nocturnal*
das **Nachtlied, -er** *night song*
nachts *at night, during the night*
der **Nachbarort, -e** *neighboring town*
nachziehen *to follow after*
der **Nacken, -** *neck*
nackt *bare*
die **Nadel, -n** *needle*
nah(e) *near, close*
die **Nähe: in der Nähe** *nearby, in the vicinity*
s. **nähern** *to approach*
der **Name, -n** *name*
der **Namenlose, -n** *person without a name*
nämlich *namely*
nanu? *what? well?*
der **Narr, -en** *fool*
die **Nase, -n** *nose*
nass *wet*
die **Nässe** *wetness*
die **Nation, -en** *nation*
die **Natur** *nature;* Natur gewordene Planken *planks stripped of varnish by the salt water*
natürlich *naturally*
der **Nebel** *fog*
der **Nebelstreifen, -** *patch of fog*
neben *next to*
nebenan *alongside, next to*
nebeneinander *next to each other*
der **Nebentisch, -e** *neighboring table*
necken *to tease;* s. necken *to tease (each other)*
negativ *negative*
der **Neger, -** *Negro*
nehmen *to take;* auf sich nehmen *to take upon o.s.*
neidisch *jealous, envious*
neigend *leaning toward*
nein *no*
nennen *to call, name;* seinen Namen nennen *to give his name*
nervös *nervous*
nett *nice*
neu *new; anew;* gibt es etwas Neues? *anything new?*
die **Neugier** *curiosity*
neugierig *curious*
die **Neuigkeit, -en** *news*
neulich *recently*
neunzehnhundertsiebzehn *1917*
nicht *not;* nicht mehr *no longer*
die **Nichtachtung** *disregard, contempt*
nichtig *inconsequential*
nichts *nothing*
das **Nichts** *nothingness; nonentity*
nicken *to nod*
das **Nicken** *nodding*
nie *never*
niederblicken *to look down*
niederfallen *to fall down*
die **Niederlande** (pl) *the Netherlands*
s. **niederlassen** *to settle*
niemals *never*
niemand *no one, nobody*
das **Niesen** *sneezing*
nimmermehr *never, nevermore*
nippen *to sip*
nirgends *nowhere*
die **Nische, -n** *niche*
nit = nicht
noch *still; nor; yet;* noch ein *another;* noch einmal *again;* noch nicht *not yet*
Nord: Nord–nord–ost *north by northeast*
normal *normal*
norwegisch *Norwegian*
die **Not** *anguish; need; trouble*
die **Note, -n** *mark, grade*
notieren *to note*
nötig *appropriate, necessary*
die **Notlage, -n** *predicament*
notleidend *needy*
der **Notruf, -e** *SOS; cry of distress*
das **Notsignal, -e** *distress signal*
nüchtern *sober*
die **Nudel, -n** *noodle*
die **Null** *zero;* unter Null *below freezing*
die **Nummer, -n** *number*
nun *so, now then, well*
nunmehr *now, by this time*
nur *only;* nur so *merely, just*
nützen *to be of use*
nützlich *useful*
nutzlos *useless*

O

ob *if, whether*
obdachlos *homeless*
der **Obdachlose, -n** *homeless person*

oben *up; upstairs; up there; at the head (of the table);* dort oben *up there;* hoch oben *high up*
der **Oberkratzenbacher, -** *person from Oberkratzenbach*
der **Oberstatistiker, -** *head statistician*
der **Oberlehrer, -** *teacher*
die **Obertertia** *ninth grade*
obgleich *although*
das **Objekt, -e** *object*
obwohl *although*
öde *dreary*
oder *or*
offen *open*
offenbar *apparently, evidently; obviously*
der **Offizier, -e** *officer*
öffnen *to open*
offensichtlich *obvious, apparent*
oft *often*
öfter: schon öfter *already many times*
öfters *often*
ohne *without*
ohnehin *besides, anyway*
das **Ohr, -en** *ear*
die **Ohrfeige, -n** *slap across the face*
die **Oper, -n** *opera*
das **Opfer, -** *victim*
das **Orakel, -** *oracle*
ordentlich *proper, thorough*
die **Ordnung** *order, neatness;* in Ordnung sein *to be OK; to be working, in working order*
organisieren *to organize, arrange for*
s. **orientieren nach** *to orient o.s. by*
das **Original, -e** *an unusual, often peculiar person*
die **Originalität** *originality*
der **Ort, -e** *spot, place; town, village*

P

paar *few;* ein paar *a few*
packen *to pack; to grab*
die **Packung, -en** *package*
der **Pädagoge, -n** *teacher, pedagogue*
das **Paket, -e** *package*
der **Palast, ⸚e** *palace*
der **Palmengarten** see fn p 68
pänglos *without "päng"*
die **Papierhülle, -n** *paper wrapper*
der **Papierkorb, ⸚e** *wastebasket*
das **Parfüm, -s** *perfume*
das **Parkett** *main floor of a theater*
passen *to fit*
passieren *to pass; to happen*
pathologisch *pathological*
patzig *snappy, rude*
die **Pause, -n** *pause*
pausenlos *without stopping*
das **Pech** *tar*
die **Pein** *pain, torment*
peinlich *embarrassing*
die **Person, -en** *person*
persönlich *personally*
die **Persönlichkeit, -en** *personality*
das **Perückenhaupt, ⸚er** *head wearing a wig*
der **Pestatem** *foul breath*
der **Pfad, -e** *path*
die **Pfeife, -n** *pipe; whistle*
pfeifen *to whistle, play a pipe*
das **Pfeifchen, -** *little pipe, tin whistle*
der **Pfeiler, -** *pillar*
das **Pferd, -e** *horse*
die **Pferdeblume, -n** *colt's foot* (see fn p 44)
der **Pferdewagen, -** *horse–drawn wagon*
pflanzen *to plant*
der **Pflaumenkuchen, -** *plum pie, cake*
pflegen *to take care of; to be in the habit of doing;* zu tun pflegen *to be in the habit of doing (s.th.)*
die **Pfote, -n** *paw*
der **Photograph, -en** *photographer*
piepsend *squeaky, chirpy*
der **Pinsel, -** *brush*
der **Pinselstrich, -e** *brush stroke*
die **Plage, -n** *trouble*
der **Plan, ⸚e** *plan*
planlos *aimless(ly), haphazard(ly)*
die **Planke, -n** *plank, board*
der **Panther, -** *panther*
die **Platineinfassung, -en** *platinum setting*
die **Platte, -n** *square of pavement; record*
der **Plattenspieler, -** *record player*
die **Plattfüsse** (pl) *flat feet*
der **Platz, ⸚e** *place; seat; square;* am Platze *appropriate;* der Platz der Stadt *village square;* Platz greifen *to take hold;* Platz nehmen *to sit down*
platzen *to burst*
plaudern *to chat*
plötzlich *suddenly*
der **Plüsch** *plush*
die **Polizei** *police*
das **Polizeipräsidium** *police headquarters*
das **Portemonnaie, -s** *wallet*
der **Portier, -s** *janitor*
das **Porträt, -s** *portrait*
porträtieren *to paint portraits*
positiv *positive*
der **Posten, -** *post, job; item, amount*
das **Postscheckkonto, -s** *type of checking account held with the post office*
die **Pracht** *splendor*
prägen: eine Münze prägen *to mint a coin*
praktisch *practical*
predigen *to preach*
der **Preis, -e** *price; prize;* zu guten Preisen *at a good price*
der **Priester, -** *priest*
prima *great, terrific*
der **Prinz, -en** *prince*
die **Prinzessin, -nen** *princess*
privat *private*
die **Probe, -n** *test, trial;* auf die Probe stellen *to put to the test*
proben *to try out*
probieren *to try*
das **Problem, -e** *problem*
der **Produzent, -en** *producer*
der **Professor, -en** *professor; teacher*
die **Programmseite, -n** *page from a theater program*
prozentual *(expressed as) percentage*
prozentualisieren *to compute percentages*
prüfen *to check, examine*
die **Prügel, -** *beating;* Prügel beziehen *to get beaten up*
der **Psychologe, -n** *psychologist*
der **Pullover, -** *sweater*
punkt: punkt 15.10 Uhr *at 3:10 sharp*
pünktlich *punctual(ly)*
die **Pupille, -n** *pupil (of the eye)*
putzen *to clean;* die Zähne putzen *to brush (one's) teeth*
die **Putzfrau, -en** *cleaning woman*

Q

quälend *tortuous(ly), tormenting(ly)*
qualvoll *painful, tormenting*
quatschen *to talk nonsense*
quellen *to gush forth*
quer *crosswise*

R

s. **rächen** *to get revenge*
das **Rad, ⸚er** *wheel, tire; (spinning) wheel*
das **Rädchen, -** *little wheel*

das **Radieschen, -** *radish*
der **Radwechsel** *changing a tire*
rahmen *to frame*
der **Rahmen, -** *frame*
der **Rand, ¨er** *edge, brim, margin;* bis an den Rand *up to the top*
randalieren *to riot*
der **Rangierbahnhof, ¨e** *switch yard*
rasend *raging; furious*
der **Rat: keinen Rat wissen** *to be at one's wit's end, not know what to do*
das **Rathaus, ¨er** *city hall*
das **Rätsel, -** *riddle, puzzle*
die **Ratte, -n** *rat*
der **Rattenfänger, -** *rat catcher; Pied Piper (of Hamlin)*
rauben *to rob;* einem den Schlaf rauben *to rob s.o. of their sleep*
der **Rauch** *smoke*
rauchen *to smoke*
der **Raum, ¨e** *area; room;* (pl) *premises*
raus *out*
rauschen *to rustle*
rausfahren *to drive out*
rausziehen *to take, pull out*
die **Rebellion, -en** *rebellion*
die **Rechenarbeit, -en** *math test*
die **Rechenmaschine, -n** *adding machine*
die **Rechnung, -en** *bill*
recht *really, very; real, true; right, proper;* die rechte Mitte *a happy medium;* du kommst mir recht *just what I expected;* keiner wusste recht wie *no one knew exactly how;* recht anständig *really quite decent;* recht haben *to be right;* recht tun *to please, do right by*
das **Recht, -e** *right; justice;* mit Recht *rightly so*
rechts *on the right*
rechtzeitig *in time*
reden (über) *to talk (about)*
die **Redensart, -en** *saying, expression*
der **Refa–Mann, ¨er** *time and motion study engineer*
regelmässig *regular*
s. **regen** *to move, stir; to get stirred up, agitated*
der **Regen, -** *rain*
regenfeucht *wet with rain*
regnen *to rain*
reiben *to rub*
reich *rich*
das **Reich, -e** *kingdom*
der **Reichtum, ¨er** *wealth, fortune, riches;* Reichtümer erwerben *to amass a fortune*
reif *ripe*
reifen *to ripen*
die **Reihe, -n** *row;* nach der Reihe her *one after the other*
der **Reihen, -** *round dance*
reinknien *to work hard at*
die **Reise, -n** *trip*
die **Reiseerfahrung, -en** *travel experience*
reisen *to travel*
der **Reisende, -n** *traveler*
reissen (von) *to tear (off)*
reiten *to ride*
der **Reiter, -** *rider*
reizen *to provoke; to lure, entice*
die **Reklame, -n** *advertising, advertisement*
der **Reklamespruch, ¨e** *advertising slogan*
der **Religionslehrer, -** *religion teacher*
rennen *to run*
repariert *repaired*
der **Reporter, -** *reporter*
der **Respekt** *respect;* Respekt haben vor *to have respect for*
der **Rest, -e** *rest, remainder*
das **Resultat, -e** *result*
retten *to save*
die **Rettung, -en** *rescue*
reuen: es reut mich *I regret*
das **Revier, -e** *area, section*
die **Revision, -en** *revision*
die **Revolution, -en** *revolution*
der **Rhein** *Rhine River*
der **Rhythmus, -men** *rhythm*
richten *to direct, aim*
richtig *right, correct; really, truly; real, true*
die **Richtung, -en** *direction*
riechen *to smell*
der **Riesenkrach** *huge fight, quarrel*
riesig *huge*
der **Ring, -e** *ring*
das **Ringlein, -** *little ring*
rings: rings um *all around;* rings um uns her *all around us*
ringsum *all around*
ringsumher *all around*
rinnen *to flow*
die **Rippe, -n** *rib*
der **Ritter, -** *knight*
röcheln *to gasp, speak with a rattle in one's throat*
der **Rock, ¨e** *coat*
das **Rohr, -e** *tube*
das **Röhrchen, -** *straw*
die **Rolle, -n** *role*
der **Roller, -** *male canary*
römisch *Roman;* römisch eins *Roman numeral 1*
die **Rose, -n** *rose*
das **Rosenblatt, ¨er** *rose petal*
der **Rosenstiel, -e** *stem of a rose*
das **Röslein, -** *little rose*
das **Ross, -e** *steed;* hoch zu Ross *on horseback*
rot *red*
rötlich *reddish*
rücken *to move*
der **Rücken, -** *back*
der **Rucksack, ¨e** *rucksack, knapsack*
rückwärtsgehend *backing up*
rudern *to row*
rufen *to call, cry out; shout*
das **Rufzeichen, -** *dial tone*
die **Ruhe** *peace, quiet;* er ist die Ruhe selber *he's as calm as can be;* in Ruhe lassen *to leave alone;* sie gibt keine Ruhe *she won't leave them alone*
ruhen *to rest, come to rest;* ruhen auf *to be based on, rest on*
ruhig *quiet, calm;* setz dich ruhig hin *just sit down*
der **Ruhm** *fame, glory*
rühren *to touch;* Saitenspiel rühren *to play stringed instruments*
rülpsend *belching*
der **Rumpf, ¨e** *hull*
rund *round; around, approximately*
rundumher *all around*
runterfressen *to eat up*
rupfen *to pluck*
russisch *Russian*
die **Rüstung** *armament*
rütteln *to shake*

S

der **Saal, Säle** *hall, large room*
die **Sache, -n** *thing*
sacht *gentle*
die **Sage, -n** *legend*
sagen *to say, tell;* was Sie nicht sagen *you don't say*
sähen *to sow*
das **Saitenspiel** *music of stringed instruments*
die **Salve, -n** *round (of fire)*
sammeln *to collect*
samstags *on Saturdays*
der **Samt** *velvet*
sämtlich *entire*
das **Sandsteinfeuer** *the reflected glow of the sandstone buildings*
sanft *soft, gentle*
die **Sanftmut** *gentleness*
der **Sang, ¨e** *song, singing*
satt *full, satisfied;* es satt haben *to be fed up with*

der **Satz, ¨e** *sentence; leap*
die **Sau, ¨e** *sow*
sauber *clean*
säubern *to clean*
saugen *to suck*
säuseln *to rustle*
die **Schachtel, -n** *box, package*
schaffen *to do, accomplish; to make, create*
der **Schaffner, -** *conductor*
der **Schalter, -** *switch*
der **Schanktisch, -e** *bar*
die **Schar, -en** *bunch*
scharf *sharp, stark*
der **Schatten, -** *shadow, shade*
die **Schattenfrau, -en** *phantom*
der **Schattenmann, ¨er** *phantom*
die **Schatulle, -n** *case*
der **Schatz, ¨e** *treasure*
schauen *to look;* schauen auf *to look at*
der **Schauer, -** *thrill, awe*
schaukeln *to rock, sway*
der **Schaum, ¨e** *froth, bubbles*
der **Schauspieler, -** *actor*
der **Scheck, -s** *check*
scheckig *spotted*
scheiden: s. scheiden lassen *to get a divorce*
der **Schein, -e** *bill*
scheinbar *apparently*
scheinen *to seem, appear; to shine*
schellen *to ring*
schelten *to scold*
schenken *to give as a gift;* einem das Leben schenken *to spare one's life; to give birth;* s. schenken lassen *to accept as a gift*
scheren *to cut (hair);* einen Kahlkopf scheren *to shave a person's head bald*
scheu *shy*
s. **scheuen** *to be afraid, avoid*
die **Schicht, -en** *shift*
das **Schichtende** *end of a shift*
der **Schichtwechsel** *change of shift*
schicken *to send*
das **Schicksal** *fate;* in des Schicksals Hand *in the hand of fate*
schieben *to shove, push*
schieflaufen *to go wrong*
schiessen *to shoot*
das **Schiessen** *shooting*
die **Schiesserei, -en** *shooting*
das **Schiff, -e** *ship*
der **Schiffskörper, -** *hull*
der **Schild, -e** *shield*
das **Schildchen, -** *little sign*
schildern *to describe*
schimpfen *to scold; to grumble*
schinden *to mistreat*
die **Schinderei: es ist eine Schinderei!** *it's a grind!*
der **Schirm, -e** *umbrella*
die **Schlacht, -en** *battle*
der **Schlachter, -** *butcher*
der **Schlaf** *sleep;* im Schlaf *in (her) sleep*
schlafen *to sleep*
der **Schlag, ¨e** *stroke*
schlagen *to beat, hit; to slam; to sing;* s. schlagen für *to fight for*
die **Schlagzeile, -n** *headline*
die **Schlamperei** *messiness, untidiness*
die **Schlange, -n** *snake*
schlau *smart, clever*
schlecht *bad(ly); hardly;* ich kann schlecht nein sagen *I have trouble saying no*
schleichen *to creep*
der **Schleier, -** *veil*
schleifen *to sharpen, polish*
schlendern *to stroll, dawdle*
schlenkern *to dangle, swing*
schleudern *to hurl; to shake, swing*
schlicht *plain*
schliessen *to close*
schliesslich *finally*
schlimm *bad*
schlingen: Kreise schlingen *to make circles*
das **Schloss, ¨er** *lock; castle, palace*
der **Schlosser, -** *locksmith; pipe fitter*
die **Schlosserei, -en** *locksmith shop; heating and plumbing shop*
der **Schlosshof, ¨e** *palace courtyard*
schluchzen *to sob*
schlürfen *to slurp*
der **Schluss, ¨e** *end, finish, conclusion;* am Schluss *at the end;* zum Schluss *in the end*
der **Schlüssel, -** *key*
die **Schmach** *disgrace*
schmal *narrow*
schmatzend *smacking (her) lips*
schmecken *to taste;* schmecken nach *to taste like;* schmeckt es? *does it taste good?*
der **Schmerz, -en** *pain*
schmerzend *smarting, hurting*
der **Schmetterling, -e** *butterfly*
der **Schmuck** *jewelry*
schmücken *to decorate, embellish*
der **Schmutzfink, -en** *dirty person*
der **Schmutzfleck, -e** *smudge*
schmutzig *dirty*
das **Schnapsglas, ¨er** *whiskey glass*
der **Schnee** *snow*
die **Schneeflocke, -n** *snowflake*
schneeweiss *snow white*
schneien *to snow*
schnell *fast, quickly*
der **Schnellimbiss, -e** *snack bar*
der **Schnellzug, ¨e** *express train*
die **Schnellzugslokomotive, -n** *locomotive for an express train*
der **Schnupfen, -** *cold, sniffles*
schnurren *to hum, whirr*
schon *already;* schon gut *it's all right;* schon mal wieder *eventually, some time or another*
schön *handsome; beautiful, pretty; nice;* na schön *well fine;* schön wär's *it would be nice*
schonen *to protect*
die **Schönheit** *beauty*
die **Schöpfung, -en** *creation*
der **Schrank, ¨e** *closet*
schrankenlos *boundless*
der **Schreck** *shock;* vor Schreck *out of shock*
der **Schrecken** *fright, scare;* einen Schrecken einjagen *to scare*
schrecklich *terrible*
der **Schreckschuss, ¨e** *warning shot*
der **Schrei, -e** *cry, scream*
schreiben *to write*
schreien *to scream, cry, shout*
das **Schreien** *crying, screaming*
der **Schrein, -e** *coffin*
schreiten *to walk*
das **Schreiten** *striding*
schrill *shrill*
der **Schritt, -e** *step, gait*
schroff *gruff*
der **Schubs, -e** *push*
der **Schuh, -e** *shoe*
schuld: schuld sein an *to be guilty of, responsible for*
schuldbeladen *guilty*
schuldig *guilty*
die **Schule, -n** *school*
der **Schüler, -** *pupil;* der höhere Schüler *Gymnasium student*
der **Schulhof, ¨e** *schoolyard*
das **Schuljahr, -e** *school year*
der **Schulkamerad, -en** *schoolmate*
der **Schulschluss** *end of school*
der **Schultag, -e** *school day*
die **Schulter, -n** *shoulder*
die **Schürze, -n** *apron*
schürzen *to fasten up*
der **Schürzenzipfel, -** *apron string*
schussbereit *ready to shoot*
schütteln *to shake*
der **Schutz** *protection, defense;* zu Schutz und Trutze *in defense and in offense*
schützen *to protect*
der **Schwache, -n** *the weak one*
die **Schwäche, -n** *weakness*
das **Schwalbenvolk** *swallows*

der **Schwan, ⸚e** *swan*
das **Schwanlied, -er** *swan song*
der **Schwarm, ⸚e** *crowd, bunch*
schwarz *black;* schwarz auf weiss *in black and white*
schwatzhaft *chatty*
die **Schwebe** *suspense*
schwebend *suspended, suspenseful*
schwedisch *Swedish*
der **Schweif, -e** *train*
schweigen *to be silent*
der **Schweiss** *sweat*
die **Schwelle, -n** *doorstep*
schwer *hard, difficult; heavy*
schwerfallen: es fällt ihm schwer *it's hard for him*
das **Schwert, -er** *sword*
die **Schwester, -n** *sister*
die **Schwesterschülerin, -nen** *nursing student*
die **Schwierigkeit, -en** *difficulty;* Schwierigkeiten haben mit *to have trouble with*
schwimmen *to swim;* zum Schwimmen fahren *to go someplace to go swimming*
schwirren *to hum*
schwitzend *sweating*
schwören *to swear*
der **Sechzigjährige, -n** *sixty–year–old (man)*
der **See, -n** *lake*
die **See, -n** *sea, ocean;* auf hoher See *on the high seas*
die **Seele, -n** *soul*
die **Seemeile, -n** *nautical mile*
das **Segelschiff, -e** *sailboat*
der **Segen, -** *blessing*
das **Sehnen** *longing*
die **Sehnsucht** *longing;* Sehnsucht haben nach *to long for*
sehr *very; very much*
die **Seife, -n** *soap*
sein *to be*
die **Seinen** (pl) *his own people*
seinerseits *for his part*
seinerzeit *at that time, in those days*
seit *since;* seit einer Woche *for a week*
die **Seite, -n** *side; page;* an meiner Seite *at my side*
seitab *near, next to*
der **Sekretär, -e** *secretary*
die **Sekundenschnelle: in Sekundenschnelle** *in a matter of seconds*
selber *myself, yourself, etc.*
selbst *myself, yourself, himself, herself, oneself;* von selbst *by themselves*
selten *seldom; rare*
seltsam *strange*

die **Semmel, -n** *roll*
das **Sendegerät, -e** *radio transmitter*
senden *to send, transmit*
der **Sender, -** *transmitter*
senken *to sink, lower*
setzen *to place, put, set;* s. setzen *to sit down;* s. an den Tisch setzen *to seat o.s. at the table*
seufzen *to sigh*
sich *himself, herself, itself, oneself, etc.;* an sich *actually;* an sich nehmen *to take*
sicher *sure, surely; secure*
sichtbar *visible*
sichten *to sight*
siegen *to win, conquer*
siegesverlangend *demanding victory*
sieghaft *victorious*
das **Signal, -e** *signal*
das **Silvester, -** *New Year's Eve*
singen *to sing*
sinken *to fall; to sink*
der **Sinn, -e** *mind; meaning; sense, reason; direction;* in den Sinn kommen *to occur to;* mein Sinn *my intention*
das **Sinnbild, -er** *symbol*
sinnend *thoughtful, pensive*
sinngemäss *accordingly*
sinnlos *senseless*
sittsam *well behaved*
die **Situation, -en** *situation*
sitzen *to sit*
so *so, well then; this way;* so was *something like that*
sobald *as soon as*
das **Sofa, -s** *sofa*
sofort *immediately*
sofortig *immediate*
der **Sog** *suction*
sogar *even*
sogleich *right away*
der **Sohn, ⸚e** *son*
solange *as long as, while*
solch– *such*
der **Soldat, -en** *soldier*
das **Soldatenspielen** *playing soldier*
sollen *should, ought to;* was soll das? *what's the good of that? what's the meaning of that?*
der **Sommer, -** *summer*
sonderbar *strange*
sondern *but; on the contrary; but rather*
die **Sondervorstellung, -en** *special performance*
sonnbeglänzt *sunlit*
die **Sonne, -n** *sun*
der **Sonnenaufgang, ⸚e** *sunup*
die **Sonnenuhr, -en** *sundial*

der **Sonntag, -e** *Sunday;* sonntags *on Sunday*
sonst *otherwise*
die **Sorge, -n** *care, worry, trouble;* mach dir keine Sorgen *don't worry*
s. **sorgen für** *to see to*
sorgsam *troubled; carefully*
der **SOS–Ruf, -e** *call for help*
Soundso: Meister Soundso *Master so–and–so*
soviel *so much*
sowie *as well as*
sowieso *anyway*
spalten *to split*
spannend *exciting, thrilling*
sparen *to save*
der **Spass, ⸚e** *fun; joke;* es macht dir Spass *you'll have fun;* Spass haben an *to enjoy;* Spass machen *to tell a joke; to be fun, to amuse;* zum Spass *for fun, for the fun of it*
spät *late*
später *later*
die **Spätschicht, -en** *night shift*
der **Spatz, -en** *sparrow*
spazieren *to walk, stroll*
spazierengehen *to take a walk*
spe: in spe *future*
die **Spekulation, -en** *speculation*
die **Speisekarte, -n** *menu*
die **Spende, -n** *donation*
spendieren *to donate*
das **Sperrfeuer** *crossfire*
der **Spezialist, -en** *specialist*
die **Spezialität, -en** *specialty*
der **Spiegel, -** *mirror*
s. **spiegeln** *to reflect*
das **Spiel, -e** *game*
spielen *to play;* was gespielt wird *what's going on*
der **Spielmann, -leute** *minstrel*
das **Spielzeug, -e** *toy*
die **Spindel, -n** *spindle*
spinnen *to spin*
der **Spitzname, -n** *nickname*
splitternd *splintering*
der **Spott: im Spott** *in jest*
die **Sprache, -n** *language*
die **Sprak = die Sprache**
sprechen (mit) *to speak, talk (to, with)*
das **Sprichwort, ⸚er** *proverb, saying*
der **Springbrunnen, -** *fountain*
springen *to jump, spring, burst forth*
der **Spruch, ⸚e** *maxim; saying; award;* einen Spruch tun *to have one's say*
der **Sprung, ⸚e** *jump;* auf dem Sprung sein *to be on the lookout*

die **Spule, -n** *spool*
spüren *to sense, feel;* er spürt das sehr *he's very aware of it*
die **Staatsbahn, -en** *federal railroad*
der **Stab, ⸚e** *bar*
die **Stadt, ⸚e** *city;* der Platz der Stadt *village square*
das **Stadtbuch, ⸚er** *city register*
städtchenbekannt *known throughout the small town*
der **Städter, -** *person from the city*
stählern *steel, of steel*
die **Stahlplatte, -n** *steel shelf*
der **Stahlschrank, ⸚e** *safe*
die **Stahltür, -en** *steel door*
der **Stall, ⸚e** *stable*
stammeln *to stammer*
standhalten *to hold one's ground, not give in to*
ständig *constantly*
der **Standort, -e** *location*
der **Standpunkt, -e** *standpoint, position*
stark *strong*
die **Station, -en** *station*
die **Statistik, -en** *statistic(s)*
statt *instead of*
staubig *dusty*
staunen *to be amazed*
stechen *to stick, prick;* s. stechen *to prick o.s.*
die **Steckdose, -n** *outlet*
stecken *to stick;* der Schlüssel steckt *the key is in the lock*
stehen *to stand;* stehen vor *to be confronted with*
stehenbleiben *to stop, stand still*
stehenlassen *to leave standing*
steigen *to climb, rise*
s. **steigern** *to become more intense*
steil *steep, straight up*
der **Stein, -e** *stone*
die **Stelle, -n** *place; spot;* an seiner Stelle *in its place*
stellen *to place, install, put;* Fragen stellen *to ask questions;* s. stellen *to place o.s., go and stand*
der **Stempel, -** *stamp*
stenografieren *to take shorthand*
sterben *to die*
der **Stern, -e** *star*
sternklar *starry*
stets *constant; at all times; always, every time*
das **Steuer, -** *helm;* am Steuer *at the helm*
die **Steuerbordseite, -n** *starboard side*
der **Stich, -e** *prick*
stichhaltig *valid*
der **Stiefel, -** *boot;* die Stiefel einlaufen *to break in one's boots*
die **Stiefmutter, ⸚** *stepmother*
der **Stift, -e** *pin, peg*
der **Stil, -e** *style*
still *quiet, silent, still*
die **Stille** *stillness, quiet, silence*
stillen *to still, soothe*
stillhalten *to hold still, stop*
stillschweigen *to be silent*
die **Stiluntersuchung, -en** *analysis of style*
die **Stimme, -n** *voice*
stimmen *to be correct*
das **Stimmengewirr** *sound of voices*
stinken *to stink*
der **Stint, -e** *smelt*
das **Stipendium, Stipendien** *scholarship*
die **Stirn, -en** *forehead, brow*
die **Stirnseite, -n** *front*
der **Stock, Stockwerke** *story, floor;* im dritten Stock *on the second floor*
stöhnen *to groan*
das **Stöhnen** *sigh*
stolz *proud;* stolz sein auf *to be proud of*
stopfen *to stuff;* die Pfeife stopfen *to fill one's pipe*
stoppen *to stop*
die **Stoppuhr, -en** *stopwatch*
stören *to bother, disturb;* s. stören an *to be bothered by*
das **Störsignal, -e** *tone indicating phone trouble*
die **Störung, -en** *disturbance*
der **Störungsdienst** *service department*
der **Stoss, ⸚e** *punch, sock; flow; pile*
stossen *to shove; to kick; to stick;* stossen auf *to run, bump into*
stossend: der stossende Atem *uneven breathing, gasping breath*
stottern *to stutter*
die **Strafe, -n** *punishment*
der **Strahl, -en** *ray, beam*
strahlen *to radiate, beam*
der **Strand, ⸚e** *beach, shore*
die **Strasse, -n** *street*
die **Strassenbahn, -en** *streetcar*
der **Strassenrand, ⸚e** *shoulder, side of the road*
streben (nach) *to strive (for)*
streichen *to caress, stroke;* über das Haar streichen *to stroke (his) hair;* s. ein Brötchen streichen *to spread a roll*
das **Streichholz, ⸚er** *match*
streifen *to touch, glide, skim over*
der **Streit, -e** *battle*
streiten *to stride;* s. streiten *to argue, fight*
streng *harsh(ly), severe(ly); strict, stern*
streuen *to strew, scatter*
der **Strich, -e** *line*
stricken *to knit*
die **Strickerin, -nen** *knitter*
die **Stricknadel, -n** *knitting needle*
das **Strickzeug** *knitting*
das **Stroh** *straw*
der **Strohhalm, -e** *straw*
der **Strom, ⸚e** *river*
der **Strumpf, ⸚e** *stocking, sock*
das **Stübchen, -** *little room*
die **Stube, -n** *room*
das **Stück, -e** *piece; stretch; play;* ein Stück nach Hause bringen *to accompany (her) part of the way home*
der **Student, -en** *student*
die **Studentenbude, -n** *student's room*
das **Studiengeld** *money for college*
studieren *to study*
die **Stufenleiter, -n** *step ladder*
der **Stuhl, ⸚e** *chair*
stülpen *to put on*
stumm *silent, mute*
die **Stunde, -n** *hour; class period*
der **Stundenplan, ⸚e** *hourly record*
der **Sturm, ⸚e** *storm*
die **Sturmwarnung, -en** *storm warning*
stürzen *to rush, dash*
stutzig: stutzig werden *to get suspicious*
suchen *to look for, seek;* was hat er hier zu suchen *what's he doing here?*
das **Südamerika** *South America*
das **Südfrankreich** *Southern France*
südlich– *southerly*
das **Summen** *signal; humming*
der **Summton, ⸚e** *signal*
die **Sünde, -n** *sin*
süss *sweet*
die **Süsse** *sweetness*
die **Synkope, -n** *syncopated note*

T

die **Tabakspfeife, -n** *pipe*
der **Tag, -e** *day;* am Tage *a day;* eines Tages *one day*
das **Tagebuch, ⸚er** *diary*
der **Tagedieb, -e** *loafer*
die **Tageszeitung, -en** *daily paper*
taghell *as bright as day*
täglich *daily, every day*
tagsüber *during the day*

der **Takt, -e** *beat, rhythm;* im Takt mitstampfen *to tap along with the beat*
das **Tal, ¨-er** *valley*
der **Talentflegel, -** *rascal with talent*
die **Tankstelle, -n** *gas station*
die **Tante, -n** *aunt*
der **Tanz, ¨-e** *dance*
tanzen *to dance*
die **Tapferkeit** *bravery*
tappen nach *to grope around for*
die **Tasche, -n** *pocket; bag*
der **Taschendieb, -e** *pickpocket*
die **Taschenlampe, -n** *flashlight*
das **Taschentuch, ¨-er** *handkerchief*
die **Tat, -en** *deed, action;* auf frischer Tat ertappen *to catch red–handed*
die **Tatsache, -n** *fact*
tatsächlich *really, it's a fact*
die **Taube, -n** *dove, pigeon*
der **Taubenschwarm, ¨-e** *flock of pigeons*
der **Taugenichts, -e** *good–for–nothing*
tausend *thousand*
tauwebüberspannt *covered with riggings*
das **Taxi, -s** *taxi*
der **Tearoom, -s** *tearoom*
technisch *technical*
der **Teil, -e** *part*
teilen *to share; to divide*
das **Telefon, -e** *telephone*
die **Telefonanlage, -n** *telephone*
der **Telefonapparat, -e** *telephone*
die **Telefonnummer, -n** *telephone number*
das **Telegramm, -e** *telegram*
der **Teller, -** *plate*
das **Theater, -** *theater*
der **Thron, -e** *throne*
der **Teufel, -** *devil*
der **Tick, -s** *eccentricity; idiosyncrasy*
das **Ticken** *ticking*
tief *low; deep;* etwas viel Tieferes *s.th. much deeper*
die **Tiefe, -n** *depth*
das **Tier, -e** *animal*
tippen *to tap*
der **Tisch, -e** *table;* am Tisch *at the table*
die **Tischkante, -n** *table edge*
die **Tischplatte, -n** *table top*
die **Tochter, ¨** *daughter*
das **Töchterlein, -** *young daughter*
der **Tod, -e** *death;* zum Tode *deathly, grievously*
der **Ton, ¨-e** *tone*
die **Tonerde: essigsaure Tonerde** *witch hazel*
tonlos *without a sound*
das **Tor, -e** *gate*
der **Torbogen, ¨** *archway*
die **Toreinfahrt, -en** *entrance gate*
tot *dead*
der **Tote, -n** *dead person*
die **Totenbahre, -n** *death bed*
traben *to trot*
träge *inert, sluggish*
der **Träge, -n** *lazy person*
tragen *to wear; carry*
tragisch *tragic(ally);* etwas tragisch nehmen *to take seriously*
die **Trampfahrt, -en** *hitchhiking trip*
der **Tran** *(whale) blubber*
die **Träne, -n** *tear*
die **Transaktion, -en** *transaction*
transportieren *to transport*
trauen *to trust;* er traut seinen Augen nicht *he can't believe his eyes*
die **Trauer** *grief*
die **Traufe, -n** *gutter*
der **Traum, ¨-e** *dream*
träumen *to dream*
traurig *sad*
treffen *to meet; to hit, strike; to find;* es traf sich, dass *it so happened that*
treiben *to drive, send; to move; to blow about*
das **Treiben** *hustle and bustle*
trennen von *to separate, part from;* s. trennen *to part*
die **Treppe, -n** *step; staircase*
der **Tresor, -e** *vault*
treten *to step;* treten an *to step up to;* treten in *to enter*
treu *faithful, loyal*
die **Treue** *faithfulness, loyalty*
der **Trick, -s** *trick*
die **Triefaugen** (pl) *bleary eyes*
trinken *to drink*
der **Trinker, -** *drinker*
das **Trinkgeld, -er** *tip*
der **Tritt, -e** *step*
der **Triumph, -e** *triumph*
die **Trommel, -n** *drum*
das **Trommelfeuer** *drumfire, heavy gunfire*
trommellos *without the sound of drums*
die **Trompete, -n** *trumpet*
tröpfeln *to trickle*
tropfen *to drip*
trösten *to comfort, console*
trostlos *desolate, cheerless*
trotten *to trot*
trotz *in spite of*
der **Trotz** *defiance*
trotzdem *although; anyway, in spite of*
trotzig *defiant*
trunken *drunk, intoxicated*
die **Trunkenheit** *intoxication*
die **Truppe, -n** *troop*
der **Trutz** *defiance, offensive;* zu Schutz und Trutze *in defense and in offense*
das **Tuch** *cloth*
tüchtig *capable, hardworking*
die **Tüchtigkeit** *efficiency*
die **Tugend, -en** *virtue*
der **Tumult** *uproar*
tun *to do*
die **Tür, -en** *door*
der **Turban, -e** *turban*
die **Türklinke, -n** *door handle*
der **Turm, ¨-e** *tower; steeple*
der **Typ, -en** *type, character*

U

übel *bad;* übel sein dran *to be in a sad fix*
üben *to practice*
über *above; over; through, across; about, before;* eine ganze Nacht über *the whole night through;* über und über *all over*
überall *everywhere*
überbrücken *to bridge*
überfliegen *to skim over*
übergeben *to hand over*
überhaupt *at all;* überhaupt noch was sehen *to be able to see anything at all*
überhören *to miss, not catch*
(s.) **überlegen** *to think over, consider*
überlegt *considered, thought over, through*
übermütig *arrogant(ly), insolent(ly)*
übermorgen *day after tomorrow*
übernachten *to stay overnight*
übernächst–: im übernächsten Haus *two houses away*
übernehmen *to take over*
überprüfen *to check*
überrascht *surprised*
die **Überraschung, -en** *surprise*
überreichen *to hand over*
die **Überreichung** *presentation*
überrunden *to outdo*
überschauen *to grasp, comprehend*
überschlagen *to go over*
s. **überschlagen: seine Stimme überschlug sich** *his voice cracked*
die **Überschrift, -en** *title*
übersehen *to overlook*

übersetzen *to translate*
die **Überstunde, -n** *overtime*
übertrieben *exaggerated; overdone*
die **Übertriebenheit, -en** *excess*
überzeugen *to convince;* s. überzeugen *to make sure, assure, convince o.s.*
überzeugt *sure, convinced*
übrig *left, remaining, the rest of;* übrig haben *to have left*
die **übrigen** *the rest of them*
übrigens *moreover, by the way*
übriglassen *to leave (over, behind)*
das **Übungsgelände** *training ground*
die **Uhr, -en** *clock; o'clock;* ein Uhr *one o'clock*
das **Uhrwerk** *works of a clock;* wie ein Uhrwerk *like clockwork*
um *at; around;* um . . . zu *in order to; to;* Blume um Blume proben *to try flower after flower;* um eine Stunde zu lang *too long by one hour*
umarmen *to embrace*
umbringen *to kill*
umdrängen *to press around*
umdrehen *to turn*
die **Umgebung, -en** *surrounding area*
umgehen mit *to deal with, handle*
umgekehrt *the other way around*
umgestürzt *knocked over*
der **Umhängebart, ⸚e** *beard*
der **Umhängebeutel, -** *shoulder bag*
umherfliegen *to fly around*
umhersehen *to look around*
umherstehen *to stand around*
umkehren *to turn around, turn back*
umkippen *to tip over*
s. **umsehen** *to look around*
s. **umwenden** *to turn around*
umziehen *to surround;* s. umziehen *to change (clothes)*
die **Unannehmlichkeit, -en** *unpleasantness*
unappetitlich *unsavory*
unauffällig *inconspicuous(ly)*
unaufhörlich *constant*
unaufschiebbar *not able to be postponed*
unausstehlich *unbearable, intolerable*
unbändig *uncontrolled*
unbarmherzig *merciless*
unbehaglich *uncomfortable*
unbekümmert *carelessly*
die **Unbequeme, -n** *person who is not complacent*
unberührt *untouched*
unbeschädigt *unharmed*
unbeschreiblich *indescribable*
unbesucht *empty of customers*
unbrauchbar *broken, useless*
und *and*
undeutlich *unclear*
unentrinnbar *inescapable*
unerfreulich *unpleasant*
unerhört: etwas ganz Unerhörtes *something completely unheard of, s.th. outrageous*
das **Unerhörte** *the unheard of*
unerklärbar *inexplainable*
unerklärlich *inexplainable; puzzling*
unermüdlich *untiring, constant*
unerschöpflich *inexhaustible*
das **Unerwartete** *the unexpected*
die **Unfallstelle, -n** *accident site*
unfassbar *incomprehensible*
unfreundlich *unfriendly*
ungeahnt *undreamed of*
die **Ungeduld** *impatience*
ungeeignet *inappropriate*
ungefähr *approximately*
ungeheuer *huge, tremendous*
ungewöhnlich *unusual*
ungezählt *uncounted*
das **Unglück** *misfortune*
das **Unheil** *disaster*
unheimlich *terrifically, tremendous(ly), unbeliev(ably)*
unhörbar *inaudible*
die **Uniform, -en** *uniform*
das **Unkraut** *weeds*
unlauter *shady, dishonest*
unleserlich *illegible*
unmelodisch *unmelodically*
unmöglich *impossible*
das **Unrecht** *wrong, injustice;* s. ins Unrecht setzen *to put o.s. in the wrong*
unrechtmässig *illegal*
die **Unruhe** *unrest*
unruhig *uneasy, restless*
die **Unschuld** *innocence*
unschuldig *innocent*
unsereins *people like us*
unsicher *unsure, uncertain*
unsichtbar *invisible*
der **Unsinn** *nonsense*
unten *downstairs;* hier unten *down here*
unter *under; among; amidst;* die unteren Klassen *the lower, younger grades*
unterbrechen *to interrupt*
unterbringen *to store*
unterdrücken *to suppress*
untereinander *among themselves*
der **Untergang, ⸚e** *sinking*
untergehend *sinking*
s. **unterhalten** *to converse*
der **Unterlass** *interruption;* ohne Unterlass *constantly*
unterlassen *to stop, discontinue*
unterliegen *to lose, be defeated*
das **Unterpfand** *guarantee*
der **Unterricht** *class, instruction*
unterscheiden *to differentiate;* man konnte schlecht unterscheiden *one could hardly tell;* unterscheiden von *to distinguish o.s. from*
unterschlagen *to leave out*
die **Unterschrift, -en** *signature;* zur Unterschrift *for (her) signature*
untersuchen *to examine*
die **Untersuchung, -en** *investigation*
untertauchen *to dive under (water)*
unterwegs *en route*
unterweisen *to teach, instruct*
ununterbrochen *non–stop, uninterruptedly*
unverschämt *impudent, nervy*
unvorsichtigerweise *imprudently, carelessly*
die **Unvorsichtigkeit** *carelessness*
unwahrscheinlich *improbable*
unwiderstehlich *irresistible*
unwillig *unwillingly*
unwürdig *unworthy*
unzuverlässig *undependable*
uralt *age old*
die **Ursache, -n** *cause*
der **Urwald, ⸚er** *jungle*

V

das **Varieté** *music hall*
die **Vase, -n** *vase*
der **Vater, ⸚** *father*
das **Vaterland** *fatherland*
s. **verabschieden** *to say good–bye, bid farewell*
verändern *to change*
veranlassen (durch) *to cause (by)*
verantwortlich *responsible*
verarbeiten *to process*
der **Verbandsplatz, ⸚e** *(field) dressing station*
verbaut in *used in building*
verbergen *to hide*
s. **verbeugen** *to bow*
verbieten *to forbid*
verbinden *to combine*
verbittert *embittered*
verblichen *faded*
der **Verblüffte, -n** *amazed person*
verboten *forbidden*
verbrannt *burned, scorched*
verbreiten *to spread;* s. verbreiten *to spread out*

verbrennen *to burn*
verbringen *to spend (time)*
verdanken *to owe; to thank, owe thanks to*
die **Verdauung, -en** *digestion*
verderben *to ruin, spoil*
verdienen *to earn*
s. **verdingen** *to go into service*
verdreckt *dirty*
verdrehen: den Kopf verdrehen *to turn a person's head*
verdreschen *to beat up*
verdriessen: s. etwas nicht verdriessen lassen *not to be discouraged by*
die **Verehrung** *admiration*
vereinbart *agreed*
verekeln: einem etwas verekeln *to make s.th. distasteful to s.o.*
der **Verfasser, -** *author, shaper*
verflossen *passed*
der **Verfolger, -** *pursuer*
die **Vergangenheit** *past*
vergeblich *in vain*
vergehen *to pass (time); to die out;* die Zeit vergeht *time passes*
vergessen *to forget*
s. **vergewissern** *to make sure*
der **Vergleich, -e** *comparison;* im Vergleich zu *compared to, in comparison with*
vergleichen *to compare*
das **Vergnügen, -** *pleasure*
vergnügt *happily*
die **Verhandlung, -en** *negotiation*
verhängnisvoll *fateful*
verhärtet *hardened*
verheiratet *married*
verholzen *to become stringy and dried out*
verkaufen *to sell*
der **Verkäufer, -** *seller*
die **Verkleidung, -en** *disguise*
verlangen *to demand; to request; to need to; to long for*
das **Verlangen** *longing, desire*
verlangsamen *to slow down*
verlassen *to leave*
verlassen (adj) *deserted*
verlaust *full of lice*
verlegen (adj) *embarrassed*
verlegen auf *to transfer*
verletzen *to injure*
verleihen *to award*
s. **verlieben in** *to fall in love with*
verlieren *to lose*
die **Verlockung, -en** *temptation*
verlogen sein *to be a lie*
verlorengehen *to get lost*
s. **vermählen mit** *to marry*
vermeiden *to avoid*
vermeintlich *supposed(ly)*
die **Vermieterin, -nen** *landlady*
vermissen *to miss; to regret*
vermögen *to be able to do, capable of doing*
vermuten *to suspect*
die **Vermutung, -en** *suspicion, hunch*
vernehmen *to hear*
die **Vernunft** *reason;* zur Vernunft kommen *to come to one's senses*
vernünftig *reasonable, sensible*
verprügeln *to beat up*
verpufft *up in smoke, fizzled out*
der **Verrat, ¨e** *betrayal*
verrichten *to do, perform*
verrostet *rusty*
verrückt *crazy*
der **Vers, -e** *verse*
versagen *to refuse (to see, record)*
s. **verschaffen** *to get, obtain*
verschieden *different; various; diverse*
der **Verschleiss, -e** *margin of error*
verschliessen *to close, lock*
verschlingen *to devour*
verschlossen *locked*
verschmitzt *mischievous*
verschulden *to owe to*
verschweigen *to keep silent about*
verschwinden *to disappear;* verschwinden lassen *to have disappear*
verschwommen *blurry*
verschwunden *disappeared*
versehen *to do s.th. wrong; to supply, provide*
das **Versehen: aus Versehen** *by mistake*
versengen *to singe*
versetzen *to transfer; to promote*
versichern *to assure*
s. **verspäten** *to be late*
verspinnen *to use up in spinning*
versprechen *to promise*
versprochen *promised*
verständig *sensible*
verständlich *understandably*
das **Verständnis** *understanding, appreciation*
verstehen *to understand; to know how (to do s.th.);* verstehen von *to understand, know about;* s. verstehen mit *to get along with*
verströmen *to flow*
verstummen *to become silent*
das **Versuch, -e** *attempt; experiment*
versuchen *to try, attempt*
versucht sein *to be tempted*
die **Versuchung, -en** *temptation*
versumpft *stagnant*
die **Versündigung, -en** *sin*
vertauschen gegen *to exchange for*
verteidigen *to defend*
vertragen *to be able to take, not be offended by*
vertrauen *to trust; to confide*
vertraulich *intimate*
s. **verwandeln** *to change, transform*
die **Verwandlung, -en** *change, transformation*
der **Verwandte, -n** *relative*
die **Verwandtschaft** *relatives*
verweigern *to deny; to refuse*
verwirrend *confusing*
verwöhnen *to spoil, indulge*
verwundert *amazed*
verwundet *wounded*
der **Verwundete, -n** *wounded (person)*
verzagend *despairing*
verzählen *to miscount*
verzaubert *enchanted, under a spell*
verzeihen *to forgive, excuse*
verzerrt *distorted*
verzichten auf *to do without*
s. **verziehen: die Mundwinkel verzogen sich** *he twisted the corners of his mouth*
verzweifelt *desperate*
der **Vetter, -n** *(male) cousin*
viel *much, many*
viele *many*
vielerlei *many kinds of*
vielfarbig *multi-colored*
vielgebraucht *much used*
vielleicht *maybe*
vielmals *many times*
vieltausendmal *thousands of times*
viereckig *square*
viert– *fourth;* vom vierten Jahr an *from four years old up*
der **Viertelton, ¨e** *quarter tone*
vierzehn *fourteen*
vierzig *forty*
vierzigtausand *forty thousand*
der **Vietnam–Krieg** *Vietnam War*
die **Visage, -n** *face;* mit böser Visage *with a scowling face*
das **Visum, Visa** *visa*
der **Vogel, ¨** *bird;* einen Vogel haben *to be crazy, cuckoo*
das **Vögelein, -** *little bird*
die **Vogelstimme, -n** *sound of a bird*
das **Volk, ¨er** *people; nation; race*

voll *full; ripe*
der **Vollbart, ⸚e** *full beard*
vollbringen *to complete*
die **Vollendung, -en** *completion ripeness*
vollkommen *complete*
vollständig *complete(ly)*
vollziehen *to carry out*
von *of, from, by, about*
voneinander *from each other*
vor *in front of; ago; out of;* erst vor acht Tagen *just a week ago;* vor Angst *with fear;* vor sich hin *to oneself*
vorankommen *to get ahead*
vorausklagen *to predict, foretell*
vorbei *past, by;* an allem vorbei *passing everything*
vorbeifliegen *to fly by*
vorbeigehen *to pass*
vorbeikommen *to come by, pass by, go by*
vorbeispringen *to dash past*
vorbereitet *prepared*
s. **vorbeugen** *to lean forward*
vorgehen *to go ahead*
vorgerückt: in vorgerückter Stunde *at a late hour*
vorgeschrieben *written, prescribed*
vorgestern *day before yesterday*
vorhanden sein *to be present*
der **Vorhang, ⸚e** *curtain*
vorher *before*
vorhin *before*
vorkommen *to happen;* sich vorkommen *to feel*
vorladen *to summon*
vorlegen *to present*
vorlesen *to read to*
der **Vormarsch** *advance, push*
der **Vormittag, -e** *morning*
vorn: da vorn *over there in front;* nach vorne *up front, at the head;* von vorn *from the front*
der **Vorrat, ⸚e** *supply*
vorrücken *to move up*
vorsagen *to recite*
der **Vorschlag, ⸚e** *suggestion*
vorschützen *to plead as an excuse*
vorsetzen *to set down in front of*
die **Vorsicht** *caution*
vorsichtig *careful*
der **Vorsprung, ⸚e** *ledge*
vorstellen *to introduce;* s. vorstellen *to imagine*
vorstellig: vorstellig werden *to present a case*
die **Vorstellung, -en** *performance; impression, idea, conception*
vorstossen *to rush in*
der **Vortrag, ⸚e** *lecture*
vorüberfahrend *driving by, passing*
vorübergehen *to go, pass by*
vorübergehend *temporary*
der **Vorübergehende, -n** *passerby*
das **Vorurteil, -e** *prejudice*
der **Vorwand, ⸚e** *pretense, excuse*
vorweisen *to present, show*
vorwerfen *to reproach*
der **Vorwurf, ⸚e** *reproach*

W

wachen *to be awake*
wachsen *to grow*
wachsend *growing, increasing*
das **Wachtfeuer, -** *watchfire*
die **Waffe, -n** *weapon*
der **Waffenrock, ⸚e** *tunic*
wagen *to dare*
der **Wagen, -** *car; wagon*
die **Wagentür, -en** *car door*
das **Wagenwaschen** *washing cars*
die **Wahl** *choice*
wählen *to select, choose; to dial*
wahnsinnig *crazy*
wahr *true; honest;* nicht wahr? *isn't that so?*
während *while; during*
wahrhaftig *true, genuine; really, truly, indeed*
die **Wahrheit, -en** *truth*
die **Wahrheitsliebe** *love of truth*
wahrlich *truly*
wahrscheinlich *probably*
das **Wahrzeichen, -** *trademark*
der **Wal, -e** *whale*
der **Wald, ⸚er** *woods, forest*
die **Waldecke, -n** *corner of the woods*
das **Walfangschiff, -e** *whaling ship*
wallen *to float, flutter*
walten *to rule*
die **Wand, ⸚e** *wall*
das **Wandbrett, -er** *bulletin board*
s. **wandeln** *to change*
der **Wanderer, -** *wanderer*
die **Wandergans, ⸚e** *wild goose*
wandern *to wander, roam*
der **Wandersmann, -leute** *wanderer*
die **Wange, -n** *cheek*
wanken *to stagger, sway*
wann *when*
wäre: ich wäre gern *I would like to be*
warm *warm*
warnen *to warn*
warten *to wait; to take care of;* warten auf *to wait for;* warte nur *just wait*
warum *why*
was *what, that; something, anything*
die **Waschanstalt, -en** *laundry*
waschen *to wash*
das **Wasser** *water*
die **Wasserspülung** *plumbing*
das **Watt, -** *watt (of electricity)*
wechseln *to change*
wedeln *to wag (its) tail*
weder: weder . . . noch *neither . . . nor*
der **Weg, -e** *way, path;* einen Weg einschlagen *to follow a path*
wegen *because of*
wegfahren *to ride, drive away*
weggehen *to go away, leave*
weglaufen *to run away*
weglegen *to put aside, put away*
wegräumen *to clear away*
wegreissen *to carry off*
wegschicken *to send away*
wegschieben *to push away*
wehen *to blow*
das **Wehen** *blowing of the wind*
die **Wehmut** *sadness*
s. **wehren** *to defend o.s., resist*
das **Weib, -er** *woman, wife*
weich *soft*
weichen *to back off*
die **Weide, -n** *willow tree*
Weihnachten *Christmas*
weil *because*
die **Weile: eine Weile** *awhile*
der **Wein, -e** *wine*
weinen (vor) *to cry (with)*
das **Weinen** *crying*
das **Weinglas, ⸚er** *wine glass*
weise *wise*
der **Weise, -n** *wise person*
die **Weise, -n** *tune, song, tale; way, manner;* auf jede Weise *in every way*
weisen *to point out, show;* weisen auf *to point to*
die **Weisheit** *wisdom*
weiss *white*
weissgescheuert *scrubbed white*
weit *far, wide; large, vast;* von weitem *from afar;* weit und breit *far and wide;* es kam so weit *it went so far*
die **Weite** *breadth*
weiten *to broaden*
weiter *further; farther;* ich konnte nicht weiter *I couldn't continue;* so geht das nicht weiter! *this can't go on like this!;* und so weiter *et cetera, and so forth;* weiter nichts *nothing more*
weiterfahren *to continue, drive on*

weitergeben *to pass on, transmit*
weitergehen *to continue, go on;* im Weitergehen *as one continues along*
weiterkommen *to move on*
weiterkriechen *to continue to crawl*
weitermachen *to continue*
weiterrennen *to keep on running*
weitertun *to continue*
weiterwelken *to continue to wilt*
weither: von weither *from far and wide*
welch– *which*
welken *to wilt*
welkend *wilting, rotting*
die **Welle, -n** *wave, undulation*
die **Wellenlänge, -n** *wave-length*
die **Welt, -en** *world;* ein Kind zur Welt bringen *to give birth to a child;* um alles in der Welt *for everything in the world*
das **Weltall** *universe*
die **Weltausstellung, -en** *world's fair*
die **Weltsprache, -n** *universal language*
die **Wendeltreppe, -n** *winding staircase*
s. **wenden an** *to turn to*
wenig *little;* weniger als *less than*
wenigstens *at least*
wenn *if; when, whenever;* und wenn *and if so;* wenn auch *even if*
wer *who, whoever*
das **Werbefernsehen** *TV commercials*
werden *to become;* alt werden *to grow old;* dann werden es wohl Gespenster sein *then it must have been ghosts;* er ist erst 11 Jahre alt geworden *he only turned 11*
werfen *to throw*
werfend: den Ball werfend *(while) throwing a ball*
das **Werk, -e** *work*
der **Werktag, -e** *workday*
wert *worth;* das Geld wert *worth the money*
der **Wert, -e** *worth, value*
wertvoll *valuable*
das **Wesen, -** *being*
weshalben *for which reason*
die **Wette: um die Wette laufen** *to run a race*
das **Wetter** *weather*
die **Wetterstation, -en** *weather station*
wichtig *important*
widerfahren *to happen to*
widerlegen *to refute; to deny, ignore*
der **Widerspruch, ⸚e** *contradiction*
widerstehen *to resist*
wie *as; such as; how; as well as*
wieder *again;* so, das hätten wir wieder einmal *well, that's it;* wieder einmal *once again*
wiederholen *to repeat*
wiederholt *repeated(ly)*
wiederkommen *to come back, come again*
s. **wiegen** *to rock*
die **Wiese, -n** *meadow*
wieviel *how much*
wild *wild*
der **Wille, -n** *will*
willig *willing*
der **Wind, -e** *wind*
der **Windvorhang, ⸚e** *heavy curtain by a door to protect from the draft*
der **Wink, -e** *tip*
winken *to wave*
der **Winter, -** *winter*
der **Wipfel, -** *treetop*
der **Wirbel** *turmoil*
wirken *to influence*
wirklich *real; really*
die **Wirklichkeit** *reality*
die **Wirkung, -en** *effect*
das **Wirrsal** *confusion*
der **Wirrwarr** *chaos*
der **Wirt, -e** *innkeeper, bartender*
die **Wirtin, -nen** *innkeeper*
die **Wirtschaft, -en** *bar, pub*
wissen (von) *to know (about);* sie wusste nichts zu sagen *she didn't have anything to say*
das **Wissen** *knowledge, learning*
wissend *knowing*
wittern *to sense, smell*
die **Witwe, -n** *widow*
der **Witz, -e** *wit; joke*
witzig *witty*
wo *where, wherever*
die **Woche, -n** *week*
das **Wochenende, -n** *weekend*
wofür? *for what?*
die **Woge, -n** *wave*
wogen *to sway*
woher *from where*
wohin *where (to)*
wohl *probably, no doubt; to be sure;* lebt wohl *farewell;* mir ist wohl *I feel content;* wohl bekomms *cheers;* s. wohl fühlen *to feel comfortable, happy*
wohlgefallen *to be very pleasing;* es hat mir wohlgefallen *I liked it a lot*
wohlhabend *wealthy*
der **Wohllaut** *harmony*
der **Wohlstand** *wealth, affluence;* im Wohlstand leben *to be wealthy*
die **Wohltat, -en** *good deed*
wohlwollend *well–meaning*
wohnen *to live*
der **Wohnsitz, -e** *residence*
die **Wohnung, -en** *apartment*
das **Wohnzimmer, -** *living room*
die **Wölbung, -en** *arch*
die **Wolke, -n** *cloud*
wollen *to want, want to*
wonnig *beautiful*
das **Wort, ⸚er** *word, words (in context);* aufs Wort *implicitly; anything you say*
wortlos *wordless, without saying a word*
worunter *among which*
wozu? *what for?*
das **Wunder, -** *wonder, marvel*
wunderbar *wonderful*
die **Wundergabe, -n** *endowment*
wunderlich *strange*
wunderschön *beautiful*
wunderstill *still with awe*
wundervoll *wonderful*
der **Wunsch, ⸚e** *wish*
wünschen *to wish*
die **Würze, -n** *spice*
das **Würzlein, -** *little root*
wüst *desolate*
die **Wut** *anger, rage*
wüten *to rage*
wütend *mad, furious, angry*

Z

zaghaft *timid*
die **Zahl, -en** *number*
zahlen *to pay*
zählen *to count*
das **Zahlengesicht** *"face with numbers" (rotary dial)*
der **Zahn, ⸚e** *tooth*
zart *delicate, tender; dainty*
der **Zauber** *magic*
der **Zauberer, -** *magician, sorcerer*
zaubern *to do magic, cast a spell*
der **Zauberspruch, ⸚e** *magic spell*
das **Zauberwort, ⸚er** *magic word*
der **Zaun, ⸚e** *fence*
zechen *to drink, go out with*
die **Zecke, -n** *tick*
zehn *ten*
zehnmal *ten times*
das **zehntemal** *tenth time*
das **Zeichen, -** *sign, signal;* zum Zeichen *as a sign*

zeigen *to point; to show;* s. zeigen *to appear, become evident;* zeigen auf *to point to*
die **Zeit, -en** *time;* in der ersten Zeit *in the beginning;* vor Zeiten *a long time ago;* s. Zeit lassen *to take one's time*
die **Zeitlang: eine Zeitlang** *for a while*
zeitlebens *all one's life*
zeitraubend *time-consuming*
die **Zeitung, -en** *newspaper*
die **Zeitungsfrau, -en** *lady selling newspapers*
die **Zeitungsleute** (pl) *newspaper people, the press*
der **Zeitungsstand, ¨e** *newspaper stand*
das **Zeltdach, ¨er** *awning*
die **Zensur, -en** *mark, grade*
zentralgeheizt *having central heating*
der **Zephir** *zephyr (poetic for mild southwest wind)*
zerbrechen *to break*
zerbrochen *broken*
zerfallen *to fall apart*
zerfranst *frayed*
zermürbend *wearing*
zerren *to drag*
zerspringen *to burst*
zersprungen *cracked*
zertrümmert *shattered*
das **Zeug** *stuff, material;* dummes Zeug! *nonsense;* das Zeug haben *to have what it takes;* s. ins Zeug legen *to put one's nose to the grindstone*
ziehen *to pull; to go, move; to draw (on a pipe);* es zogen *there went*
das **Ziel, -e** *destination; goal*
ziemlich *rather, quite*
zierlich *dainty*
die **Ziffer, -n** *number*
die **Zigarette, -n** *cigarette*
das **Zimmer, -** *room*
die **Zimmerseite, -n** *side of the room*
zittern *to tremble*
zitternd *trembling*
zitieren *to quote*
Zivil: in Zivil *in civilian clothes*
zögern *to hesitate*
das **Zögern** *hesitation*
zögernd *hesitantly*
der **Zorn** *anger, rage*
zornig *angry*
zottig *shaggy*
zu *to; toward;* auf die Kirche zu *toward, in the direction of the church;* zum Geburtstag *for (his) birthday*
züchten *to breed, cultivate*
zucken *to shrug; to jerk, quiver*
zudecken *to close, cover*
zudem *in addition, furthermore*
zueinander *to each other*
zuerst *first, at first*
der **Zufall, ¨e** *coincidence*
zufrieden *satisfied, content;* sie war es zufrieden *she had no objection*
die **Zufriedenheit** *satisfaction*
der **Zug, ¨e** *train*
die **Zugsirene, -n** *train whistle*
zugeben *to admit*
zugehörig *belonging to*
zugleich *at the same time*
zugreifen: greifen Sie zu! *help yourself!*
das **Zugtier, -e** *draft animal*
zukehren *to turn to*
zukneifen *to squeeze shut;* das Auge zukneifen *to wink*
zukommen: was uns zukommt *what is our due;* zukommen auf *to come up to*
zulassen *to allow*
die **Zuleitungsschnur, ¨e** *telephone cord*
zumachen *to close*
s. **zumuten** *to take on, expect of o.s.*
die **Zumutung, -en** *nerve, imposition, tall order*
zunächst *at first*
zünden *to spark*
zupacken *to seize the opportunity*
zuprosten *to toast*
zurechtkommen *to succeed*
zurechtschieben *to push straight, back in place*
zureden *to persuade*
zurück *back*
zurückbringen *to bring back*
zurückdrehen *to turn (back)*
zurückfahren *to start back (in surprise)*
zurückhalten *to hold back*
zurückhaltend *reserved*
zurückirren *to stray back*
zurückkehren *to return*
zurückkommen *to come back*
zurücklaufen *to run back*
zurückliegen *to date back*
zurücknehmen *to take back*
zurückrufen *to call back*
zurückschieben *to push back*
zurückschlagen *to draw back*
zurücksinken *to sink back*
zurückwinken *to wave back*
zurückziehen *to pull back*
zurufen *to call to*
zusammen *together*
zusammenbrechen *to collapse*
zusammengehen *to go together, meet*
zusammenhalten *to hold, stick together*
zusammenkratzen *to scratch together*
zusammenlegen *to gather together*
s. **zusammenschliessen** *to merge*
zusammensetzen *to put together*
der **Zusammenstoss, ¨e** *collision*
zusammenstürzen *to collapse*
zusammensuchen *to seek out*
s. **zusammentun** *to close*
der **Zuschauer, -** *viewer, spectator*
zuschliessen *to close, lock*
zuschreiten auf *to walk toward*
zusprechen: gut zusprechen *to persuade*
der **Zustand, ¨e** *condition*
zusteuern *to steer toward*
zuteil: zuteil werden lassen *to mete out*
zutragen: es trug sich zu *it came to pass*
zuverlässig *dependable*
zuviel *too much*
zuvor *before*
zwar *indeed, to be sure; I admit; of course*
der **Zweck, -e** *purpose*
zwei *two*
zweier *of two*
der **Zweifel** *doubt*
zweigen *to branch out*
zweimal *twice;* zweimal am Tage *twice a day*
zweit– *second;* der zweite *the second one;* ein zweiter *a second one;* zu zweit *both of us*
zweitens *secondly, second of all*
der **Zwilling, -e** *twin*
zwischen *between*
zwitschern *to chirp*
zwölf *twelve*

A 4 B 5 C 6 D 7 E 8 F 9 G 0 H 1 I 2 J 3